TECHNIQUES D'ENTRETIEN ET D'ENTREVUE

Élaine Pauzé

MODULO ÉDITEUR

La publication de cet ouvrage a été rendue possible grâce au soutien pédagogique et à la participation financière du ministère de l'Éducation du Québec.

ÉQUIPE DE PRODUCTION
Couverture : Steve Louis
Montage : Lorraine Laflamme
Révision linguistique : Hélène Beauchemin et Dominique Lefort
Typographie : Carole Deslandes et Violaine Lauzon

RESPONSABLES DU PROJET AU MINISTÈRE DE L'ÉDUCATION :
Danielle Bélanger et Marie Pépin

Premier tirage : juin 1984
Quatrième tirage : novembre 1987

TECHNIQUES D'ENTRETIEN ET D'ENTREVUE

MODULO ÉDITEUR
233, avenue Dunbar
Mont-Royal (Québec)
Canada H3P 2H4
Téléphone : 514-738-9818 / 1 888 738-9818
Télécopieur : 514-738-5838 / 1 888 273-5247
Site Internet : www.groupemodulo.com
Dépôt légal : 2e trimestre 1984
Bibliothèque nationale du Québec
Bibliothèque nationale du Canada
ISBN 978-2-89113-118-6

Imprimé au Canada
15 16 17 18 15 14 13 12

Table des matières

Introduction

La communication interhumaine constitue un élément essentiel du processus de développement et d'épanouissement de l'individu. Dès sa naissance, l'enfant entre en contact avec son environnement par des pleurs, des cris et divers mouvements de son corps. Par la suite, il acquiert le langage qui lui permet alors de raffiner et de diversifier ses modes d'interaction avec la réalité extérieure. Et, tout au long de son existence, l'être humain, par la parole et les gestes, continue de communiquer avec ses semblables.

Toutefois, même s'il acquiert très tôt l'habitude de la communication, l'homme ne réussit pas toujours à bien transmettre le contenu de ses pensées et de ses émotions, à maintenir des relations satisfaisantes avec les autres. En effet, il éprouve parfois des difficultés de communication et il a alors besoin d'aide pour apprendre ou réapprendre à bien communiquer avec lui-même et avec son environnement.

Le présent ouvrage, qui est basé sur le contenu des cours de «Techniques d'entretien et d'interview» offerts aux étudiants de cegeps inscrits au programme de Techniques d'intervention criminologique, mais qui s'adressent aussi à tous ceux qui s'orientent vers un travail dans le domaine des sciences humaines, aborde ce phénomène complexe de la communication interhumaine en touchant un type particulier de celle-ci: l'entrevue. Il a donc pour objectif de familiariser les étudiants avec les principaux outils susceptibles de leur permettre, tant dans leur vie personnelle que dans leur vie professionnelle, d'améliorer la qualité et l'efficacité de leurs échanges, mais aussi d'aider les autres à en faire de même.

Ainsi, après avoir situé l'entrevue par rapport au phénomène global de la communication interhumaine, le volume définit l'entrevue. Il en présente tous les éléments constitutifs, les principaux objectifs, les différents modes de classification et de contrôle, les caractéristiques des clientèles touchées, le rôle de l'interviewer et les diverses étapes de son déroulement. De plus, il s'attarde assez longuement à l'entrevue biographique avant de décrire, plus brièvement, divers autres types d'entretien susceptibles de concerner directement ou indirectement les gens qui travaillent dans le domaine des sciences humaines.

L'entrevue est un art. Pour bien le pratiquer, il est certes utile de maîtriser un certain nombre d'outils ou de techniques tels que ceux que nous présentons dans ce volume. Cependant, il est tout aussi important que celui qui les utilise connaisse bien et sache adapter à sa personnalité les instruments qui sont mis à sa disposition. C'est par l'intégration des éléments techniques et relationnels impliqués dans toute situation d'entrevue que se développera la véritable compétence de l'interviewer.

Chapitre 1

La communication humaine

1.1 Le besoin de communiquer

Qu'est-ce que communiquer?

Dès la naissance, l'homme communique avec son milieu: d'abord pour affirmer sa présence dans ce monde, ensuite pour satisfaire ses besoins vitaux primaires. Les cris, les pleurs, les gestes, les sourires, voilà autant de moyens qui, très tôt, c'est-à-dire bien avant l'acquisition du langage, permettent à l'enfant de faire part aux membres de son entourage de ses désirs, de ses inconforts ou de ses plaisirs.

Chaque enfant fabrique donc, en interagissant avec son milieu, un système de communication non verbal. Ce système est pour lui une condition essentielle de survie. En effet, il peut de cette façon obtenir la nourriture nécessaire à sa croissance physique, ainsi que la tendresse et l'affection indispensables à sa maturation psychique. Incapable de manifester ses besoins, l'enfant risque d'être peu ou mal nourri (physiquement et psychologiquement) et d'en porter, sa vie durant, des séquelles indélébiles. Le drame de l'autisme infantile, cette maladie que Bruno Bettelheim a brillamment illustrée dans *La forteresse vide*, trouve justement ses origines dans une incapacité de communiquer qui s'installe progressivement chez le tout jeune enfant. Cette perturbation du contact affectif ou de la relation avec la réalité, par laquelle on définit la maladie, est donc essentiellement un problème de communication. Quelle que soit la cause du problème, qu'elle se situe chez l'enfant ou chez la mère qui ne répond pas adéquatement à l'enfant ou ne le stimule pas assez, la maladie peu à peu isole psychologiquement l'individu et peut, à l'extrême, le condamner à la mort.

Ainsi, sans recours au langage, l'enfant réussit à se faire comprendre merveilleusement bien; il construit un modèle de communication tout à fait original et efficace. Toute mère attentive à son nourrisson reconnaît le sens de chacun des sons et des cris qu'il émet et y répond. Quant au langage, qui apparaît vers l'âge de deux ans, il vient s'ajouter à ce système déjà fort complexe de communication, sans jamais le faire disparaître complètement. Communiquer ne se limite donc pas à utiliser des mots, si bien choisis et précis soient-ils.

Pour communiquer, l'être humain utilise à la fois la parole et le geste; nous sommes donc amenés à chercher une définition de la communication qui englobe ces deux aspects.

La communication peut se définir comme l'ensemble de l'interaction ou de la relation entre un émetteur et un récepteur. Cette interaction implique à la fois le contenu du message et tous les aspects comportementaux qui l'accompagnent. Une telle définition sous-entend que tout est communication. On n'a pas le choix de communiquer ou non. Parole ou silence, geste ou inactivité, tout a valeur de message pour chacun des interlocuteurs en présence.

Qu'est-ce qu'une bonne communication?

Nous avons tous une longue expérience de la communication, mais cela ne signifie nullement que nous savons bien communiquer.

La plupart du temps et pour la majorité d'entre nous, la communication est un comportement automatique. Nous ne nous arrêtons que rarement pour peser les effets de nos paroles sur autrui ou encore pour analyser l'influence des messages que nous recevons. En fait, nous ne vérifions pas le sens de notre interaction avec autrui, de sorte que nombre de messages peuvent avoir, selon le récepteur, une signification toute différente de celle qu'avait prévue l'émetteur.

Il n'est pas nécessairement facile d'atteindre une bonne communication. Cela suppose qu'on vise deux objectifs: la clarté et la précision, et ce, tant au niveau du contenu du message que de la forme qu'il revêt. Il est également important que les partenaires soient attentifs l'un à l'autre et qu'ils visent tous les deux les objectifs énoncés.

Dans de nombreuses circonstances, ces objectifs sont atteints sans problème, de façon automatique. Ainsi, lorsqu'au magasin on demande à un commis le prix d'un article bien identifié, on a de bonnes chances d'être compris et d'obtenir une réponse claire et précise. Toutefois, même dans une situation aussi simple, il peut y avoir des malentendus. Par exemple, il peut arriver que notre demande soit adressée à un mauvais récepteur (un commis préposé à un autre secteur du magasin, un flâneur, etc.), que les questions posées dépassent la compétence du commis ou encore que ce dernier ne nous comprenne pas (exemple: s'il parle une langue étrangère). Voilà donc autant de possibilités d'établir une mauvaise communication dans des circonstances qui étaient pourtant propices à l'entente.

Par ailleurs, même les messages clairs et précis, en termes de contenu ou de mots, risquent de devenir confus en raison de leur forme. Ainsi, un simple

«Bonjour, comment vas-tu?» prendra, selon l'intonation donnée à la phrase, les gestes et les mimiques qui l'accompagnent, ainsi que l'interlocuteur visé, une multitude de significations allant de la simple formule de salutation à l'interrogation réelle sur l'état de santé d'autrui. Et si les paroles sont source de malentendus, il en est de même pour les silences qui, eux aussi, prêtent à de nombreuses interprétations. Mentionnons les silences de réflexion, de gêne, d'opposition qui constituent, comme nous le verrons plus loin en détail, un aspect important de la communication humaine.

Le contenu d'un message touche différents aspects ou différents niveaux du vécu intérieur de l'être humain. Ainsi, une personne aura des approches différentes selon les contenus plus ou moins chargés émotivement qu'il veut aborder: par exemple, s'il s'adresse à un interlocuteur qu'il connaît à peine, il modifiera la forme de sa question selon qu'il veut s'informer de son emploi ou lui demander comment il a vécu le décès récent d'un être cher. Ce dernier type de communication visant à toucher les sentiments profonds et intimes d'autrui est évidemment plus délicat à établir et suppose un entraînement adéquat.

Contenu et forme du message constituent un tout, sans que l'on puisse affirmer que l'un a plus d'importance que l'autre.

Comment communiquer?

Même si dans bien des cas notre comportement d'émetteur ou de récepteur est purement automatique, il n'en demeure pas moins d'une incroyable complexité. Qu'il nous suffise de songer quelques instants aux innombrables mouvements des bras, du corps, du visage accompagnant un message aussi simple que «bonjour» pour nous en convaincre. Et si on ajoute à cela l'intonation donnée et les silences qui ont précédé et suivi le message, il nous est plus facile de saisir l'ampleur de la tâche assignée pour atteindre un objectif de bonne communication.

En fait, comme nous l'avons déjà mentionné, nous communiquons avec tout notre être: par les paroles que nous prononçons, par les gestes que nous posons. Nous devons donc être conscients que le verbal, tout comme le non verbal, ont une importance capitale dans l'échange. Il va sans dire que, idéalement, ces deux aspects doivent se compléter afin d'éviter la diffusion de messages incohérents ou imprécis. Nous avons tous pu observer qu'un geste, un sourire placés à point dans une conversation intensifient l'effet de nos paroles sur l'interlocuteur; inversement, un léger bâillement de sa part risque d'influencer le style et le contenu de notre discours. La façon de transmettre un message est souvent aussi importante que le contenu lui-même. Les spécialistes de la publicité ont d'ailleurs depuis longtemps compris l'importance de la présentation d'un produit ou de son «emballage» auprès des clientèles visées.

Bien que la communication non verbale relève en partie du réflexe, on doit s'en préoccuper lorsqu'on communique. Il nous faut porter attention à nos gestes et à ceux de l'autre et non nous attarder simplement au contenu verbal du message. Notre corps parle et c'est déjà un pas de fait vers l'amélioration de la qualité de nos échanges avec autrui que d'en prendre conscience. Cette conscience acquise, il est ensuite nécessaire de chercher la précision et la clarté dans tous ces mouvements qui donneront une teinte particulière aux paroles émises.

Dans le présent ouvrage, nous nous attarderons plus particulièrement à l'aspect verbal de la communication. Il ne faudrait toutefois pas en conclure qu'une technique adéquate est un gage de bonnes communications. Tel n'est pas le cas, car l'atteinte de cet idéal réside plutôt dans l'harmonie entre les mouvements de notre corps et le contenu verbal.

Lorsqu'on parle de l'aspect verbal de la communication, on touche différents domaines: la linguistique, la sémantique, la logique grammaticale, la ponctuation, la diction et même l'histoire. La langue, et entre autres la langue française, est un champ d'exploration d'une richesse inouïe. Nous n'aborderons cependant que les points susceptibles de faciliter notre tâche d'émetteur ou de récepteur.

Pour obtenir une bonne compréhension de la part d'autrui, le langage doit donc répondre à des objectifs de clarté et de précision. Notons dès à présent qu'une première façon d'atteindre un minimum de clarté et de précision est d'utiliser les pronoms appropriés. Nous faisons ici référence au pronom personnel «je» que, trop souvent, la plupart d'entre nous ont tendance à remplacer par l'anonyme «on». Le pronom «je» est certes plus exigeant et parfois même compromettant pour l'émetteur, mais il est plus précis et mieux reçu par le récepteur. De plus, l'utilisation du «je» permet d'atteindre, avec moins de détours, les aspects plus intimes ou personnels de l'être. Il peut s'agir pour plusieurs d'un détail sans importance, mais comme nous aurons l'occasion de le souligner à plusieurs reprises, le «je» est un élément du discours qui ne peut et ne doit jamais être remplacé par une quelconque expression qui en amoindrirait le sens ou la portée.

Quoi communiquer?

La communication verbale et non verbale couvre essentiellement deux grands domaines, soit celui des faits et celui des sentiments ou du vécu intérieur.

La transmission ou la cueillette de données factuelles pose relativement peu de problèmes. Nous avons tous régulièrement l'occasion de remplir divers types de questionnaires relatifs à nos goûts alimentaires, nos revenus, nos loisirs, etc. Bien que souvent fastidieuse, cette tâche suscite peu d'anxiété, car elle ne touche pas notre monde émotif. Ainsi, pour une personne qui a récemment et péniblement vécu un divorce, le fait de dire son statut civil l'amène peut-être à révéler une information douloureuse, mais ne la force pas à divulguer des sentiments vécus relatifs à l'événement. La cueillette de données factuelles peut donc obliger une personne à donner des détails parfois pénibles de son histoire personnelle mais, à ce stade, son monde émotif n'est pas véritablement mis en cause.

L'intervention dans le monde émotif d'un individu est une tâche délicate. Nous savons tous combien il est difficile de parler, même à des amis intimes, d'événements qui nous ont profondément marqués. Au départ, le simple fait de s'ouvrir à autrui est pénible, puis, ce pas franchi, la personne doit trouver les termes qui feront comprendre à l'autre certains états d'âme que les mots ne réussissent jamais à rendre parfaitement. L'essentiel du rôle de l'interviewer qui désire aider son client consiste précisément à explorer ce monde émotif intime pour lui permettre de s'extérioriser et ainsi l'amener à voir plus clair en lui-même. L'exploration des sentiments et des émotions ne requiert pas uniquement de la part des interviewers la maîtrise d'un certain nombre de techniques plus ou moins sophistiquées mais aussi, et surtout, la connaissance d'un ensemble d'attitudes qui inciteront le client à s'exprimer en toute confiance sur tout ce qu'il garde profondément enfoui en lui et que, parfois, il ne comprend pas lui-même. Cet univers intérieur que l'interviewer tente de pénétrer est fascinant puisqu'il recèle ce qu'il y a de plus intime et de personnel chez l'être humain, ce qui fait son originalité. Il faut donc s'approcher de cet univers délicatement et y entrer avec beaucoup de précautions, sinon la porte risque de se refermer à jamais.

1.2 L'écoute

Si la communication est, dans certaines circonstances, une activité banale et peu traumatisante pour les interlocuteurs, elle devient parfois une expérience unique et difficile; bien que vécue différemment par l'émetteur et le récepteur, elle exige des efforts particuliers de l'un et l'autre. L'émetteur ne s'ouvrira à l'autre que dans la mesure où il se sentira écouté. De son côté, l'interviewer doit déployer des efforts réels d'attention et de concentration pour être à l'écoute; de ces efforts dépendra, en grande partie, la réussite ou l'échec de l'échange.

L'écoute passive et l'écoute active

L'échec de nos communications interpersonnelles s'explique très souvent par notre incapacité d'écouter vraiment l'autre. Savoir écouter est un art qu'il faut apprendre à cultiver. Écouter ne se résume pas à entendre les paroles de l'autre et encore moins à les juger. Le mot entendre fait surtout référence à un processus physique, tandis que le mot écouter renvoie avant tout à un processus mental et émotif où notre esprit, notre sensibilité et nos yeux participent autant que nos oreilles. L'écoute que l'on pourrait qualifier de passive consiste principalement dans le simple fait d'entendre l'autre en manifestant une certaine qualité d'attention à ce qui est dit par l'utilisation de quelques signes de tête ou onomatopées. Lorsqu'on pratique l'écoute passive dans une conversation entre amis, on peut donner l'impression qu'on veut bien écouter autrui, mais que notre intérêt pour ce qui est dit n'est pas très grand. L'écoute passive ne demande donc pas beaucoup de concentration de la part du récepteur, qui se laisse toucher superficiellement par les paroles d'autrui tout en y répondant aussi superficiellement.

Ce type d'écoute est probablement celui que nous pratiquons le plus souvent dans les communications d'affaires, dans les bavardages entre amis et dans les situations d'enseignement. Nous entendons des paroles, manifestons discrètement notre attention et retenons les données qui nous sont utiles ou nous apparaissent plus intéressantes.

L'écoute active, par contre, est beaucoup plus exigeante. Elle est le fait d'un esprit libre, d'une volonté et d'une capacité de tout entendre, d'un désir de faire tomber toutes les barrières qui pourraient nuire à la communication. Le récepteur joue ici un rôle très actif en s'assurant qu'il comprend bien ce que l'émetteur dit (verbalement et non verbalement) et en lui montrant qu'il reçoit tout ce qu'il lui exprime.

Deux éléments sont donc essentiels à l'écoute active. D'abord, il faut être totalement ouvert à autrui, c'est-à-dire capable d'accepter non seulement des opinions contraires aux nôtres, mais aussi des sentiments qui peuvent nous déranger intérieurement ou être à l'opposé de ce que nous aurions ressenti dans les mêmes circonstances. Cette ouverture à autrui suppose donc un grand respect de l'autre. L'ouverture à autrui se manifeste par la capacité d'envisager l'idée et l'attitude de l'autre exprimées selon son point de vue, d'être sensible à ce qu'il ressent, de voir pour un moment avec ses yeux. D'autre part, l'écoute active suppose que nous allions vérifier le contenu de ce qui est dit pour nous assurer de notre compréhension et, de ce fait, indiquer à l'émetteur notre attention à ses propos. Il ne s'agit pas dans ce cas de juger ou d'évaluer le discours de l'autre, mais de renvoyer à l'émetteur l'essentiel de ce que nous en avons saisi pour qu'il sache jusqu'à quel point nous l'avons compris. L'écoute active est celle qui va au delà des paroles, qui est compréhensive.

Les effets d'une bonne écoute

Les effets de l'écoute active se font sentir sur chacun des interlocuteurs en présence. Pour de nombreuses personnes, le fait de pouvoir parler à quelqu'un qui écoute vraiment, sans critiquer ni admonester, qui témoigne de la compréhension et s'abstient de tout jugement est vécu comme une expérience précieuse. Une telle expérience augmente leur confiance en l'interviewer et en eux-mêmes et les amène bien souvent à s'ouvrir davantage. Cette plus grande ouverture à l'autre leur apporte une meilleure connaissance et une meilleure compréhension de leurs problèmes personnels et, de ce fait, les aide à trouver des solutions variées et réalistes parce que discutées et mûries plus longuement dans un climat de respect mutuel.

Pour l'interviewer ou l'aidant, les effets d'une bonne écoute sont également importants: une communication intime, un contact avec le monde intérieur de l'autre est une expérience qui enrichit son propre vécu. De plus, une telle qualité d'échange amène l'aidant à développer sa capacité d'écoute face à lui-même et à ce qu'il vit dans ses relations avec ses clients. Il résultera d'une bonne pratique de l'écoute active une conscience de soi plus vive et une ouverture naturelle à autrui.

1.3 La communication aidante

L'être humain, un être en devenir

L'être humain naît avec un certain héritage, c'est-à-dire qu'il porte en lui certaines caractéristiques transmises par les générations précédentes. Dès la naissance, il se trouve aussi en contact avec un environnement particulier. C'est à partir de ces données innées et de cet échange avec son milieu qu'une personnalité se construit. L'être humain ne subit pas passivement les influences de son milieu; il n'est pas non plus pourvu d'une force intérieure telle qu'il puisse se développer jusqu'à maturité sans contact avec le monde extérieur. C'est toutefois parce qu'il possède une certaine force de croissance intérieure et qu'il réagit et agit dans un environnement donné que l'être humain croît.

Avec le temps, la personnalité s'organise et se stabilise. Elle a plusieurs aspects: physique, affectif et intellectuel; cet ensemble d'éléments est constitué par le capital inné et les expériences accumulées grâce aux échanges avec l'environnement. À l'âge adulte, chaque individu a intégré ces divers aspects de façon originale, mais les éléments de la personnalité ne sont jamais complètement immuables ou fixés, car l'être humain est en continuelle interaction avec le milieu ambiant. Il ne cesse de recevoir de nouvelles informations ou stimulations qui peuvent modifier de façon plus ou moins perceptible la structure de sa personnalité. Il s'ensuit que l'homme est continuellement en changement; il est un être en devenir (c'est d'ailleurs par cette capacité d'adaptation et de changement que se définit la santé mentale). Notons toutefois que ce ne sont pas tous les aspects de la personnalité qui sont constamment en évolution, mais seulement certains d'entre eux. Par exemple, nos attitudes, nos opinions à l'égard d'un produit quelconque risquent d'être plus variables que notre façon générale d'entrer en contact avec la réalité extérieure. Issu du passé dont il tire une part importante de sa personnalité, l'homme s'oriente donc vers un avenir qu'il souhaite pouvoir contrôler en sa faveur. En effet, quelles que soient les actions qu'il accomplit, il s'oriente positivement vers l'avenir; la force intérieure qui l'anime est essentiellement positive. Il cherche le bonheur, l'épanouissement et non la destruction de son être. Sur le plan psychologique, tout comme sur le plan physique, l'homme utilise les ressources de l'environnement pour grandir, croître selon une ligne qui lui est propre.

La connaissance et l'expression de soi

La compréhension théorique du processus de maturation que chacun d'entre nous vit est une chose, la connaissance de soi-même en est une autre. En situation d'entrevue, la seule partie connue de l'équation est, en principe, celle qui nous concerne; nous sommes, pour le meilleur ou pour le pire, exposés à notre interlocuteur et pratiquement tout ce que nous disons et faisons est pesé et soupesé. La compétence professionnelle que nous essaierons de démontrer à la personne interviewée par l'utilisation de diverses techniques plus ou moins sophistiquées ne sera réellement efficace que dans la mesure où elle est partie intégrante de notre personnalité. Pour intégrer ces techniques, il est essentiel de se familiariser avec soi-même et de s'observer, tout en demeurant ouvert aux influences extérieures.

La connaissance de soi-même dépasse, il va sans dire, la connaissance superficielle de ses principaux défauts et qualités, c'est-à-dire de ces caractéristiques personnelles que chacun est prêt à reconnaître publiquement ou devant des inconnus. Elle implique la capacité d'apprécier de façon réaliste et honnête ses forces et ses faiblesses au point d'être capable d'aimer sincèrement certains des traits de sa personnalité et de tolérer ceux jugés moins attrayants. Il s'agit donc d'un processus permanent d'observation de soi par rapport aux stimulations de l'environnement et non d'un objectif qui, une fois atteint, peut être oublié. En effet, l'interviewer qui se borne à son système (quel qu'il soit) d'opinions, de croyances ou d'idées, manifestera une incompréhension chronique à l'égard de ses interlocuteurs. Prisonnier de son système, il sera difficilement perméable aux idées, croyances et émotions de l'autre, qui pourraient briser son propre équilibre. Une bonne connaissance de soi ne lui est donc jamais acquise; l'être humain est en perpétuel changement et il doit continuellement être à l'écoute de lui-même pour continuer à évoluer et à apprécier la qualité de son évolution.

L'interviewer qui se connaît bien a confiance en lui-même (en ses idées, ses sentiments) et en ce qu'il fait et dit. Il accepte d'exprimer ce qu'il pense et ressent, tout en sachant que les réactions d'autrui risquent de modifier ses valeurs. Il prend le risque d'être influencé par autrui, qu'il ne sent pas menaçant. En situation d'entrevue, l'interviewer, qui est en accord avec lui-même et capable d'exprimer ce qu'il est peut centrer toute son attention sur son interlocuteur qui, à son tour, peut faire émerger en lui des idées et sentiments particuliers. L'interviewer devra alors être à l'écoute de ses propres sentiments et, au besoin, les révéler à son client. En étant en mesure de s'observer, l'interviewer peut mieux s'accepter et exprimer ses émotions; cela le rend apte à explorer le vécu de ses clients et à les aider à s'accepter tels qu'ils sont.

Le respect de l'autre

L'interviewer qui se connaît peu, c'est-à-dire pour lequel son propre monde émotif demeure une énigme ou une source de crainte, éprouvera beaucoup de difficultés à accepter et à respecter l'expression de ce monde chez l'autre. Le respect de l'autre suppose d'abord, de la part de l'interviewer, qu'il considère son client comme un être humain qui a une valeur, et ce, quels que puissent être ses comportements. Une telle attitude suppose un intérêt réel pour l'interlocuteur, une acceptation à peu près inconditionnelle de l'autre à qui il reconnaît le droit absolu à ses propres idées, sentiments et opinions. Il ne s'agit pas alors de tenter par l'argumentation, par exemple, de partager ces idées, sentiments et opinions, ni de les juger ou de les critiquer, mais plutôt de les recevoir comme ceux d'un être humain, à la fois semblable et différent de soi. Cette attitude de respect n'implique toutefois pas que l'interviewer laisse son client seul avec son vécu intérieur. Il cherche, au contraire, à le guider dans son introspection pour l'amener, par exemple, à replacer dans une juste perspective certaines de ses perceptions, à démêler des idées et des impressions confuses, à réévaluer des arguments, à identifier des sentiments refoulés ou inconscients. L'interviewer n'est donc pas passif: il guide l'autre, mais il ne le contrôle pas; il ne l'interroge pas, mais il l'incite à la confidence. Le respect se manifeste donc par une attitude attentive à l'égard de l'interlocuteur et par une préoccupation constante, démontrée en paroles et en gestes, de bien le comprendre.

L'entrevue: un moyen d'aider l'autre par la communication

L'homme est un être en devenir. Il est en continuelle interaction avec un univers changeant et sa personnalité s'en trouve affectée de façon plus ou moins perceptible. Dans bon nombre de situations, l'homme s'adapte aux fluctuations de son environnement, mais, parfois, à cause de la nature du stress, de certaines prédispositions de sa personnalité ou d'expériences antérieures, il n'est pas en mesure de faire face seul aux difficultés qui l'assaillent. Il ne comprend pas ce qui lui arrive et ne sait comment s'organiser (ou se réorganiser) pour être en accord avec ce qu'il vit ou ressent. Il ne se retrouve pas; incapable d'entrer en possession de ses propres sentiments, il est également démuni face aux autres, dont il souhaiterait recevoir appui et aide.

Cette maladie de la communication, qui touche beaucoup d'êtres humains à différents moments de leur existence, constitue en fait la nature même du problème auquel s'attaque aujourd'hui la majorité des psychothérapeutes. En effet, la tâche essentielle du thérapeute consiste à aider le client à réaliser, grâce à la relation spéciale qui l'unit à l'aidant, une bonne communication intérieure. Une fois cet objectif atteint, le client est en mesure de communiquer mieux et plus librement avec les autres, c'est-à-dire qu'il est plus apte à interagir avec son environnement. En somme, l'entrevue est un moyen d'aider l'autre, par la communication, à reprendre contact avec lui-même et l'univers qui l'entoure.

Pour pouvoir apporter une telle aide, l'interviewer (ou l'aidant) doit tout d'abord ressentir profondément un réel désir d'aider l'autre, puis il doit être capable de transmettre ce désir à son interlocuteur. Il lui faut donc créer une atmosphère de confiance et de respect mutuel; cela est déterminé par la compréhension qu'il a de lui-même et par l'intérêt qu'il démontre face à ce qu'exprime l'émetteur. Pour manifester cet intérêt, l'interviewer utilisera non seulement le langage verbal, mais aussi un ensemble de signes non verbaux (expressions du visage, gestes, intonations) que le client interprétera et utilisera pour pousser plus loin sa réflexion ou, au contraire, pour ralentir l'expression de son vécu.

Conclusion

La communication humaine est un phénomène complexe, mais vital, pour le développement de la personne. On ne peut vraiment comprendre l'être humain sans le concevoir comme un être en interrelation avec son environnement et sans chercher à comprendre l'ensemble de ses relations interpersonnelles.

L'entrevue est un type particulier de communication humaine visant essentiellement à «aider l'autre à s'aider lui-même». L'atteinte de cet objectif repose entre les mains de l'interviewer qui, en créant une atmosphère de confiance et de respect, encourage le client à découvrir ce qu'il est et ce qu'il possède comme ressources personnelles.

Chapitre 2

L'entrevue

2.1 Les fondements psychologiques de l'entrevue

L'objectif essentiel d'un interviewer est la compréhension de la personnalité de son client; une fois cet objectif atteint, l'intervenant peut l'aider, par la communication, à comprendre ses problèmes et à y trouver lui-même les solutions appropriées.

Avant de toucher la nature des conflits qui peuvent amener quelqu'un à rechercher une aide professionnelle, examinons les forces qui sont à la base du comportement humain.

Les forces qui sous-tendent le comportement humain

Le comportement humain est régi par deux facteurs principaux: la faculté de raisonner et l'émotivité. Dans certaines circonstances l'un de ces facteurs domine, tandis que l'autre est mis en veilleuse; ce mouvement de balancier plus ou moins prononcé varie d'un individu à l'autre. Ainsi, une question aussi simple que: «Quel âge avez-vous?» peut entraîner des réactions diverses: certains ne verront là qu'une banale demande d'information, tandis que d'autres, plus sensibles à ce sujet, ressentiront un choc émotif.

Que le comportement humain soit rationnel ou irrationnel, il est la résultante de forces intérieures et extérieures qui agissent sur l'individu. Lorsque ces forces sont en contradiction, elles créent des conflits ou tensions internes qui risquent de diminuer la capacité de raisonnement de l'individu ou de provoquer des comportements aberrants. Quelles sont donc ces forces qui nous influencent? Nous pouvons les identifier en parlant de besoins. Certains d'entre eux sont des exigences naturelles (par exemple, le besoin de manger, suite à une sensation de faim), tandis que d'autres nous sont suggérés ou imposés par l'environnement (par exemple, le besoin de gagner de l'argent parce que, dans notre société, il est possible de se procurer des biens de consommation en échange d'argent). Nombre de ces besoins demeurent toutefois en dehors de notre champ de conscience si nous ne prenons pas le temps de nous observer. De plus, en dépit de nos efforts d'introspection, il est possible que certains de ces besoins restent enfouis dans notre inconscient (parce que trop difficiles à admettre, par exemple) ou, encore, qu'ils soient mal identifiés.

Pour répondre à ses besoins de façon satisfaisante, l'être humain se fixe donc des objectifs à atteindre et des moyens à utiliser. Toutefois, lorsqu'un individu a identifié un objectif (par exemple, se trouver un emploi pour répondre à son besoin de posséder de l'argent), plusieurs moyens s'offrent à lui, mais tous ne peuvent lui garantir le succès. Le choix des moyens à employer dépendra, d'une part, du degré de satisfaction qu'ils paraissent présenter et, d'autre part, des difficultés qu'ils comportent. En outre, ce choix sera influencé par la perception qu'a l'individu de la réalité. L'homme réagit subjectivement à son environnement, c'est-à-dire qu'il réagit selon ce qu'il voit et perçoit mais pas nécesairement selon ce qui est. Il interprète et modifie la réalité selon la nature de ses besoins, de son émotivité et de ses expériences. Ainsi, face à un éventail de moyens susceptibles de lui permettre d'atteindre ses objectifs, l'individu peut en éliminer certains (il éliminera, par exemple, le vol comme moyen de gagner de l'argent). Face aux autres moyens qui sont à sa portée, il sera appelé à faire des choix en soupesant, comme nous le mentionnions précédemment, les avantages et inconvénients de chacun.

Certains choix seront dictés par ce qu'on appelle souvent des prédispositions, c'est-à-dire des attitudes adoptées antérieurement dans des situations identiques ou semblables. Ces attitudes, qui comptent parmi les caractéristiques relativement stables d'un individu, ne sont pas immuables; cependant, certaines personnes (c'est le cas des délinquants, entre autres) y recourent pour justifier leurs méfaits.

D'autres choix seront déterminés par l'image que l'individu a de lui-même: il semble bien que l'amour-propre soit le sentiment le plus fort qui existe chez l'homme. L'être humain est porté à se conduire de manière à conserver ou à refaire la bonne opinion qu'il a de lui-même et à se défendre contre tout ce qui peut y porter atteinte. Il a ainsi tendance à éviter les situations où il risque d'être tourné en ridicule ou de mettre en évidence ses lacunes. Ce besoin de conserver une image positive de soi (besoin d'ailleurs souvent inconscient) est tellement fort chez l'homme qu'il peut même le mener à des comportements destructeurs.

Ce processus de prise de conscience ou d'identification de ses besoins, de détermination d'objectifs et d'analyse des moyens ne se déroule pas sans heurts, car l'être humain est un ensemble d'éléments organisés de telle manière qu'il est impossible d'isoler complètement un de ses rouages. Ainsi, même si l'individu cherche rationnellement des moyens d'action ou une ligne de conduite à adopter face à un objectif clairement identifié, il est possible que d'autres besoins surgissent en même temps en lui ou qu'il subisse certaines pressions de la part de son milieu; l'ensemble du processus en cours peut alors en être affecté ou compromis.

Étant donné la coexistence de plusieurs besoins, la multiplicité des moyens susceptibles de les satisfaire, les influences de l'environnement et la perception que nous en avons, les conflits intérieurs sont inévitables. Dans certains cas, ces conflits se résolvent d'eux-mêmes, mais, dans d'autres cas, ils sont la source de tensions insupportables ou de comportements inacceptables pour la société. C'est dans de telles situations qu'une demande d'aide s'avérera une démarche nécessaire.

L'interviewer qui reçoit un client qui recherche ou non de l'aide a donc pour tâche principale de l'amener à identifier les conflits qui l'habitent. Pour y arriver, il demandera à son client de l'entretenir de ses expériences passées. Toutefois, cette introspection n'est pas facile, car elle suppose une volonté d'étaler des expériences ou des émotions désagréables. D'une part, la motivation à s'exprimer devant un inconnu peut être inexistante ou fausse. (Nous aborderons plus loin ce domaine des motivations.) D'autre part, même s'il y a motivation, l'être humain est ainsi fait qu'il a plutôt tendance à se rappeler les événements agréables qu'il lui a été donné de vivre: en plus de la mémoire qui est sélective, certains mécanismes de défense permettent à l'homme de se protéger lui-même des éléments de tension jugés trop difficiles à supporter (nous aborderons également ce sujet plus loin) et d'éliminer ainsi, peut-être temporairement seulement, les problèmes qu'il est incapable d'affronter. En somme, pour retracer les causes de conflits d'un client, on doit non seulement obtenir sa collaboration mais on doit également lever certaines barrières internes à la communication.

Les mécanismes de défense

Face à un besoin qu'il désire satisfaire, l'être humain peut trouver différents moyens d'action socialement acceptables, modifier les objectifs fixés ou encore redéfinir la nature même de son besoin. Mais il se peut qu'un individu soit incapable d'affronter un problème épineux de manière aussi constructive. La tension interne créée alors par l'insatisfaction pourra trouver un exutoire sans qu'une véritable solution soit apportée au problème. C'est ici qu'interviennent les mécanismes de défense longuement analysés dans la psychologie freudienne.

Les mécanismes de défense consistent essentiellement en des procédés inconscients utilisés pour neutraliser la tension intérieure (culpabilité, angoisse); l'individu évite de reconnaître la tension intérieure. Les mécanismes de défense jouent un rôle important dans la vie quotidienne de chacun d'entre nous (oublis, lapsus) et, utilisés occasionnellement par des sujets normaux, ils ont alors l'effet bénéfique de libérer les tensions. Un individu n'est donc pas considéré comme malade parce qu'il a recours à des mécanismes de défense, mais plutôt parce que ces mécanismes qu'il utilise ordinairement s'avèrent inefficaces, trop rigides, mal adaptés à la réalité ou encore trop semblables.

La psychiatrie et la psychologie ont identifié une série de ces mécanismes de défense. Nous allons en définir quelques-uns.

Le refoulement

Le refoulement constitue, pour Freud, le moyen fondamental utilisé par l'être humain pour contrer l'angoisse engendrée par des conflits internes. Il permet de repousser ou de maintenir dans l'inconscient toute pensée, image ou souvenir ou les trois qui risquent de provoquer de l'angoisse. Ainsi, le refoulement se produira quand la satisfaction d'un besoin, qui procurerait du plaisir, risque d'apporter du déplaisir par rapport à d'autres exigences venant du *sur-moi* ou de la réalité. Notons que, dans la vie courante, l'oubli constitue une sorte de refoulement qui, pratiquement, nous protège contre la résurgence de certains souvenirs ou de pensées désagréables (par exemple, oubli du nom d'une personne avec qui on a déjà eu un échange tumultueux).

La formation réactionnelle

La formation réactionnelle consiste à percevoir certaines de nos motivations comme le contraire de ce qu'elles sont véritablement; la motivation réelle, si elle était reconnue comme telle, serait insupportable et provoquerait trop d'angoisse; elle est donc transformée en son opposé. Ainsi, certaines personnes manifestant une propreté excessive se défendent, en fait, contre un désir inavoué de saleté ou de désordre.

L'annulation (ou annulation rétroactive)

L'annulation est un mécanisme qui amène l'individu à faire l'inverse (en imagination bien souvent) de l'acte ou de la pensée interdits. Il s'agit de faire en sorte que ces actes ou ces pensées n'aient pas eu lieu et d'utiliser par conséquent une pensée ou une action ayant une signification opposée. Certains rituels de purification ou d'autopunition trouvent leur origine dans ce mécanisme.

La projection

La projection est une opération par laquelle l'individu expulse de soi et attribue à autrui (chose ou personne) des sentiments, des désirs ou des pensées qu'il méconnaît pour lui-même. Dans la projection, il s'agit toujours de rejeter la partie de soi que l'on refuse, qui cause du déplaisir. Ce mécanisme est particulièrement en évidence dans le caractère paranoïaque. Dans ce cas, l'individu projette ses sentiments hostiles à l'égard des autres à l'intérieur d'un système complexe de pensées qui l'amène à croire qu'il subit leur persécution.

Le déplacement

Le déplacement consiste à décharger des pulsions sur un objet autre que celui qui était d'abord visé. Le déplacement concerne donc l'objet. Le désir reste intact dans la mesure où un autre objet vient se substituer à celui qui servait de but premier. Le mobile qui provoque le déplacement est habituellement l'agressivité que l'individu se refuse à diriger contre l'objet visé au départ: par exemple, un écolier, qui s'est fait réprimander par son professeur, malmène un de ses frères ou une de ses soeurs cadets(ettes) (ou même, ses jouets) lorsqu'il est de retour à la maison.

L'isolation

L'isolation est un mécanisme qui consiste à détacher une image, une pensée ou un comportement de son contexte temporel, spatial ou émotionnel. Parmi les procédés d'isolation, on compte les pauses dans le cours de la pensée, les rituels et, de façon générale, toutes les mesures permettant d'établir une interruption dans la succession des pensées ou des actes. Ce mécanisme, qui intervient habituellement quand le refoulement ne suffit plus, ne fait pas oublier l'événement traumatisant, mais le dépouille de sa couleur affective, de telle sorte qu'il se présente dorénavant comme isolé de sa signification émotive. Un exemple fréquent, noté par Freud, est celui de l'amour-émotion séparé de l'amour-satisfaction érotique.

La rationalisation

La rationalisation est un procédé par lequel l'individu cherche à donner une explication cohérente sur le plan logique, ou acceptable sur le plan moral, d'une attitude, d'un sentiment ou d'une action dont il ignore ou ne voit pas les véritables motifs. Il s'agit, en termes simples, de trouver des prétextes pour justifier une certaine réalité. Les délinquants affectionnent particulièrement ce mécanisme de défense et l'utilisent de diverses façons. Ainsi, pour éviter de se sentir coupable, un contrevenant pourra se prévaloir des mauvaises influences subies, il tentera de minimiser le tort causé, il mettra en évidence les défauts de la victime, il invoquera la notion de loyauté au gang ou il associera son geste à d'autres gestes semblables commis impunément.

L'intellectualisation

L'intellectualisation est un procédé par lequel l'individu cherche à présenter ses conflits et ses émotions de façon raisonnée; cela lui permet de les maîtriser et, ainsi, de ne rien ressentir. En thérapie, on remarque fréquemment le recours à ce procédé.

L'identification

L'identification est ce processus par lequel l'individu sent et agit comme une autre personne de façon à avoir le sentiment qu'il a atteint ses buts, alors qu'il n'en est rien. Ce mécanisme est en fait un élément essentiel de toute éducation et, à ce titre, il n'est pas pathologique. Cependant, dans certains cas, il peut être nuisible: la personne qui devient ce dont elle a peur (agresseur, par peur d'être victime) adopte un comportement qui peut être dommageable.

La sublimation

La sublimation est le processus par lequel une pulsion est déviée vers un but nouveau. Freud voyait la sublimation d'abord comme la gratification de désirs sexuels par des activités qui ne le sont pas. Il a décrit comme principaux types d'activités de sublimation la création artistique et la recherche intellectuelle.

La sublimation, comme mécanisme de défense, ne fait pas l'unanimité chez les auteurs. Certains l'évaluent comme étant le plus complet et le plus réussi des mécanismes, tandis que d'autres voient simplement dans la sublimation l'utilisation d'une force canalisée et apprivoisée.

Autres mécanismes de défense

Il existe d'autres mécanismes de défense (le dédoublement du moi, le déni, la forclusion, etc.), dont certains constituent des mesures plus radicales ou archaïques de lutte contre l'angoisse. Le lecteur intéressé trouvera une information abondante dans la plupart des manuels de psychologie ou de psychiatrie.

Le fait que l'individu utilise des procédés inconscients pour alléger l'angoisse causée par certains événements a une importance particulière en situation d'entrevue. Cela signifie qu'un client, à qui nous demandons d'explorer en lui-même pour dégager les besoins ou les motifs à la base de son comportement, sera souvent incapable, malgré sa motivation à mieux se comprendre, de procéder à une telle analyse; cela est causé précisément par le jeu des mécanismes de défense qui intervient alors. L'interviewer doit donc être en mesure d'identifier les mécanismes de défense utilisés par son interlocuteur et il doit l'aider à trouver des alternatives plus satisfaisantes pour surmonter les moments d'angoisse.

Les motivations

Nous avons vu que, pour expliquer le comportement humain, il faut analyser les forces qui le régissent. Cette démarche implique que l'interviewer trouve les techniques et développe les attitudes nécessaires pour franchir les diverses barrières à la communication qu'érigent consciemment ou non les clients. Les mécanismes de défense utilisés pour alléger l'angoisse constituent une de ces barrières «inconscientes»; la motivation (et souvent son absence) en est une autre.

Le terme motivation est largement utilisé en psychologie, et on trouve dans notre vocabulaire plusieurs dizaines de mots qui s'y rapportent: souhait, désir, motif, but, etc. Il dérive d'un mot latin qui signifie mouvoir. On peut donc dire que la motivation est le moteur du comportement, qui pousse une personne à atteindre un objectif. Les motivations n'ont toutefois pas seulement une origine interne, mais elles peuvent être éveillées par les stimuli provenant de l'environnement.

La motivation extrinsèque

Une des raisons pour lesquelles nous entrons en communication avec autrui est le désir d'influencer la personne avec laquelle nous entrons en contact. Nous cherchons alors un certain changement qui nous sera bénéfique. À ce moment, l'interviewer est surtout considéré comme la personne qui apportera ce changement ou y contribuera de façon indirecte. Par exemple, le patient qui décrit les symptômes de sa maladie au médecin espère que ce dernier lui rendra la santé. Ce type de motivation que les auteurs appellent extrinsèque ne se développe que si les conditions suivantes sont remplies:

a) Le client doit percevoir le responsable de l'entrevue comme un agent de changement;
b) Le client doit saisir le lien entre le but et le contenu de l'entrevue et les changements souhaités.

Un tel type de motivation donne une responsabilité énorme à l'interviewer, car les changements seront suscités par lui, que ce soit directement ou indirectement. Par conséquent, un client qui ne conçoit pas l'importance de sa propre implication dans le processus d'échange (qui vise, d'ailleurs, à lui apporter des bénéfices personnels) risque, si les résultats tardent à venir et si l'interviewer exige plus de collaboration de sa part ou s'engage dans une mauvaise direction, de mettre en doute l'utilité des entrevues et de rompre la relation.

La motivation intrinsèque

La motivation intrinsèque est fondée sur la nature de la relation qui s'établit entre l'interviewer et son client. En d'autres termes, un individu peut être motivé à communiquer avec une autre personne s'il sait qu'il retirera du processus même de la communication et de la relation interpersonnelle établie une certaine satisfaction. L'interviewer peut susciter une telle motivation en offrant à son interlocuteur une occasion d'aborder des thèmes qui l'intéressent et sur lesquels il a rarement la possibilité de s'ouvrir. Le client peut alors se libérer de ses tensions parce qu'il sent que l'interviewer est intéressé et compréhensif.

Ce type de motivation nous apparaît plus souhaitable que le premier, car le client est aussi responsable du changement. L'interviewer, par ses attitudes chaleureuses de respect et d'authenticité, encourage son client à s'exprimer librement sur les sujets qu'il juge problématiques; de cette façon, il le guide et le soutient dans le processus de changement qu'il élabore lui-même.

La motivation sociale

Outre les motivations extrinsèque et intrinsèque, il existe une troisième force de motivation qui provient du désir de se conformer aux règles de la société: la motivation sociale. Dans notre contexte culturel, la plupart d'entre nous jugent comme «correctes» certaines façons de se comporter à l'égard des autres. De telles normes deviennent parfois des objectifs à atteindre en situation d'entrevue: le sujet pense devoir agir d'une certaine manière et il met tout en œuvre pour y parvenir. Parmi ces normes implicites, mentionnons celles qui veulent que nous traitions avec courtoisie un étranger, que nous répondions avec honnêteté et politesse lorsque nous sommes interrogés ou enfin, que nous nous conformions aux demandes raisonnables des personnes qui exercent une autorité. Un client ayant intériorisé ces règles de conduite aura en entrevue une attitude positive, mais ce type de motivation ne sera pas nécessairement suffisant pour pouvoir travailler en profondeur.

L'absence de motivation

Enfin, il arrive souvent que les clients ne soient nullement motivés à s'impliquer dans une entrevue. C'est le cas, par exemple, de ceux qui se considèrent comme n'ayant aucun problème, mais pour qui la société en a décidé autrement. Les délinquants, jeunes ou adultes, entrent fréquemment dans cette catégorie: plusieurs ne désirent pas être aidés, ne souhaitent pas changer. C'est la société qui les oblige à se soumettre à des entrevues, et s'ils décident de collaborer, il faut alors se demander quelle est la nature exacte de leur motivation. Le responsable de l'entrevue se doit de sentir la résistance offerte par certains de ses clients et d'essayer de les motiver, car la communication devient pratiquement impossible lorsque les sujets n'acceptent pas l'entrevue et ses buts.

Attitudes et techniques d'éveil d'une motivation saine

Tous les clients n'ont donc pas, lorsqu'ils arrivent en entrevue, la motivation souhaitée: certains viennent par obligation ou respect des normes sociales; d'autres s'imaginent que le responsable de l'entrevue les délivrera habilement et sans douleur de leurs problèmes; enfin, quelques-uns se présentent avec l'intention de s'impliquer et de tirer de la relation les outils nécessaires aux transformations qu'ils veulent apporter à leur personnalité. Compte tenu de la diversité de ces motivations, la première tâche de l'interviewer sera d'identifier la nature de la motivation et, s'il y a lieu, d'en susciter une qui permettra, à tout le moins, d'entamer le travail. Évidemment, plus le client sera hostile à la situation d'entrevue, plus il faudra de temps pour que puisse s'établir une relation de confiance qui entraînera une implication de sa part.

Comment développer une réelle motivation chez le client? Il n'y a malheureusement pas de recette miracle, de même qu'il n'existe pas une technique (ou une série de techniques) qui puisse garantir la réussite d'une entrevue. La qualité de l'accueil que réserve l'interviewer au client, ainsi que la façon dont il présente son rôle et les objectifs de l'échange auront cependant un impact considérable sur le type de résistance présenté par le client. Étant donné que nous aborderons en détail, dans un chapitre ultérieur, les principales attitudes que doit développer un interviewer pour mener à bien ses entrevues, nous ne mentionnerons ici que quelques-unes d'entre elles.

Le responsable de l'entrevue doit d'abord montrer, de façon simple, naturelle et chaleureuse, qu'il s'intéresse à son client et l'accepte en tant qu'être humain. Il tentera également de lui faire sentir qu'il est libre d'exprimer tout ce qu'il désire et qu'il n'a pas à craindre d'être jugé ou critiqué. Tolérance et neutralité sont donc les deux qualités premières d'un bon interviewer. Au plan technique, l'interviewer prendra soin de présenter clairement son rôle et, si les objectifs n'ont pas été choisis conjointement, il pourra lui exposer ceux qu'il entend poursuivre.

Ces quelques attitudes et techniques, même bien appliquées, ne garantissent cependant pas la collaboration du client. Certains, fort habilement (c'est parfois le cas avec les délinquants) ou involontairement, feront preuve de bonne volonté au début de la relation, puis se retireront dès que l'interviewer abordera des sujets plus intimes. Il ne faudrait donc pas se surprendre si un client, après avoir manifesté un désir réel ou feint d'implication, se rebiffe dès qu'il se sent touché plus profondément. Les techniques ou les attitudes de l'interviewer ne sont pas alors nécessairement responsables d'un tel revirement, et on ne peut alors conclure à l'échec de la relation; l'interviewer devrait plutôt y voir l'indice qu'on touche presque au noeud du problème et qu'une étape cruciale sera bientôt franchie. La patience et beaucoup de tact permettront alors aux deux parties en présence de traverser ce moment difficile.

2.2 L'entrevue

La terminologie et les diverses situations de communication humaine

De nombreux termes s'appliquent aux situations de communication humaine; on parle ainsi de dialogue, de conversation, d'échange, de rencontre, d'entrevue, de discussion, d'entretien, d'interview, d'interrogatoire, pour ne citer que les principaux. Par toutes ces expressions on cherche en fait à classifier les différents modes de communication de l'être humain.

Plusieurs personnes ont des activités professionnelles dans lesquelles la communication humaine occupe une place centrale. Mentionnons les médecins, les avocats, les prêtres, les journalistes, les vendeurs, les policiers, les psychothérapeutes, les éducateurs (et rééducateurs), etc.

Comment démêler tous ces termes et leurs différentes circonstances d'application? Les médecins font-ils avec leurs patients des entrevues, des entretiens ou des interviews? L'interrogatoire fait-il uniquement référence à une méthode utilisée par les policiers pour questionner un suspect? Une conversation entre amis peut-elle être considérée comme une entrevue ou le devenir? Il est difficile de répondre de façon catégorique à ces questions. Il semble que l'on cherche, par des mots différents, à classer diverses catégories de relations et ce, selon des critères de situations, de buts à atteindre, d'objectifs rattachés à des professions. La communication humaine est un phénomène essentiel et fondamental dans notre vie, mais elle est aussi un domaine difficile à cerner. On peut donc penser qu'il est peut-être inutile de pousser à outrance la recherche de l'expression juste pour qualifier une situation qui, de toute façon, ne sera jamais simple.

Afin d'éclaircir un peu mieux le sujet, référons-nous à la définition que donne le dictionnaire des trois termes les plus couramment utilisés:

L'entretien est «l'action d'échanger des paroles avec une ou plusieurs personnes*.»

L'entrevue est une «rencontre concertée entre personnes qui ont à parler, traiter une affaire*.» Le mot entrevue vient du verbe entrevoir qui signifie voir mutuellement.

L'interview est une «entrevue au cours de laquelle un journaliste interroge une personne sur sa vie, ses projets, ses opinions dans le but de publier une relation de l'entretien*.»

Il paraît facile, de prime abord, de distinguer entre les trois termes: l'interview serait réservée aux journalistes, l'entretien ferait plutôt référence aux simples conversations entre personnes qui se connaissent ou non et l'entrevue impliquerait un échange planifié à la fois en fonction du temps et des sujets à traiter. Toutefois, ces définitions ne nous apparaissent pas exclusives. L'entretien peut avoir été prévu et organisé en termes de contenu; il devient alors une entrevue. La tâche qui consiste à interroger quelqu'un sur sa vie, ses opinions et ses projets en vue d'en faire un rapport correspond certes aussi bien à celle accomplie par les journalistes qu'à celle dévolue aux agents de probation, qui sont des spécialistes en sciences humaines appelés à évaluer un cas, ou aux agents de police. En somme, les définitions que nous propose le dictionnaire sont, à première vue, simples et pratiques, mais pas entièrement satisfaisantes.

Si l'on se réfère aux auteurs, la distinction entre les termes est encore plus difficile à établir. Dans les ouvrages de langue anglaise, le problème du vocabulaire ne se pose pas: on emploie le mot interview, que l'on explicite au besoin. Les auteurs français ont d'ailleurs emprunté le terme pour qualifier surtout, mais non exclusivement, l'entretien journalistique.

De façon générale, la lecture des ouvrages français et québécois ne permet pas une distinction claire entre les termes. Chaque auteur définit le sens particulier qu'il entend donner aux différents mots qu'il utilise, de sorte que, d'un ouvrage à l'autre, il est nécessaire de reconsidérer sa propre définition de ces mots.

Nous pourrions poursuivre longuement l'analyse de ces distinctions. De plus, le nombre des situations d'échange entre les humains étant très variable, il nous faudrait, à la rigueur, trouver un terme particulier pour chacune des

---

* Ces définitions ont été tirées du dictionnaire Robert.

situations possibles d'échange. À notre avis, cette recherche de l'expression juste n'est pas véritablement nécessaire pour transmettre à d'autres l'art de l'entrevue.

Ainsi, pour des raisons de commodité, nous considérerons, dans le présent ouvrage, les termes entrevue, entretien et interview comme étant synonymes. Toutefois, nous adopterons les distinctions suggérées par M. Robert: l'entrevue fera surtout référence à un échange structuré, organisé et profond, tandis que l'entretien et l'interview seront considérés comme plus superficiels ou moins méthodiques.

Quant aux circonstances d'application, nous avons mentionné que plusieurs types de professionnels utilisent l'entrevue comme outil de travail. En fait, chacun d'entre nous pratique l'art de l'entrevue régulièrement: qu'il suffise qu'une personne amie soit en peine, désire se confier et, par nos questions, nous chercherons à comprendre son problème, à l'aider. Un tel type d'échange peut être qualifié d'entrevue, et il n'est donc pas nécessaire, pour faire des entrevues, d'avoir un quelconque titre professionnel.

De plus, une entrevue ne se fait pas uniquement dans un bureau aménagé à cet effet. Certes, comme nous le verrons plus loin, un certain décor favorisera la relation, mais il ne sera jamais la garantie du succès de l'entrevue.

Pour faire des entrevues, il faut avant tout développer certaines attitudes à l'égard d'autrui et maîtriser diverses techniques; une fois ces techniques et attitudes bien intégrées par l'intervenant, n'importe quelle situation d'échange humain peut devenir une situation d'entrevue.

La situation d'entrevue

On parle habituellement d'une situation d'entrevue pour préciser qu'il s'agit d'un type particulier de communication humaine. Tout le monde conçoit facilement que la personnalité des personnes en présence constitue une des variables importantes de la relation et que cette variable risque de favoriser ou, au contraire, de nuire à l'échange. Il est moins évident toutefois, mais tout aussi vrai, que l'entrevue elle-même, c'est-à-dire considérée dans le sens d'une situation donnée, comporte des caractéristiques particulières susceptibles d'en influencer le déroulement.

Une situation donnée n'est jamais complètement objective; elle est toujours empreinte des significations que lui donnent les sujets qui la vivent ou l'observent. Prenons un exemple dans le domaine de l'enseignement: en classe, un professeur transmet sa matière pendant que les étudiants écoutent et prennent des notes. Professeur et étudiants vivent, à première vue, une situation identique. En fait, on peut dégager deux réalités psychologiques différentes:

a) Une structure objective globale de la situation;
b) Une structure subjective individuelle de la même situation.

La structure objective globale
En situation scolaire, une classe se décrit de façon précise en termes de disposition des personnes et des objets dans un lieu donné, des activités en cours et des conduites attendues des personnes en présence. On s'attend, par exemple, à pouvoir classer les actions et réactions des professeurs à l'intérieur d'une certaine gamme de comportements. La situation impose une structure de conduite. Ainsi, dans une institution d'enseignement donnée, il existe de nombreuses salles de classes pour lesquelles il y a objectivement plusieurs situations identiques.

La structure subjective individuelle
Cette structure subjective se superpose en fait à la précédente et fait référence à la signification particulière qu'accordent à une situation donnée les personnes en présence. Un étudiant peut trouver le contenu de l'enseignement intéressant et manifester son intérêt par des signes de tête pendant que son voisin, ennuyé, essaie de lire le journal et qu'un autre discute à voix basse avec un collègue. La même situation est donc vécue par certains comme amusante, par d'autres comme intéressante ou par d'autres encore comme contraignante. Elle prend diverses significations qui se traduisent par des attitudes et des comportements particuliers; ceux-ci risquent d'entrer en conflit ou même de s'opposer complètement à la situation objective. Ainsi, des étudiants peuvent transformer une calme situation d'enseignement en un chahut monstre incontrôlable et, à ce moment, une nouvelle situation est créée.

Dans le contexte des situations d'entrevue, cette double réalité existe également, et il est indispensable d'en tenir compte. Un interviewer peu attentif à ce que ressent son client face à la situation objective de l'entrevue risque de ne pas prendre les précautions nécessaires à la mise en marche de l'échange et de laisser ainsi s'ériger des barrières insurmontables à la communication; il peut aussi, à un moment donné, perdre le contrôle de l'entrevue. Il ne faut donc jamais oublier que le sens donné à la situation d'entrevue, tant par le client que par l'interviewer, est une variable importante de la dynamique de la relation.

L'entrevue, la conversation, la discussion et l'interrogatoire

Nous avons vu que l'entrevue, telle que définie par M. Robert, est une «rencontre concertée entre personnes qui ont à parler, traiter une affaire.» Toutefois, les discussions, conversations, interrogatoires s'apparentent à l'entrevue par leur définition. C'est pourquoi, avant de préciser le sens et les composantes de l'entrevue, nous tenterons de distinguer ce terme de certains autres couramment utilisés.

L'entrevue n'est pas une conversation. Au cours d'une conservation, il y a échange d'opinions, d'informations, et le plaisir vient bien plus souvent de la rencontre même, qui crée ou renforce une relation significative, que du contenu particulier de l'échange.

La conversation et l'entrevue ont quelques points en commun: la communication est verbale, elle se fait en face à face, et elle suppose l'existence d'un certain plaisir.

Quant aux caractéristiques qui les distinguent, soulignons en premier lieu la notion de but: l'entrevue a un but, alors que la conversation n'en a habituellement pas. La façon dont les participants entrent en interaction est donc différente, et le déroulement même de l'échange s'en trouve modifié.

L'entrevue ayant un but, il est évident que son contenu doit être déterminé d'avance afin de faciliter l'atteinte de ce but; elle doit donc être organisée selon un plan préconçu (du moins en partie). De plus, une seule personne doit diriger ou guider l'entrevue, en l'occurrence l'interviewer; à cause de ce rôle dévolu à l'interviewer, l'entrevue se fait à sens unique, donc sans réciprocité. Les renversements de rôles sont toujours possibles, mais ils sont évidemment à éviter en situation d'entrevue, ce qui n'est pas le cas dans une conversation.

L'entrevue requiert l'attention exclusive de l'interviewer qui ne peut invoquer un quelconque prétexte pour s'y soustraire, ni vaquer en même temps à une autre occupation. Il s'agit souvent, en fait, d'une rencontre formelle, prévue à l'avance et d'une durée limitée; l'interviewer qui a accepté la demande d'entrevue doit respecter ses engagements, en acceptant les faits et les sentiments désagréables qui se mêlent inévitablement à la plupart des entrevues. Ces dernières sont donc, pour les participants, beaucoup plus exigeantes que de banales conversations entre amis.

L'entrevue est également différente de la discussion où chacun cherche à avancer les arguments qui réussiront à convaincre l'autre de la justesse de son point de vue. Dans une discussion, les interlocuteurs s'affrontent, se battent verbalement pour en arriver à déclarer un vainqueur. Les partenaires sont émotivement très impliqués; ils s'attaquent passionnément, puis se défendent tout aussi énergiquement. Ils ne s'écoutent pas véritablement mais cherchent constamment l'argument qui désarmera l'adversaire. La relation qui s'instaure alors est marquée par l'alternative domination-soumission et non par un désir de compréhension véritable de l'autre.

L'entrevue n'est pas un interrogatoire. L'interrogatoire place l'interlocuteur en situation d'infériorité: on le bombarde de questions précises, et on exige de lui des réponses tout aussi précises. On le soupçonne de mentir ou de cacher la vérité à la moindre hésitation ou contradiction de sa part. On s'intéresse peu à ce qu'il pense ou ressent, on ne se préoccupe pas des nuances qu'il apporte: on cherche des faits précis, vérifiables en allant au plus court. Il va sans dire qu'une entrevue qui serait menée de cette manière déclencherait inévitablement une grande anxiété chez le client; cela aurait pour effet de l'amener à répondre n'importe quoi pour se sortir de cette situation.

L'entrevue n'est pas une interview au sens journalistique du terme bien que l'interviewer cherche effectivement à faire parler l'autre sur lui-même ou sur un sujet qui le concerne. Dans le cas de l'interview journalistique, le public est présent, et c'est avant tout pour lui plaire, et non véritablement pour comprendre son partenaire, que l'interviewer dirige l'échange. Il lui faut satisfaire la curiosité du public, et c'est là l'objectif essentiel de son travail.

Enfin, l'entrevue ne doit pas être un discours tenu par l'interviewer. Même s'il désire réellement aider son client, l'interviewer doit s'abstenir de faire de longs monologues dont les motifs inconscients relèvent du désir de faire montre de ses connaissances, de manifester une certaine puissance ou suggèrent la peur de ce que l'autre aurait à dire.

Théoriquement, l'entrevue se distingue de chacun des modes de communication que nous venons de décrire; mais pratiquement, elle revêt parfois des caractéristiques qui la font ressembler à certains d'entre eux. Par exemple, un interviewer inexpérimenté sera tenté de poser de nombreuses questions qui donneront à l'entrevue une allure d'interrogatoire. Par contre, toute entrevue doit commencer par un moment de conversation destiné à permettre au client de passer, en douceur, d'un mode de relation qu'il connaît bien à un autre qui lui est peut-être totalement inconnu. Aussi, il ne faudrait pas croire qu'une entrevue qui glisse momentanément vers la discussion, ou incorpore quelques brefs monologues est ratée. Au contraire, une utilisation judicieuse de ces autres types de communication peut être profitable aux deux partenaires de l'entrevue.

L'entrevue: définition

Nous avons tenté de cerner la notion d'entrevue en opposant ou en comparant les nombreux termes qui, selon les circonstances, la désignent. Voyons maintenant ce qu'est précisément l'entrevue.

L'entrevue est un type particulier d'interaction verbale, entreprise dans un but spécifique et concentrée sur un contenu également spécifique.

Cette définition, inspirée de celle proposée par Robert L. Kahn et Charles F. Cannell dans *The Dynamics of Interviewing* est simple et peut, à notre avis, s'appliquer aux principales catégories d'entrevues que nous verrons (entrevue de sélection, entrevue de recherche, entrevue de diagnostic, etc.). C'est cette définition qui sera utilisée tout au long de cet ouvrage et que nous allons analyser, en étudiant ses éléments constitutifs.

Les éléments constituants

La situation d'entrevue a, comme nous l'avons vu, une structure globale objective relativement facile à décrire. Examinons, l'un après l'autre, les principaux éléments de cette structure (émetteur, récepteur, message, canal de transmission) afin de mieux situer ensuite les échecs et distorsions de nos entrevues.

Si on élimine les cas extrêmes, comme l'impossibilité physique de communiquer (inhibition pathologique, incompréhension mutuelle des langages utilisés), la mauvaise foi ou le désir ferme de tromper et si l'on est en présence d'un émetteur et d'un récepteur de bonne volonté, il semble facile d'obtenir une bonne communication. Toutefois, plus on délaisse les formules automatiques ou polies relatives à la température ou à la santé du client, plus on constate des distorsions, malentendus, qui peuvent même se transformer en «dialogues de sourds».

L'*émetteur*, par exemple, a son propre cadre de référence, c'est-à-dire un système personnel de valeurs, de croyances, d'opinions, de normes par rapport auquel il organise tout ce qu'il a à dire. Ce cadre de référence fait partie en quelque sorte de sa personnalité et l'influence sans qu'il en ait conscience; ainsi lorsqu'il émet une réflexion qui lui paraît tout à fait claire, cette clarté n'existe en réalité que pour lui. De plus, il est influencé par la perception qu'il a du destinataire du message (l'être humain, le spécialiste revêtu d'un certain statut ou pouvoir, l'agent de tel organisme) et des règles de communication découlant de cette perception. Par exemple, plusieurs personnes ne s'adresseront pas de la même façon à quelqu'un qu'ils perçoivent comme leur patron, contrairement à quelqu'un qu'ils considèrent comme un collègue de travail. Enfin, le contexte physique ou social dans lequel se déroule l'échange, de même que la représentation que se fait l'émetteur du but de la communication l'affecteront.

Du côté du *récepteur*, on peut reprendre toutes les variables exposées dans le paragraphe précédent au sujet de l'émetteur. Ajoutons cependant d'autres causes de perturbations possibles: d'abord on considérera sa préparation à la rencontre et l'état qui s'ensuit (l'influence des informations préalables sur l'émetteur, le thème de l'échange, l'influence des facteurs personnels); ensuite, il y a l'évaluation du contenu du message en fonction de son propre cadre de référence; enfin, sa réaction à l'émetteur peut être un facteur de perturbation.

Les qualités et les défauts intrinsèques du *message* sont évidemment des facteurs déterminants de la réussite ou de l'échec de la communication. Deux autres variables d'importance entrent ici en ligne de compte: le code et la forme. Le code est ce langage particulier que chacun développe en fonction de son vocabulaire, qui est marqué par l'ensemble des influences culturelles, éducatives et professionnelles reçues de l'environnement, de même que par son univers personnel de significations. C'est ainsi que dans les institutions carcérales fourmillent une multitude d'expressions que seuls des initiés peuvent comprendre; d'autres milieux ou secteurs d'activités ont également développé leur propre vocabulaire. On parle ainsi souvent du «jargon» propre à tel ou tel groupe, jargon qu'il faut décoder pour vraiment en saisir le sens.

Quant à la forme, on peut la considérer en premier lieu sous son aspect purement formel (grammatical); on constate, par exemple, qu'il y a des énoncés plus difficiles à comprendre que d'autres (comme la double négation: «N'avez-vous pas l'impression de n'être pas heureux quand il pleut?») On peut aussi envisager la forme au point de vue du vocabulaire: est-il compréhensible pour l'interlocuteur ou lui demande-t-il un trop grand effort d'adaptation? L'importance de cet effort sera influencée par la perception positive ou négative que l'on se fera a priori de la réception du message par l'interlocuteur.

Le dernier élément de l'entrevue est le *canal de transmission*. Dans le cas d'une communication verbale, on retiendra les causes suivantes de distorsion: la manière de parler et d'articuler le langage (langage télégraphique, troubles d'élocution), l'influence des circonstances externes (dérangements, bruits extérieurs) et l'influence des circonstances mêmes de la relation (caractéristiques des partenaires, disposition du mobilier).

Cette brève analyse des éléments de l'entrevue nous permet de mieux saisir la complexité d'une relation humaine et plus particulièrement d'entrevoir l'étendue des causes d'échecs ou de distorsions d'une entrevue.

Les objectifs de l'entrevue

Nous avons défini l'entrevue comme un type particulier de communication visant un but spécifique. Quel est donc ce but que l'émetteur et le récepteur doivent garder à l'esprit durant leur interaction? D'une certaine façon, nous pourrions dire que le but d'une entrevue est déterminé à l'occasion de chaque rencontre des interlocuteurs, mais une telle démarche se révèle peu utile pour tracer les grandes lignes de la définition de l'entrevue. Par contre, si l'on examine les différentes catégories d'entrevues, il est possible de réduire l'éventail des objectifs visés: l'entrevue de sélection vise le choix du meilleur candidat pour le poste à combler et l'entrevue de recherche a pour objectif d'obtenir des réponses à une ou des questions sur un sujet donné, mais, encore une fois, les possibilités sont nombreuses.

Une lecture rapide de la vaste gamme des objectifs que l'on cherche à atteindre en entrevue nous amène à les regrouper autour de deux buts principaux:

— La cueillette de données factuelles;
— La compréhension de la personnalité.

Ces deux objectifs seront présents, à des degrés divers, dans toutes les entrevues. Dans les entrevues de thérapie, la compréhension de la personnalité du client sera primordiale, mais cet objectif ne sera atteint que dans la mesure où, au préalable, l'aidant aura obtenu certains renseignements de base au sujet du client. Par ailleurs, les enquêtes touchant, par exemple, les attentes des consommateurs à l'égard d'un produit quelconque visent surtout la cueillette de données factuelles; cependant, par ces informations, on est en mesure de tracer un portrait grossier du profil psychologique (goûts, modes d'achats) des clients.

Même si ces deux objectifs sont toujours présents dans une entrevue, le second but est, de façon générale, le plus important et, surtout, le plus difficile à atteindre. On constatera aisément qu'il est facile de faire préciser à un client la date du décès d'un être cher, mais qu'il est beaucoup plus délicat de l'amener à exprimer ses sentiments face à un tel événement. Étant donné la nature particulière de cet objectif de compréhension de la personnalité, nous y ferons constamment référence tout au long de cet ouvrage.

Conclusion

La situation d'entrevue n'étant qu'un cas particulier de communication humaine, nous garderons à l'esprit que le client que nous accueillons est un être humain, c'est-à-dire un être qui a des besoins, des motivations, des mécanismes de défense, un langage particulier et des valeurs qui orientent de façon originale son comportement. Notre objectif, en tant que récepteur, est de comprendre cet autre être, aussi riche et complexe que nous-mêmes, et il faut pour cela être attentif à tous les signes qui, s'ils sont bien saisis, nous permettront de tracer un portrait complet et fidèle de cet autre que nous voulons aider.

Chapitre 3

Les modes de classification et de déroulement des entrevues

La richesse du vocabulaire pour désigner une situation d'échange verbal entre deux personnes, de même que la multiplicité des applications des techniques d'entrevue, soulèvent inévitablement des interrogations quant à la possibilité de donner une définition générale de l'entrevue (problème que nous avons abordé au chapitre précédent) et de classifier les diverses sortes d'entrevues.

La littérature consacrée au sujet fait foi de nombreux types de classifications. Ces modes de classification ont certes l'avantage de mettre un peu d'ordre dans l'ensemble des applications de la situation d'entrevue, mais ils présentent l'inconvénient d'être purement théoriques. En effet, aucune des typologies ne réussit, à notre avis, à passer l'épreuve de la confrontation avec la réalité sans que certains ajustements, parfois majeurs, ne soient nécessaires. Nous examinerons toutefois les principaux modes de classification, avant de pousser plus loin les commentaires sur leur applicabilité respective.

3.1 La classification par les modes de contrôle

L'interviewer est souvent appelé à décider du type de structure qu'il désire adopter durant ses entrevues. Ainsi, selon le degré de structuration donné, on retrouvera diverses catégories d'entrevues: non directive, directive et «contrôlée».

L'entrevue non directive

La notion de non-directivité a été particulièrement développée et mise à la mode par le psychologue américain Carl Rogers durant les années quarante. Convaincu que nul n'est mieux placé que le sujet lui-même pour savoir quels sont ses problèmes, Rogers a précisé une méthode d'entretien non directif, c'est-à-dire centré sur le client. Cette attitude ou méthode va de pair avec une certaine conception de l'entrevue où l'interviewer ne joue pas le rôle de juge des comportements et des besoins d'autrui, mais plutôt celui d'un être humain qui, par ses connaissances et les techniques acquises, tente de créer des conditions dans lesquelles l'autodirection de chaque individu peut se réaliser. Dans un tel contexte, le client est amené à envisager ses problèmes d'une façon constructive et réaliste et à chercher, guidé en cela par l'interviewer, les solutions qui lui conviennent.

L'attitude de non-directivité n'est cependant pas caractérisée par la passivité. En effet, l'interviewer ne se contente pas d'écouter passivement; il doit, au contraire, «clarifier et objectiver» les sentiments exprimés par son client en les reformulant de telle façon que ce dernier ne se sente pas jugé, mais simplement compris; l'interviewer crée ainsi un climat de confiance et de sécurité.

En fait, cette approche est non directive à trois niveaux: celui des interventions: l'écoute active, reformulation; celui des attitudes: respect chaleureux, authenticité, empathie; celui des solutions: l'interviewer n'est pas là pour proposer une solution, mais pour permettre au sujet d'en trouver une lui-même.

La méthode non directive laisse, il va sans dire, l'initiative, tout au long de l'entrevue, au client qui doit avoir, au départ, un minimum de motivation à explorer lui-même son vécu intérieur, à penser des solutions et à les mettre en application.

Cette méthode est évidemment longue et s'applique plus spécifiquement aux entrevues de thérapie. Toutefois, comme nous le verrons plus loin (car nous nous inspirerons beaucoup de l'approche développée par Rogers), les techniques et les attitudes auxquelles elle a recours peuvent être appliquées dans d'autres contextes. Pour être efficace, cette méthode exige également que les clients soient intelligents, motivés et capables d'introspection. Les deux dernières conditions ne sont pas toujours remplies quand il s'agit, par exemple, de délinquants; c'est pourquoi il est utile de connaître d'autres façons de mener l'entrevue: on choisira selon la clientèle touchée.

L'entrevue directive

La méthode directive se serait développée par opposition à l'attitude non directive mise de l'avant par Rogers et à laquelle on reprochait sa relative inefficacité quand il s'agit de comprendre véritablement un client et de poser un diagnostic.

En effet, alors que la méthode non directive repose essentiellement sur une relation aidant-client particulière, la méthode directive stipule que l'entrevue doit être manipulée par l'interviewer. Ce dernier pose des questions, fait des remarques, propose des interprétations du ou des problèmes diagnostiqués et dégage des solutions (traitement). Cette méthode exige, elle aussi, une grande habileté technique de la part du praticien; il lui faut en effet éviter d'influencer le sujet, de suggérer des réponses ou de fausser la situation en faisant intervenir des traits de sa personnalité (ses préjugés, ses peurs, ses besoins).

La méthode directive permet d'obtenir facilement une bonne histoire du cas et nécessite une coopération et une implication minimales de la part du client; cela peut être un avantage quand le client est peu motivé ou incapable d'introspection ou s'il craint la relation avec l'interviewer. Dans certains cas, par contre, le client étant peu sollicité, il pourra soit se cantonner dans son rôle de répondeur en acceptant les interprétations et solutions proposées par l'interviewer, soit au contraire se rebeller contre une attitude qui lui impose une trop grande passivité.

L'entrevue contrôlée ou structurée

Une troisième méthode que nous appellerons contrôlée ou structurée se situe entre ces deux extrêmes. Dans ce cas, il s'agit d'utiliser les éléments pertinents de chacune des deux méthodes précédentes en considérant, d'une part, les besoins du client reçu, sa motivation, ses capacités d'introspection et, d'autre part, l'objectif visé (histoire de cas, traitement). Il faut, en somme, amener le client à s'exprimer librement, tout en demeurant à l'intérieur de certaines limites prévues par l'interviewer.

De façon générale, lors d'une première rencontre avec un client ou au début d'une entrevue, il est nécessaire de structurer la relation de façon que chacun se fasse une idée de ce qu'il peut attendre de l'autre. Toutefois, quand le client s'exprime sur un contenu intime, très personnel, l'interviewer doit s'effacer devant son client et chercher simplement à l'encourager dans ses confidences. Il doit donc faire preuve d'une grande flexibilité et d'une grande capacité d'adaptation: il exercera un contrôle selon les besoins du client et les objectifs de l'entrevue.

Cette méthode, qui n'en n'est pas vraiment une, nous paraît particulièrement utile à développer compte tenu de la clientèle visée (de type délinquant), à savoir une clientèle rarement motivée, mais également très diversifiée en termes de besoins et de capacités d'introspection.

3.2 La classification selon les objectifs à atteindre

Selon plusieurs auteurs, la nature de l'entrevue varie d'abord en fonction des buts visés et non des méthodes utilisées; en d'autres termes, c'est l'objectif qui détermine la méthode à employer. Pour classifier les entrevues selon les buts fixés, il faut d'abord en faire un inventaire.

Les divers usages de l'entrevue peuvent se résumer, en dernière analyse, à trois buts: recueillir des faits, informer et motiver. On a recours à l'entrevue soit pour apprendre quelque chose d'un client (entrevue de diagnostic, entrevue de recherche), soit pour lui apprendre quelque chose (entretien de conseil), soit pour agir sur ses sentiments et ses comportements (thérapie). Une de ces intentions domine généralement l'entretien, mais elle n'exclut souvent pas les deux autres, d'où l'inconvénient d'une telle classification.

Dans le cas d'une entrevue de diagnostic, par exemple, dont le but est de rédiger la biographie du client et de dresser, à la lumière de ce qu'il apporte comme information, un tableau de sa personnalité (diagnostic), l'interviewer doit parfois motiver le sujet pour l'amener à coopérer à la découverte et à l'analyse des faits. Par ailleurs, les entrevues thérapeutiques pourraient difficilement démarrer si, au préalable, l'interviewer n'avait pas pris le temps de recueillir certaines données de base pour situer plus clairement les problèmes de son client.

Enfin, dans certaines circonstances, l'objectif, qui est toujours à l'origine extérieur à la relation elle-même, est difficile à établir, car la raison qui amène le client à consulter l'interviewer est imprécise, inexistante, fausse ou encore elle change au cours de l'entrevue.

En somme, une méthode de classification basée sur les objectifs visés, bien que théoriquement intéressante, s'avère, dans la pratique, plutôt inutilisable.

3.3 La classification selon l'appartenance professionnelle

Dans la pratique quotidienne, des distinctions entre les entretiens sont souvent établies selon la compétence particulière de celui qui dirige l'échange. On parle ainsi d'entrevue psychiatrique, psychologique ou criminologique. On a l'impression que la classification des entrevues selon l'appartenance professionnelle des interviewers repose sur une quelconque hiérarchie, implicitement reconnue, des intervenants en sciences humaines.

On reconnaît derrière cette conception une perception des professions établie selon des critères de valeur traditionnels. On pense alors qu'une formation d'interviewer acquise dans telle faculté universitaire ou tel champ des sciences humaines donne une compétence particulière permettant d'établir une relation plus profonde avec les clients. Cette conception est évidemment fausse et sans fondement; on ne peut différencier les entrevues d'après la profession de l'intervenant. En fait, dans une équipe de travail multidisciplinaire, chacun apportera les connaissances et techniques spécifiques à son domaine de formation, et cette originalité se reflétera dans les entrevues sans que l'on puisse diagnostiquer des niveaux de relations plus ou moins riches selon le type d'intervenant impliqué. La spécificité des professions sera plutôt perceptible au niveau des éléments diagnostiqués qui retiendront l'attention de l'interviewer. Même ces inévitables déformations professionnelles peuvent être réduites s'il existe un véritable travail d'équipe.

3.4 La classification selon les types de contraintes

On peut différencier les entrevues selon qu'elles se situent dans un contexte plus ou moins contraignant. À un pôle, on situerait par exemple les entrevues d'embauche et de sélection où les contraintes extérieures sont nombreuses, et à l'autre, les entrevues thérapeutiques où les contraintes sont presque inexistantes.

Pour l'entrevue de sélection, la situation est contraignante parce que c'est l'organisme qui embauche qui a le pouvoir final de décision: les critères de sélection sont déterminés sans que l'individu puisse intervenir; les candidats sont en compétition, sans possibilité de comparaison préalable les uns avec les autres. Par contre, dans le cas des entrevues thérapeutiques, les principales contraintes extérieures se limitent à la durée et au moment de la rencontre. Dans ces cas, toutefois, les contraintes intérieures du client et du thérapeute dominent, et elles ne peuvent être modérées que par un processus d'autorégulation des personnes.

Conclusion

Ces différents modes de classification présentent surtout des avantages théoriques. En pratique, ces typologies ne s'appliquent pas véritablement puisque les catégories ne sont pas mutuellement exclusives. Cela ne signifie pas cependant qu'il nous faille les rejeter complètement; au contraire, chacune de ces typologies fournit des indications qui peuvent nous permettre de mieux diriger nos entrevues ou, plus précisément, de mieux prévoir et comprendre les réactions des clients. Elles peuvent donc nous aider à corriger nos attitudes et nos techniques en fonction de ce qui est vécu en situation concrète d'entrevue.

Chapitre 4

La clientèle

4.1 Généralités

Si, pour certaines professions, il est relativement facile de définir le champ d'action ou la clientèle visée, il n'en est pas de même pour les techniciens en intervention criminologique auxquels ce volume s'adresse particulièrement. On peut certes affirmer qu'ils auront souvent affaire à une clientèle dite délinquante, mais la réalité que recouvre cette expression est complexe, diversifiée et ne peut être cernée aisément.

La clientèle dite délinquante est vaste. On y retrouve des enfants, des adolescents, des personnes d'âge mûr et des vieillards. On y rencontre des individus de toutes les classes de la société, provenant de divers groupes ethniques, possédant des niveaux d'instruction différents et partageant des valeurs de toutes sortes. Certains ont contrevenu à une loi; d'autres non. Certains rejettent ouvertement les règles de la société; d'autres se contentent de vivre en marge de cette société dont ils refusent de partager les normes.

Toutes ces personnes ne portent pas nécessairement l'étiquette de délinquant ou criminel. On appelle plus volontiers délinquants ceux qui ont effectivement enfreint une loi ou un règlement et qui ont été reconnus coupables. Ils ont ce statut sur le plan juridique. Toutefois, pour les spécialistes des sciences humaines, la reconnaissance légale n'est pas suffisante pour qualifier quelqu'un de délinquant. Selon eux, il faut aller au delà de l'acte et considérer la dynamique de la personnalité; cela les amène à distinguer, parmi la clientèle légalement délinquante, diverses catégories d'individus souffrant de problèmes de personnalité. Certains de ces problèmes sont de nature délinquante au sens large et d'autres sont de nature névrotique, psychotique ou autre.

Ainsi, la délinquance devient une question de personnalité, plus que d'actes commis. Il ne s'agit plus d'aborder le phénomène uniquement dans sa dimension sociale mais aussi dans sa dimension personnelle, c'est-à-dire sous l'angle des conflits internes qui influencent le comportement social de l'individu. Dans un telle perspective, l'acte délinquant ne renvoie donc pas obligatoirement à une personnalité délinquante mais à divers types de conflits intérieurs dont un des symptômes est l'acte délinquant.

Outre les personnes qui ont de véritables personnalités délinquantes et celles souffrant de diverses pathologies mentales et qui ont enfreint une loi, il y a aussi tous ceux qui n'ont pas encore été légalement classés délinquants mais qui, par leur comportement, leurs valeurs, leurs réactions, permettent à certains observateurs avertis de craindre qu'ils s'acheminent lentement vers la voie de la délinquance. Cette clientèle, souvent très jeune, ne doit pas être négligée, car elle risque, si personne ne s'en occupe, de constituer la population criminelle de demain.

Enfin, il existe chez nous, comme partout ailleurs, des groupes de personnes qui ont choisi de vivre en marge de la société ou à la limite de ce qui est permis. Les vagabonds sont un exemple typique de ce problème de marginalité. Ces individus entrent sporadiquement en contact avec l'appareil judiciaire et les spécialistes qui y sont rattachés. Il font donc partie eux aussi de la clientèle touchée par les techniciens en intervention criminologique.

Il est impossible de présenter un tableau exhaustif de la clientèle rencontrée par les techniciens en intervention criminologique. Il s'agit, si l'on veut en parler globalement, d'une clientèle en difficulté, en besoin d'aide, mais dont les problèmes sont souvent mal identifiés ou carrément niés. Les moyens d'intervention à l'égard d'une telle clientèle sont encore réduits: même si on peut poser des diagnostics précis, il est beaucoup plus difficile d'apporter un remède efficace à ce genre de problème.

Les caractéristiques générales

Avant de pouvoir déceler la structure particulière de personnalité de son client, l'intervenant observe un ensemble de caractéristiques plus ou moins superficielles comme l'âge, le sexe, la race, le niveau d'éducation, etc. Toutes ces variables ne sont pas modifiables, et il est possible qu'elles soient une source importante d'interférence dans l'entrevue.

Les premières impressions des partenaires, qui sont souvent élaborées à partir de ces caractéristiques, sont souvent durables. Des chercheurs américains ont tenté de savoir dans quelle mesure certaines de ces variables pouvaient être responsables du climat général de l'entrevue. Bien que peu d'études aient déjà été effectuées dans ce domaine, les résultats obtenus par les chercheurs démontrent clairement que les habiletés techniques de l'intervenant, ses réactions face au client et ses attitudes de confiance en soi et d'ouverture chaleureuse à autrui importent plus que les caractéristiques générales de sa personnalité. Ces dernières auront effectivement un impact, mais si l'interviewer est habile et expérimenté, il sera superficiel et de courte durée. L'interviewer ainsi qualifié pourra réussir à dépasser ce plan des premières impressions pour créer un climat de confiance mutuelle véritable qui, à long terme, est beaucoup plus profitable aux deux partenaires. Ces études ont également démontré que, de façon générale, les clients sont capables de s'adapter à un éventail assez étendu de caractéristiques personnelles des intervenants. Si tel n'était pas le cas, le choix des intervenants poserait des problèmes de taille, et l'incompatibilité des caractéristiques personnelles des partenaires compromettrait la véracité de nombreux diagnostics.

Même si les variables indépendantes d'âge, de sexe et autres n'influent pas nécessairement sur le climat général de l'ensemble de l'entrevue, elles inspirent la première appréciation mutuelle du client et de l'intervenant. Étant donné leur rôle incontestable, nous examinerons donc les effets particuliers de ces caractéristiques ainsi que certaines techniques visant à les neutraliser.

Le sexe

Le sexe est probablement la première variable déterminante, et son influence est considérable. Dans notre société, l'homme et la femme participent de sous-cultures sexuelles distinctes. Ils abordent souvent le domaine des communications interpersonnelles de manières différentes, non pas à cause de la composante sexuelle, mais surtout en raison des expériences sociales qu'ils ont vécues. C'est précisément la socialisation qui amène les individus à s'intégrer dans des sous-cultures propres à chaque sexe.

Même si depuis quelques années les mouvements féministes ont contribué largement à diminuer l'importance accordée à la variable sexe, il n'en demeure pas moins que, encore aujourd'hui, le sexe de l'interviewer a des effets indéniables sur l'attitude générale et les réponses des clients (tout comme le sexe du client peut influencer l'intervenant). Selon des études américaines, les clients ont tendance à rechercher un conseiller masculin d'âge mûr lorsqu'ils décident de consulter un spécialiste pour des problèmes personnels ou d'orientation professionnelle. Il semble qu'ils perçoivent ces intervenants comme plus compétents, plus compréhensifs et plus expérimentés. De plus, cette préférence se manifeste autant de la part des clients masculins que féminins.

De façon générale, les femmes expriment plus facilement leurs émotions, quel que soit le sexe de l'intervenant. Les hommes, par contre, hésitent à confier leurs problèmes et sont particulièrement réticents à révéler leurs émotions. Ces différences sexuelles remarquées chez les adultes sont les mêmes chez les adolescents.

Si l'on aborde maintenant la question sous l'angle de la clientèle particulière qui nous préoccupe, à savoir celle du milieu délinquant considérée dans son sens le plus large, la variable sexe prend une dimension précise. Les groupes délinquants jeunes ou adultes sont majoritairement unisexués, et la délinquance est avant tout un phénomène masculin. (Il y a au moins cinq fois plus de délinquants que de délinquantes). Cette division des sexes, qui détermine la formation des groupes et se manifeste chez les délinquants en général, se perpétue (bien que l'on fasse des efforts pour l'éliminer) dans les milieux institutionnels chargés de la resocialisation de cette clientèle. Il n'y a pas si longtemps, même dans les services de diagnostic et de traitement en milieu ouvert travaillant auprès des délinquants mineurs, les cas étaient répartis entre les intervenants en fonction du sexe. Ainsi, il n'était pas rare de constater que des enfants d'une même famille étaient suivis par deux agents, évidemment de sexes opposés. Cette politique est aujourd'hui périmée, mais le personnel œuvrant dans les institutions spécialisées n'est pas véritablement mixte.

L'image que se font les délinquants des membres de l'autre sexe est souvent erronée ou peu nuancée et irréaliste. L'une des tâches des intervenants, qu'ils travaillent en milieu ouvert ou fermé, consiste d'ailleurs à changer ou, du moins, à revaloriser cette image. Ainsi, pour le délinquant, qui entoure la variable sexe de préjugés et de stéréotypes, cette variable revêt une importance particulière. Les femmes sont peut-être plus souvent exposées à ce genre de discrimination. Comme elles sont plus souvent appelées à travailler auprès de délinquants masculins, elles ont une lourde responsabilité à supporter. De toute façon, quel que soit son sexe, l'intervenant doit s'attendre à être évalué, dès le premier contact, autant sur sa tenue vestimentaire, son langage et son comportement général reliés à son sexe que sur ses qualités relationnelles et sa compétence professionnelle. Les délinquants jugent facilement et rapidement autrui en se servant de critères simples. Il est important de reconnaître l'impact de cette variable afin que certaines caractéristiques reliées à la composante sexuelle ne deviennent pas une barrière à la communication.

L'âge

La variable âge fait tout de suite référence à une expérience professionnelle et de vie plus ou moins longue; elle peut susciter de la confiance ou de la méfiance, selon l'importance que le client y accorde et selon ses attentes face à l'intervenant.

Lorsque l'écart d'âge est grand, le client est facilement porté à comparer la relation qui s'engage avec celle qui existe entre parents et enfants et à songer, peut-être, aux inévitables conflits de générations qui rendent tant de dialogues impossibles. Ainsi, selon la nature des relations qu'il a jusqu'alors entretenues avec les adultes, le client jeune peut voir dans l'intervenant d'âge mûr diverses images: parent accueillant ou rejetant, figure d'autorité, ami, confident, exploiteur, etc.; les attitudes et les comportements qu'il adoptera alors varieront selon les expériences qu'il a eues des relations avec les adultes. Par exemple, un jeune délinquant ayant vécu dans un milieu familial frustrant se montrera souvent, lors des premiers contacts, méfiant à l'égard d'un interviewer d'âge mûr, et ce, quelle que soit l'attitude de ce dernier. Il associera donc rapidement l'âge à d'autres caractéristiques qui, selon son expérience, vont de pair.

Dans la situation inverse, celle d'un praticien jeune et d'un client âgé, il y aura opposition de la compétence professionnelle du premier et de l'expérience de vie du second. Les délinquants adultes ont souvent tendance à sous-estimer les interviewers jeunes ou ils peuvent chercher à les impressionner en leur racontant l'histoire de leur carrière criminelle, surtout s'ils se sentent menacés par le praticien.

Dans tous ces cas où la différence d'âge est marquée, l'intervenant doit être conscient qu'il lui est impossible d'en empêcher l'impact lors des premiers moments de la rencontre et que c'est à lui seul que revient la tâche de s'ajuster aux préjugés favorables ou défavorables que son âge fait émerger chez le client. Aussi, une attitude paternaliste de la part d'un praticien d'âge mûr face à un jeune, de même qu'un comportement trop amical ne feront qu'accentuer un écart d'âge naturellement visible. C'est donc en assumant son âge et en demeurant ouvert au vécu de ceux qui sont plus jeunes ou plus âgés qu'un intervenant pourra facilement minimiser la différence d'âge entre ses clients et lui.

Il ne faudrait toutefois pas conclure de ces considérations sur les écarts d'âge entre clients et intervenants que les meilleures relations s'établissent entre partenaires du même âge. La ressemblance favorise, dans certains cas, le premier contact, mais, à long terme, elle n'est absolument pas le gage d'une relation plus profonde ou plus profitable. De nombreux autres facteurs entrent en jeu lorsqu'il s'agit de déterminer les principaux éléments qui contribuent à atteindre l'objectif d'une bonne relation.

Les différences ethniques

Les différences ethniques constituent une troisième variable dont l'importance, dans notre société, nous apparaît moindre que les deux précédentes. Il existe certes des préjugés à l'égard des diverses minorités composant notre tissu social, mais ces préjugés n'ont pas atteint, à notre avis, l'envergure qu'ils connaissent aux États-Unis; chez nos voisins, de nombreuses études ont été menées afin de mesurer l'impact de cette variable dans les cas de relation d'aide où, par exemple, des partenaires de races différentes sont impliqués. Au Québec, la situation est différente, et les particularités propres aux divers groupes ethniques se manifestent surtout aux niveaux de la langue et des coutumes. Dans le cas de la langue, il existe, entre la maîtrise parfaite du français ou de l'anglais et l'ignorance totale de l'une ou l'autre langue, de nombreux paliers qui rendront le dialogue plus ou moins fastidieux et demanderont, de la part de l'interviewer, une grande patience. Quant aux coutumes, elles ne constituent pas une barrière majeure à la communication, et l'intervenant peut facilement parfaire ses connaissances dans ce domaine.

Le statut social

L'appartenance à des classes sociales différentes pose souvent des problèmes d'adaptation vécus surtout par les intervenants qui, habituellement, compte tenu de la clientèle visée, jouissent d'un statut social plus élevé que celui de leurs clients. En effet, la plupart des délinquants proviennent des couches sociales les plus défavorisées; pour eux, le fait d'exposer leurs problèmes à un inconnu signifie aussi entrer en contact avec un représentant d'un monde qu'ils savent différent du leur à bien des égards. L'appartenance à une classe sociale plus favorisée ne signifie pas seulement qu'on ait un titre professionnel et un salaire plus élevé, mais également qu'on adopte un mode de vie, et souvent de pensée, particulier. L'écart est perçu comme insurmontable par certains clients; ils évoquent leur appartenance à des mondes différents et le sentiment qu'ils ont de ne pas pouvoir être compris de l'autre pour expliquer leur réticence à s'ouvrir au praticien.

La question de l'appartenance à une certaine classe sociale dépasse, il va sans dire, la possession d'un titre ou d'un statut quelconque. Elle se concrétise, de façon beaucoup plus évidente pour le client, par le vocabulaire utilisé (reflétant en partie le niveau d'instruction) ou encore par les types de groupes de référence mentionnés. Un intervenant conscient de la distance qui, au départ, le sépare de son partenaire sera prudent. Il veillera, par exemple, à choisir un vocabulaire à la portée de son client, sans toutefois tomber dans l'excès qui consisterait à parler comme ce dernier; de toute façon, le client s'attend à une certaine qualité de langage de la part du praticien. Quant aux groupes de référence, il cherchera d'abord à connaître ceux de son client afin de pouvoir, encore une fois, mentionner des exemples qui s'y apparentent. Il ne s'agit donc pas, pour le praticien, d'éliminer les différences mais plutôt de les atténuer, en mettant l'accent sur les points communs et en respectant les goûts et les intérêts de son client.

Intervention sur les variables

Certaines caractéristiques du client et de l'interviewer ne peuvent être modifiées (par exemple, l'âge, le sexe), tandis que d'autres deviennent moins évidentes si l'attention en est détournée (par exemple, le niveau d'instruction, les groupes d'appartenance). Dans tous les cas, il revient à l'intervenant de procéder aux ajustements que la situation impose; il éliminera ainsi des obstacles majeurs à la communication. L'interviewer réussira à diminuer l'impact des différences entre les individus en présence en ayant recours à des techniques appropriées, en faisant usage d'une connaissance approfondie de la dynamique du processus d'interaction et en adoptant des attitudes susceptibles de favoriser le bon déroulement du processus.

Les attentes et les craintes des clients

Pour bien des personnes, l'expérience d'une rencontre avec un quelconque spécialiste en sciences humaines est exceptionnelle. Lorsque les clients se présentent en entrevue (surtout s'il s'agit de la première), ils sont souvent remplis de craintes, de préjugés ou d'attentes de toutes sortes à l'égard du praticien et de la situation même d'entrevue.

Il est impossible de faire disparaître toutes les appréhensions des clients face à une situation d'entrevue, même lorsqu'ils ont déjà vécu l'expérience de rencontres semblables. Dans de tels cas, c'est le thème de l'entrevue qui pourra susciter les pires craintes, alors que le praticien et la situation d'entrevue seront évalués comme peu stressants.

Quelle que soit la situation, c'est à l'interviewer que revient la tâche d'apaiser les craintes de ses clients en présentant son propre rôle d'abord, puis en leur expliquant aussi clairement que possible les buts de la rencontre et tous les détails techniques qui s'y relient. Il indiquera, par exemple, la durée de l'entrevue, précisera le type de collaboration qu'il attend de son interlocuteur, abordera le sujet de la confidentialité et finalement offrira de répondre aux questions du client sur le déroulement de la rencontre. Par des explications simples et précises, ainsi qu'une attitude naturelle et chaleureuse au moment de la première rencontre, l'interviewer parviendra probablement à apaiser le client et à le mettre plus à l'aise. Ces diverses précautions ne suffisent toutefois pas à neutraliser la nervosité du client pour toute la durée de la rencontre. Au contraire, même si certaines des craintes du client sont apaisées, le comportement, l'attitude ou certaines des réactions de l'interviewer durant l'entrevue risquent de créer de nouvelles craintes auxquelles il devra porter une attention particulière. Différents signes verbaux et non verbaux lui permettront d'identifier les changements d'humeur ou de tension de son client.

L'exposé du thème de l'entrevue pose également des problèmes: il risque d'augmenter les appréhensions du client ou encore de le décevoir complètement. En effet, certains clients se présentent à un rendez-vous dans l'espoir secret d'obtenir une solution à un problème, une faveur ou un avantage particulier. L'exposé de l'objectif de la rencontre, du rôle de l'intervenant, puis du thème de l'échange feront disparaître certaines de ces attentes ou éveilleront même l'agressivité ou des craintes plus particulières.

S'il décide unilatéralement du thème de l'entrevue, l'interviewer doit savoir alors le présenter de façon à mettre son client en confiance et à susciter ses confidences. Il sera parfois nécessaire d'aborder le sujet subtilement alors que, dans d'autres cas, il sera préférable de procéder de façon plus directe; tout dépend de la nature du thème, de la personnalité du client ou des deux éléments à la fois. Il n'existe malheureusement pas de moyens de s'assurer que, dans une situation donnée, la méthode directe est préférable à la méthode indirecte. On opte pour cette dernière lorsque le thème est généralement considéré comme difficile à aborder ou que le client n'est pas prêt à s'exprimer librement à ce sujet. En effet, lorsque l'interviewer sait que son client est complètement incapable d'aborder directement une question, ou lorsqu'il ne connaît absolument pas ses réactions, ses attitudes et ses capacités d'introspection, la méthode indirecte offre de meilleures possibilités. De façon générale, il est préférable d'adopter l'approche subtile, à moins qu'on connaisse bien le client et qu'on veuille provoquer chez lui une prise de conscience, un choc, un déblocage. De telles techniques sont toutefois dangereuses et doivent être utilisées prudemment.

L'élaboration en commun d'un thème d'entrevue peut, dans certains cas, revaloriser le client qui souhaite apporter une collaboration réelle à l'entrevue; dans d'autres cas, par contre, elle peut lui permettre d'éviter le problème précis qui l'amène en consultation. Enfin, cette méthode peut laisser croire au client que l'interviewer ne sait pas quoi faire, qu'il manque d'expérience.

Qu'il choisisse délibérément de travailler de cette façon, ou que la situation particulière la lui impose, l'interviewer doit s'assurer que, à long terme, il pourra atteindre tous les objectifs visés et qu'il ne perdra pas le contrôle de l'interaction.

Il est évidemment impossible de prévoir le déroulement d'une entrevue dans ses moindres détails. Les clients se présentent avec des motivations, des attentes et des craintes très diversifiées. Une préparation soigneuse de l'entrevue, de même qu'une longue expérience dans le domaine, ne mettent personne à l'abri des craintes non apaisées, des réactions mal identifiées ou des attentes non comblées qui peuvent émerger dans certaines situations d'entrevue.

4.2 La clientèle délinquante: une clientèle particulière

Comme nous le mentionnions au début de ce chapitre, la clientèle particulière à laquelle s'adressent les techniciens en intervention criminologique est vaste et diversifiée. En effet, l'expression clientèle délinquante dépasse, pour les spécialistes en sciences humaines, la définition qu'en donnent les juristes. Certes, ces spécialistes interviennent souvent parce qu'une loi ou un règlement ont été enfreints, mais la preuve de culpabilité ne leur incombe pas. Ils s'intéressent d'abord à l'individu, et peu leur importe qu'il ait été reconnu coupable ou innocent de l'acte dont il était l'accusé; ils interviennent avant, pendant ou après l'intervention judiciaire.

Parmi les individus qui portent légalement l'étiquette de délinquants ou de criminels, certains ont des antécédents importants, tandis que d'autres débutent dans la criminalité. Certains subissent ou ont subi une forme quelconque de restriction à leur liberté; d'autres attendent de connaître leur sort. Quelques-uns ont commis des actes graves ou violents; d'autres ont simplement succombé à la tentation de commettre un vol mineur dans un magasin. Certains se sentent justifiés d'agresser leur environnement, alors que d'autres le font simplement dans un état de surexcitation ou de stimulation extraordinaire, ou encore parce qu'ils sont poussés par des motifs qu'ils ne comprennent pas ou ne contrôlent pas.

Tous ces individus ont en commun le fait d'avoir été confrontés à l'appareil judiciaire et d'avoir certains problèmes de personnalité qui les ont poussés à poser des gestes défendus par la société. Ces problèmes de personnalité ne sont pas nécessairement compris ou acceptés par ceux qui les vivent. En effet, le véritable délinquant, c'est-à-dire celui qui possède une structure de personnalité délinquante, nie totalement l'existence de conflits intérieurs et accuse la société d'être la cause de ses démêlés avec la justice. Parallèlement aux véritables délinquants, il existe une autre catégorie d'individus qui peuvent plus facilement admettre l'existence de tels problèmes, sans toutefois être en mesure de les identifier ou d'y apporter une solution. C'est le cas des délinquants névrotiques, réactionnels, dépressifs, pour qui l'acte illégal est une tentative maladroite de se libérer de conflits intérieurs oppressants. Quelques individus enfin ne sont nullement en mesure d'évaluer la portée de leurs actes ou la nature de leurs problèmes; c'est le cas des psychotiques qui sont partiellement ou complètement coupés de la réalité et de certains déficients mentaux dont le niveau d'intelligence ne leur permet pas d'évaluer ni de comprendre le sens et la portée de leur acte.

Ces individus, bien que présentant des pathologies mentales fort différentes, sont indistinctement qualifiés par l'appareil judiciaire de délinquants (il y a toutefois des exceptions), parce qu'ils ont commis un ou plusieurs actes illégaux. Comme les lois changent selon les pays et qu'elles peuvent varier dans une même société selon les époques, le type de clientèle dite délinquante change dans le temps et dans l'espace. Ce qui était illégal au Canada il y a vingt ans ne l'est plus nécessairement aujourd'hui. L'évolution des lois amène donc une redéfinition de la clientèle qui les enfreint, mais les changements légaux suivent habituellement les transformations des normes et des valeurs sociales, plutôt qu'ils ne les précèdent.

Les valeurs sociales, tout comme les lois, ne sont pas immuables. Les actes que la société considère actuellement comme nécessaires, acceptables ou tolérables ne seront pas jugés de la même façon dans quelques années. Face à des actes qu'elle ne peut supporter, la société adopte des lois; inversement, elle tolère ceux qu'elle évalue comme non menaçants par rapport à ses valeurs fondamentales. Les phénomènes de déviance ou de marginalité se situent dans ce domaine des actes ou modes de vie que la société tolère. Elle ne peut reconnaître, par exemple, comme normal le mode de vie des vagabonds, mais elle tolère que certains individus, qu'elle considère comme malades, dépravés ou originaux, l'adoptent d'une manière définitive. Le cas de la prostitution entre aussi dans ce secteur des comportements marginaux. Officiellement réglementée ou non, la prostitution apparaît comme un mal irréductible que l'on cherche à éliminer légalement sans grande conviction.

Si, d'une part, les comportements marginaux, tout comme les actes délictuels, sont le fait d'une foule de personnalités diverses dont certaines sont plus faciles que d'autres à diagnostiquer et à aider, il existe, d'autre part, des individus à personnalités «malades» qui risquent de commettre des actes illégaux si aucune intervention n'est pratiquée à temps. Dans les écoles et les centres de loisirs, de nombreux jeunes peuvent ainsi être repérés et pris en charge avant que leur comportement, qui révèle leur inadaptation sociale, ne les ait amenés devant les tribunaux. Ces prédélinquants, comme on les appelle souvent, constituent une clientèle importante, bien que malheureusement fort peu traitée ou aidée par les spécialistes en sciences humaines.

On peut identifier la clientèle spécifique des techniciens en intervention criminologique en se référant à la liste des divers milieux de travail de ces praticiens. Une telle façon de procéder présente toutefois, à notre avis, un inconvénient majeur, à savoir celui de laisser croire que, dans un même type de milieu, par exemple les institutions carcérales ou les centres d'accueil pour jeunes délinquants, tous les individus sont semblables ou souffrent des mêmes problèmes; ce n'est évidemment pas le cas. Il n'en demeure pas moins que la société a tendance à regrouper sous des étiquettes globales plusieurs catégories de personnes; l'intervention du praticien doit être guidée, non par ces distinctions vagues et générales, mais par le désir de comprendre l'individu avec lequel il entre personnellement et directement en contact.

La personnalité délinquante

La littérature criminologique fourmille de typologies criminelles qui ont été dressées afin de présenter un tableau aussi exhaustif que possible des divers types de délinquants. Nous ne pouvons, dans le cadre de cet ouvrage, reprendre l'ensemble de ces données pour les analyser et trouver dans chaque cas les indications et contre-indications appropriées à l'un ou l'autre comportement de l'interviewer. Nous nous contenterons de donner une description générale du délinquant typique, que plusieurs auteurs appellent le psychopathe.

C'est souvent à partir de la notion de dangerosité que l'on définit aujourd'hui le vrai délinquant. Il faut entendre par là la possibilité pour un individu de passer à l'acte délinquant ou au contraire d'être socialisé. Cet état qui caractérise l'individu se définit par deux éléments: la capacité criminelle que l'on peut déterminer à partir d'indices psychologiques, et la capacité d'adaptation, c'est-à-dire les caractéristiques de la personnalité qui peuvent être utilisées pour amener un individu à évoluer normalement dans la société et les conditions environnementales qui favoriseront un tel comportement.

Les indices psychologiques définissant la capacité criminelle d'un individu sont: l'égocentrisme, l'agressivité, l'instabilité émotive et l'indifférence affective. Combinés au degré d'adaptation, ces éléments nous indiqueront l'indice de danger plus ou moins grand que présente un individu. Ainsi, si on retrouve chez un individu une forte capacité criminelle combinée à une forte capacité d'adaptation, on saura qu'il s'agit d'un être sans remords face à ses délits et donc susceptible de récidiver facilement. C'est cet individu qu'on appelle habituellement psychopathe.

Sur le plan clinique, le psychopathe se remarque par son égocentrisme excessif. Tout lui est dû, il est le centre de l'univers et il cherche la satisfaction immédiate de ses besoins sans se soucier du tort qu'il pourrait causer aux autres. S'il n'obtient pas de réponses satisfaisantes, il réagit impulsivement et de façon physiquement ou verbalement violente. Il ne supporte aucune contrariété, et il est d'humeur capricieuse, instable, très changeante. Il est centré sur la satisfaction de ses besoins, et est donc incapable de véritables liens d'affection durables avec autrui, qu'il «utilise» sans aucun remords. En somme, cet égocentrisme qu'il évalue d'ailleurs de façon plutôt irréaliste, amène l'individu à se sentir facilement frustré. Lorsqu'il est dans un tel état de tension, il réagit impulsivement, sans tenir compte de la réalité, et comme il est indifférent au sort de ses victimes, il passe à l'acte rapidement sans par la suite en ressentir la moindre culpabilité.

Ajoutons à ces traits généraux, qui déterminent la dynamique interne du psychopathe, quelques éléments plus superficiels. C'est un individu qui ne connaît pas l'anxiété, sinon au moment d'une situation précise stressante. Il vit le moment présent, il n'a pas vraiment le sens des responsabilités (il abandonne tout à la moindre contrainte), et il a un constant besoin d'être actif (il ne supporte pas la passivité). Bien qu'extérieurement sympathique et sociable, il ne s'implique jamais dans une relation s'il ne prévoit pas d'avance le profit qu'il pourra en tirer. Habituellement d'intelligence moyenne ou supérieure, le psychopathe est un menteur chronique, un «fin psychologue» et un manipulateur hors pair.

Le psychopathe, est-il besoin de le préciser, croit fermement n'avoir aucun problème ou conflit intérieur. S'il se retrouve devant un tribunal pour délit, la faute ne lui en incombe pas, c'est la société, dira-t-il, qui est la cause directe ou indirecte de ce qui lui arrive. Il se sent victime d'une injustice sociale, d'un malencontreux hasard, d'une erreur judiciaire, de délateurs sans morale, etc. En somme, il n'est pas coupable, il n'est qu'une malheureuse victime, et il n'a aucunement l'intention de changer.

Les individus qui correspondent à ce type de personnalité et qui font preuve d'une forte capacité d'adaptation sont certes dangereux, mais ils ne constituent pas la plus importante partie de la clientèle dite délinquante. Le plus souvent, les clients jeunes ou adultes ne présenteront, de façon plus ou moins prononcée, que certaines de ces caractéristiques. L'interviewer devra donc chercher d'abord à savoir si l'individu présente ou non de telles caractéristiques et à les identifier clairement. Seule la connaissance approfondie du client permettra à l'intervenant de déterminer et de préciser les composantes de sa personnalité.

Pour préciser ces composantes de la personnalité délinquante, l'utilisation de tests traditionnels est insuffisante. Les tests peuvent mesurer une déficicience mentale, déceler une pathologie névrotique ou psychotique ou aider à mieux cerner un problème quelconque, mais ils ne nous renseignent pas sur la structure spécifique de la personnalité délinquante, ni sur les mécanismes de passage à l'acte.

L'entrevue: technique d'évaluation du comportement délinquant

La technique de l'entrevue demeure, pour le moment, le meilleur outil pour évaluer la structure et la dynamique du comportement délinquant. Elle permet d'établir un contact humain, d'avoir une prise directe sur la conscience d'autrui; la situation de tests crée un obstacle entre le client et l'intervenant et ne réussit donc pas à réaliser cela. Il ne faudrait toutefois pas conclure à l'inutilité des tests; ils sont des instruments d'appoint qui peuvent aider un praticien en l'orientant, par exemple, dans la recherche d'indices, en confirmant ou en précisant certaines données obtenues en entrevue. Jamais, cependant, les tests ne pourront se substituer à la technique de l'entrevue, même si l'on admet que cette dernière est un instrument subjectif (par opposition à l'objectivité des tests) reflétant la formation et la personnalité de celui qui l'utilise.

Le diagnostic dynamique d'un délinquant n'est pas possible dès la première entrevue. Il faut habituellement plusieurs rencontres échelonnées parfois sur plusieurs semaines. Déjà, cette étape, qui consiste à essayer de se faire une image précise de la personnalité du client, est une phase du traitement. En effet, si l'interviewer réussit à démasquer son client, à faire tomber certaines de ses résistances, c'est que le processus de transformation est déjà amorcé. Il est donc essentiel de mettre tout en œuvre pour que les entrevues diagnostiques soient réussies, d'où l'importance de certaines réflexions sur la nature du contact entre le délinquant et l'intervenant.

Le contact entre l'intervenant et le délinquant est souvent teinté de malentendus. Le délinquant porte un masque, il se protège, car il se croit sans problèmes et ne veut pas changer. L'interviewer doit donc commencer par respecter son client et lui faire sentir qu'il lui fait confiance, qu'il lui reconnaît le droit à ses propres goûts, à ses idées, et à ses sentiments. Il ne cherchera pas à l'humilier en le confrontant sans cesse avec ses erreurs passées, ni à le décourager (ou le rendre agressif) en lui parlant de bonne conduite, ni à le pousser au mensonge ou à la rationalisation en lui demandant le récit de ses délits. Il lui faut, dès le début, essayer de montrer au délinquant qu'au fur et à mesure que la relation entre les deux partenaires évoluera, bien des difficultés seront résolues. Il est évident cependant que ce genre d'affirmation ne sera pas facilement accepté par le délinquant. Celui-ci essaiera, dans ses premiers contacts avec l'intervenant, de le mettre à l'épreuve, c'est-à-dire de se faire innocenter par lui, de s'en faire un complice, ou de se faire prendre en pitié. Il observera tous les aspects du comportement de l'interviewer dans l'espoir de le prendre en défaut et de prouver ainsi qu'il n'a aucune raison de changer, puisque même les aidants sont malhonnêtes ou commettent des erreurs.

Compte tenu de ces considérations sur la nature du contact entre le délinquant et l'interviewer, examinons quelques données précises susceptibles de faciliter la relation ou d'éviter des erreurs parfois coûteuses.

a) Les premiers moments de la rencontre sont cruciaux pour le délinquant et l'intervenant, car chacun essaie de se faire rapidement une idée de l'autre. Comme le délinquant se méfie de l'autre, l'interviewer se doit d'être le plus naturel possible et sûr de lui, et il doit, sans un trop long préambule, en venir au sujet de l'entrevue.

b) Dès cette première rencontre, une lutte pour le pouvoir commence. Le délinquant a des attentes face au praticien et, surtout, il ne veut pas se sentir «possédé» par l'autre. Il veut contrôler l'interviewer et lui parler de ce dont il a envie de parler. Il se méfiera donc des flatteries d'un intervenant qui cherche à s'en faire un ami. Le délinquant typique ne connaît pas en effet l'amitié au sens où nous l'entendons (un don gratuit); il n'a pas d'amis, il a des alliés, c'est-à-dire des individus qui se rendent des services mutuels.

c) L'intervenant ne doit jamais faire de promesses qu'il n'est pas certain de pouvoir tenir. Le délinquant n'oublie pas une chose qu'on lui a promise, et il ne comprendra pas (et surtout ne pardonnera pas) les explications d'un intervenant qui n'a pu, par oubli ou impossibilité matérielle, tenir ses engagements. Il est donc toujours plus simple d'éviter les promesses et de surprendre le délinquant avec une réalité agréable.

d) Dans cette même ligne de pensée, l'intervenant ne doit jamais paraître corruptible aux yeux de son client en acceptant de sa part des offres ou des suggestions. Une telle attitude ouvre la porte à un chantage sans limite. En effet, le délinquant qui réussit à tirer certains bénéfices «illégaux» de ses rencontres avec le praticien, et plus particulièrement dans les milieux instutionnels, a tendance à s'en vanter auprès de ses amis ou simplement à leur transmettre l'information. Le praticien concerné aura non seulement la tâche délicate et ingrate de refuser de nouvelles interventions de ce genre, mais aussi de rétablir son image d'honnêteté et d'incorruptibilité. Et ce problème sera vécu de manière particulièrement cruciale dans les cas où la demande ou la suggestion du client va dans le sens des convictions personnelles du praticien. Ce dernier, s'il désire que des changements soient apportés aux règlements de l'institution ou de l'organisme qui l'emploie, devra s'adresser aux personnes compétentes et non utiliser les clients pour faire valoir ses opinions.

e) L'intervenant ne doit jamais paraître contrarié ou surpris par les mensonges de ses clients délinquants en faisant valoir qu'il peut aisément les démasquer. Le rôle premier du praticien n'est pas de montrer sa perspicacité ou de jouer au plus malin, mais plutôt d'accepter son client tel qu'il est: ce dernier étant souvent obligé de recourir au praticien est forcément craintif, sur la défensive. Il se protège par des mensonges ou des silences que le praticien cherchera avant tout à comprendre plutôt qu'à démasquer.

f) Le praticien doit se méfier de ceux qui pleurent ou coopèrent trop facilement. Il peut s'agir d'une tactique purement manipulatrice par laquelle le délinquant cherche à alimenter l'intervenant d'informations inutiles ou secondaires afin d'éviter que le noeud du problème ne soit touché.

g) Le praticien aura également avantage à ne pas recourir à des valeurs morales comme le respect de l'autorité, la pitié, la compréhension ou la charité. Ces valeurs ne suscitent habituellement que mépris ou méfiance chez le délinquant, et il serait inutile d'utiliser des moyens détournés pour le toucher.

h) L'amitié peut toucher le délinquant, bien qu'il ait parfois une fausse conception de cette valeur: il ne reconnaît l'amitié que comme un échange pur et simple de services ou comme une alliance entre des individus qui «s'utilisent» les uns les autres. Cet aspect important de l'amitié qu'est le geste gratuit touchera le délinquant surtout parce qu'il le surprend et qu'il survient à la suite d'une faute qu'il a commise; par contre il se méfiera des demandes qui suivraient un tel geste. À long terme, cette technique de l'amitié peut constituer une stratégie efficace en ce sens qu'elle peut augmenter le degré de confiance du délinquant à l'égard du praticien.

Le client délinquant pose un défi particulier au praticien. Il est peu ou pas motivé à collaborer en entrevue puisqu'il prétend ne pas avoir de problèmes; il cherche donc, en recourant à diverses tactiques, à éviter de s'impliquer intimement. Le praticien averti déploiera donc, de son côté, un ensemble d'attitudes et de techniques susceptibles de contrer celles de son client.

Autres marginaux

Le praticien en sciences humaines ne rencontrera pas uniquement des clients chez qui une structure précise de personnalité délinquante peut être discernée. En fait, il sera confronté à une vaste gamme de pathologies ayant amené certains individus à passer à l'acte délinquant. Il va sans dire qu'un problème psychologique, ou même une maladie mentale, ne mènent pas nécessairement à un comportement délinquant, mais, dans certains cas, la pathologie est la cause principale du passage à l'acte.

Lorsqu'on s'intéresse à l'étiologie criminelle, il faut inévitablement aborder le problème de la maladie mentale; il est donc à propos d'aborder cette question dans le présent chapitre. Précisons que le domaine des maladies mentales est vaste, et que nous ne toucherons ici qu'une infime partie de son champ d'étude et d'application.

Parmi les pathologies mentales dont on parle le plus souvent dans notre société, la névrose et la dépression figurent certainement en tête de liste. Ces deux maladies sont d'ailleurs parfois reliées: la première engendrant quelquefois la seconde. Considérons ces deux maladies de plus près.

La névrose

On dit de la névrose qu'elle est la maladie du XXe siècle, surtout dans les pays industrialisés où les pressions sociales exercées sur les individus sont particulièrement nombreuses et constantes.

À la suite de Freud, plusieurs auteurs ont défini la névrose comme une maladie de la personnalité caractérisée par des conflits intrapsychiques. Certes, tous les êtres humains vivent de tels conflits chaque fois qu'ils sont incapables de satisfaire leurs désirs. C'est d'ailleurs précisément à cause de ces conflits et de l'apprentissage d'un processus de réorientation de l'énergie, soulevée par ces désirs, vers des objectifs réalisables, qu'un *moi* sain peut se développer. Dans les cas de névroses, on observe toutefois que le *moi* (instance qui permet le contact avec la réalité) et le *sur-moi* (instance inconsciente où sont conservés les interdits parentaux) s'efforcent d'empêcher les pulsions du *ça* d'accéder à la conscience. Pour réaliser cette tâche et se défendre contre l'angoisse soulevée par le conflit, le *moi* met en œuvre toute une série de mécanismes de défense dont le plus important est le refoulement; ce mécanisme consiste à repousser dans l'inconscient ce qui est perçu comme créateur d'anxiété.

Le névrotique n'est pas coupé de la réalité, mais il ressent un profond malaise intérieur né du refoulement de ses désirs et de ses pulsions, malaise dont il ne comprend d'ailleurs pas l'origine. On retrouvera souvent à l'origine de cet état un milieu familial lourd, où toutes les expressions émotives (dont l'agressivité) sont fortement réprimées. Ce refoulement entraînera beaucoup d'anxiété, des sentiments de culpabilité et d'incapacité, ainsi qu'une perte d'efficacité dans les divers secteurs de l'existence (loisirs, travail, relations sociales, etc.). L'individu en proie à un tel conflit intérieur se sentira parfois poussé à commettre des actes délinquants visant un but inconscient de diminuer sa tension interne.

Les délits commis par les névrotiques ont, dans bien des cas, un caractère autopunitif évident et, souvent, le sentiment de culpabilité précède l'acte délinquant, au lieu de le suivre. À ces éléments, on peut ajouter d'autres caractéristiques propres aux actes délinquants commis par les névrotiques:

— Ces actes sont rarement prémédités, mais ils sont plutôt le résultat d'une impulsion;
— Le profit retiré du délit n'est pas proportionnel au risque encouru; l'acte a un caractère symbolique évident;
— L'exécution de ces actes est habituellement maladroite;
— Au moment de leur arrestation, ces individus ont une réaction paradoxale: ils semblent soulagés;
— Les névrotiques avouent facilement les faits, mais sont incapables d'expliquer leurs motifs;
— Les névrotiques acceptent la condamnation, mais l'incarcération ne les guérit pas; les récidives sont nombreuses et souvent de caractère stéréotypé.

En entrevue, ces individus apportent facilement leur collaboration, et le travail de l'intervenant est d'autant plus facilité que leur motivation à comprendre l'origine de leurs problèmes est réelle et sincère. Les névrotiques ont une bonne capacité d'introspection, et le rôle du praticien est avant tout de les guider dans cette recherche d'eux-mêmes et d'accepter les expressions, au début très culpabilisantes et anxiogènes, des émotions ressenties. Cette motivation à coopérer avec l'intervenant n'est cependant pas le signe de changements rapides, car le névrotique a un solide système de défense destiné à contrôler ses tensions internes, qu'il faudra vaincre tranquillement par une psychothérapie appropriée.

La dépression

La dépression est une autre maladie courante de notre société. Dans nombre de cas, elle apparaît comme une réaction, que l'on pourrait qualifier de normale, à un événement douloureux et elle se résorbe spontanément après une évolution plus ou moins longue. La dépression, qu'elle soit réactionnelle (liée à un événement pénible identifiable) ou névrotique (liée à un conflit intrapsychique), se définit essentiellement par un affaissement de l'humeur. Dans son vécu affectif, le déprimé vit une expérience douloureuse. Son monde intérieur et ses relations avec l'environnement sont largement teintés de pessimisme: le passé est sans valeur, le présent est insupportable et l'avenir n'existe pas. Le déprimé est très anxieux, et une douleur morale indescriptible l'envahit. Tout son être souffre; il se sent dévalorisé, incapable. Il fonctionne difficilement ou avec lenteur dans les activités quotidiennes.

Très souvent cet état dépressif, surtout s'il est persistant, est mal diagnostiqué. En effet, les familiers du malade, lassés de ses plaintes, de ses larmes, de son inertie, verront dans le comportement du malade une réaction de lâcheté, de paresse, de caprice, de manque de volonté plutôt que l'expression de la douleur profonde qui l'habite. L'état dépressif de l'enfant sera parfois diagnostiqué par les parents et les enseignants comme un signe de déficience mentale ou il passera totalement inaperçu ou encore sera considéré comme une crise passagère de l'enfant ou de l'adolescent. Le danger inhérent à ces états dépressifs est évidemment le suicide dont les intervenants doivent voir et entendre les signes avant-coureurs. (La plupart des suicides sont annoncés plus ou moins clairement.)

La dépression peut également donner lieu à des actes délinquants qui seraient alors interprétés comme des appels d'aide ou de relation, des gestes d'agression contre soi-même (l'individu se perçoit comme incapable et peu ou pas aimable; il se punit) ou contre les familiers qui ne reconnaissent pas sa douleur, ses tentatives de revalorisation de soi (à ses propres yeux et face aux autres) afin de se sortir de l'épisode dépressif.

Tout comme dans le cas du névrotique, le déprimé apporte une bonne collaboration à l'entrevue. L'intervenant a avantage à écouter le client dépressif dont l'entourage a trop souvent refusé d'entendre la douleur et les plaintes.

La psychose

La psychose est une pathologie mentale plus grave que la névrose et la dépression parce qu'elle altère plus profondément la personnalité. C'est une maladie difficile à définir simplement, tant ses manifestations sont nombreuses et diversifiées. De façon générale, la psychose se caractérise par une perte de contact avec la réalité, s'accompagnant à l'occasion de manifestations délirantes et, dans les cas les plus graves, d'une dissociation autistique de la personnalité (c'est-à-dire d'une reconstruction d'un monde intérieur complètement fermé à la réalité). Le conflit intrapsychique se situe, dans ce cas, entre les pulsions venant du *ça* et la réalité qui s'y oppose; le *moi*, faible, se détache de la réalité et s'allie au *ça*. On notera ainsi chez les psychotiques des symptômes tels l'ambivalence, la discordance, l'incohérence idéo-verbale, les idées délirantes, les hallucinations et de profondes perturbations affectives. Dans les cas de grande détérioration, ces malades sont habituellement placés en institution psychiatrique.

Plusieurs actes délinquants peuvent être commis par des psychotiques (ou prépsychotiques). De tels actes s'inscrivent souvent dans une vision délirante de l'existence et ont pour but de lutter contre l'angoisse particulière (angoisse de morcellement) qui habite ces individus. La forme paranoïaque de cette maladie s'exprime parfois par des agressions contre des personnes que le malade, dans son délire, considère comme des agents de persécution intolérable. Une telle pathologie s'installe habituellement chez un type particulier de personnalité caractérisée par une psycho-rigidité, l'orgueil, l'hypertrophie du *moi*, qu'un praticien averti pourra déceler. Face à des cas de détérioration profonde, les spécialistes en psychiatrie et en psychologie sont plus compétents pour poser un diagnostic précis et suggérer les mesures de traitement appropriées.

Avant d'aborder le problème de la déficience mentale, il nous paraît essentiel de mentionner que les pathologies précédemment présentées peuvent apparaître aussi lors de l'incarcération qui fait suite à un comportement délinquant; cela est dû aux conditions de vie que doivent supporter ces individus. Les épisodes dépressifs sont donc aussi fréquents dans les milieux institutionnels pour adultes que pour les juvéniles. Précisons toutefois que, dans la plupart des cas, ces manifestations pathologiques se produisent chez des individus prédisposés.

La déficience mentale

La déficience mentale et la délinquance sont deux phénomènes qui, pendant longtemps, ont été intimement reliés. Plusieurs prétendaient que les délinquants étaient inévitablement dépourvus d'intelligence parce qu'ils étaient incapables d'évaluer les conséquences de leurs gestes et de profiter de leur sentence pour reprendre le droit chemin. Il est aujourd'hui reconnu que la délinquance n'est pas nécessairement le corollaire de la déficience mentale, bien que, dans les institutions carcérales, les délinquants d'intelligence inférieure à la moyenne soient toujours plus nombreux. On peut expliquer cela par leur déficience qui les rend plus vulnérables et donc susceptibles d'être appréhendés plus facilement.

Lorsqu'on parle de déficience mentale, on aborde nécessairement la question de la faiblesse de l'intelligence telle que mesurée par divers types de tests. Or ces tests sont de nos jours fortement critiqués, et il semble que les résultats d'un test subi par un individu ne devraient jamais être considérés comme une donnée indiscutable et sans nuances. Ces résultats donnent un ordre de grandeur, une appréciation globale, et, s'ils sont examinés attentivement, ils permettent d'apprécier les différentes composantes de l'intelligence. En tirant des conclusions hâtives sur le niveau d'intelligence d'un individu, on risque de commettre des erreurs ou d'avoir des impressions diagnostiques dramatiques pour le client concerné et les intervenants qui en ont la charge.

Les déficients mentaux graves (imbéciles et idiots) commettent peu d'actes délictuels. Ces actes surviennent habituellement à la suite de mauvais traitements ou lorsque les pulsions sexuelles sont mal comprises ou mal exprimées. Ces comportements ne soulèvent pas véritablement de sentiment de culpabilité chez le délinquant, puisqu'il n'en comprend à peu près pas le sens.

Chez les déficients légers, les délits sont plus nombreux et variés. Ces individus sont malheureusement facilement exploités par le milieu criminel: on se sert d'eux pour les basses besognes ou celles qui comportent des risques sérieux. En institution, ils sont aussi une proie facile et ils deviennent vite les boucs émissaires tout désignés des groupes où ils évoluent.

Ainsi, plus l'intelligence augmente, plus la délinquance augmente à son tour, en se diversifiant.

C'est évidemment face aux déficients légers que sont déployés les efforts de diagnostic et de traitement. On tente de plus en plus d'aider ces individus sur le plan de leur personnalité. On cherche moins à mesurer statistiquement leurs performances intellectuelles et davantage à développer leurs habiletés particulières et leurs capacités d'interrelations humaines. Les déficients délinquants constituent une clientèle importante des diverses catégories d'institutions carcérales ou de réhabilitation, et il est important qu'un intervenant appelé à travailler dans ces milieux soit conscient des besoins particuliers de cette clientèle.

L'alcoolisme et la toxicomanie

Enfin, il existe deux pathologies plus sociales que mentales, soit l'alcoolisme et la toxicomanie. Il existe de nombreuses similitudes entre elles: la consommation et le trafic de la drogue et de l'alcool sont régis par des lois ou règlements; les deux produits entraînent une dépendance physique et psychologique plus ou moins prononcée et altèrent la perception de la réalité. Dans bien des cas également, l'usage d'alcool ou de drogues amène des individus à commettre des actes délictuels.

Ces deux pathologies se greffent souvent sur des problèmes de personnalité plus profonds: elles se développent donc sur un terrain particulier. La drogue ou l'alcool constituent pour leurs usagers des moyens de régler, du moins temporairement, leurs difficultés à vivre dans la réalité quotidienne. C'est donc au-delà du problème de la consommation de drogues ou d'alcool, et des actes délictuels qui l'accompagnent parfois, que l'intervenant doit porter son attention. Toutefois, une véritable relation d'aide avec de tels malades est souvent difficile à établir, beaucoup d'entre eux ne reconnaissant pas leur besoin d'aide.

Ce survol rapide des diverses pathologies mentales susceptibles d'occasionner des actes délinquants devrait permettre de comprendre qu'une clientèle dite délinquante n'est nullement une clientèle homogène. Un acte délictuel n'est pas toujours attribuable à un individu dont la structure de personnalité est délinquante. C'est d'abord par une attitude de respect et d'écoute compréhensive que l'intervenant pourra découvrir les facettes de la personnalité de son client.

4.3 Les cas particuliers

Les enfants

Nous avons vu, en énumérant les caractéristiques générales de la clientèle rencontrée par les techniciens en intervention criminologique, que l'âge est une variable importante. Le praticien ne s'adressera pas nécessairement de la même façon à un jeune enfant, à un adolescent, à un adulte d'âge mûr ou à une personne du troisième âge.

Regardons de plus près le cas des jeunes enfants. (À partir de quatre ou cinq ans, les enfants possèdent un langage assez développé pour qu'une entrevue puisse se faire.) Les jeunes enfants sont encore très dépendants de leurs parents, et ce lien affectif colore l'ensemble des liens qu'ils développent avec les adultes. Ainsi, un enfant qui craint ses parents, parce qu'ils le maltraitent par exemple, offrira de la résistance au praticien alors perçu comme un substitut parental. En se dissociant de l'image parentale et en adoptant une attitude de neutralité bienveillante, l'intervenant pourra plus facilement établir une relation significative avec l'enfant.

En outre, l'enfant craindra inévitablement une collusion quelconque entre l'interviewer et ses parents. Les règles générales de confidentialité s'appliquent difficilement lorsque des enfants sont concernés, étant donné leur lien de dépendance à l'égard de leurs parents. Cela ne signifie pas cependant que tous les secrets révélés par l'enfant à l'intervenant devraient par la suite être retransmis à ses parents. Mais où situer la limite entre ce qui doit être tu et ce qui doit être partagé? Il n'y a pas de réponse précise à cette question, et seul le bon sens et une certaine intuition clinique dicteront au praticien la conduite à suivre.

Le jeune enfant ne se détachera pas toujours spontanément de ses parents pour suivre l'interviewer. Une observation minutieuse du comportement verbal et non verbal des parties en présence fournira au praticien des indications sur la marche à suivre pour attirer l'enfant à son bureau et sur la qualité des liens qui doivent unir l'adulte et l'enfant.

L'enfant prendra rarement l'initiative de l'entrevue, laissant cette tâche à l'interviewer qui veillera à lui expliquer clairement les raisons de la rencontre. Le langage à utiliser avec ce type de client doit évidemment être choisi (étant donné son âge); cela ne signifie pas qu'on doive tomber dans l'infantilisme comme le font souvent les adultes dans leurs échanges avec les jeunes enfants.

Avec les enfants, les entrevues doivent être plus structurées qu'avec les adultes. Le praticien utilisera donc des questions simples et précises, invitant le client à décrire des comportements plutôt qu'à les expliquer. D'autre part, comme les enfants sont influençables et suggestibles, il évitera soigneusement les formulations qui risquent de mener l'enfant sur la piste d'une réponse particulière. Aussi, étant donné la capacité d'attention et de concentration limitée des enfants, est-il préférable de faire de nombreuses transitions, même si la logique intrinsèque de l'entrevue en souffre.

Le comportement et le langage de l'enfant peuvent poser certains problèmes à l'interviewer. Ce dernier devra s'ajuster aux besoins de mobilité de son jeune client, qui acceptera difficilement de rester sagement assis durant toute la durée de la rencontre et manifestera occasionnellement de la curiosité, ou le désir de toucher divers éléments du décor de la pièce. L'interviewer devra porter une attention constante au langage de l'enfant, surtout s'il est limité et mal organisé et que la prononciation est défectueuse; il sera parfois obligé de faire préciser le sens de certains mots ou de certaines expressions utilisés par son client.

Le jeune âge du client présente pourtant certains avantages pour l'interviewer. L'enfant n'ayant pas encore appris à contrôler ses comportements et ses émotions, ni à intellectualiser ou rationaliser les problèmes, il est d'une étonnante spontanéité tant verbale que non verbale. Cette grande qualité fera souvent oublier au praticien les inconvénients d'une entrevue avec un enfant.

Les clients accompagnés

Il arrive qu'un client invité à se présenter en un certain lieu pour une entrevue soit accompagné d'un ami, parent, associé ou complice et que les deux ou même les trois personnes demandent à l'interviewer d'être reçues ensemble. Quelles que soient les raisons invoquées, le praticien aura alors la responsabilité de la décision.

Il n'y a pas de ligne de conduite précise à adopter dans de telles situations. Toutefois, si l'interviewer en a la possibilité, il a intérêt à s'entretenir avec l'accompagnateur, et ce, quelle que soit la raison de sa présence: que ce dernier ait tenu à se présenter au rendez-vous ou qu'il y ait été forcé. Sa simple présence signifie en effet qu'une relation particulière existe probablement entre lui et le client.

Par respect pour l'engagement pris auprès du client convoqué, ce dernier devrait être rencontré le premier et seul. Par la suite, l'accompagnateur sera invité, seul également, à présenter son point de vue. Selon les résultats de ces deux entrevues, l'intervenant pourra alors décider de procéder à une troisième rencontre, cette fois avec les deux personnes ensemble.

Un tel procédé, qui pourrait aussi commencer par une rencontre conjointe, permet d'apprécier plus objectivement les personnalités et jette un éclairage particulier sur la dynamique de la relation entre les personnes. Il arrive en effet que ce que dit un client de lui-même, lorsqu'il est seul, devient beaucoup plus nuancé lorsqu'il est accompagné. Par exemple, l'homme qui se décrit comme un mari dominateur et un père autoritaire paraîtra, s'il est accompagné de sa femme, plus soumis et plus effacé que ne permettait de l'imaginer la rencontre initiale. C'est d'ailleurs lorsque les entrevues individuelles font ressortir d'importantes contradictions qu'il est particulièrement utile de procéder à une rencontre conjointe. Parfois, il sera même indispensable de revoir chacun des clients afin de préciser des éléments de leur dynamique relationnelle.

Le déroulement d'une entrevue avec plusieurs clients pose toujours des problèmes et exige de la part de l'interviewer un sens aigu de l'observation et beaucoup de tact. Il est important de laisser à chacun la chance de s'exprimer librement, ce qui n'est évidemment pas toujours facile. De plus, dans de telles situations, les caractéristiques de la communication verbale et non verbale, tant entre les clients qu'avec le praticien, fournissent des informations supplémentaires et peuvent même guider l'interviewer dans ses interventions.

Quelques comportements particuliers

Au-delà des caractéristiques générales des clients (âge, sexe, ethnie, etc.), certains traits de leur personnalité vont obliger l'intervenant à adopter des attitudes et des comportements particuliers. Considérons quelques-uns de ces traits qui risquent de modifier le déroulement de l'entrevue.

Certains clients sont timides; ils craignent d'échouer, de ne pas être à la hauteur des attentes du praticien. Ce dernier peut alors les aider, en se montrant moins sûr de lui qu'il ne l'est en réalité. En cherchant ses mots, en parlant avec certaines hésitations, il donnera à la personne interviewée l'occasion d'intervenir et de se valoriser.

Un autre moyen efficace de vaincre l'émotivité ou la timidité du client est de les signaler franchement et avec bienveillance, en faisant comprendre à l'interlocuteur que de telles attitudes ne sont pas inhabituelles et qu'elles ne nuisent en rien au bon déroulement de l'entrevue.

Le client volubile rend la tâche de l'interviewer difficile et compromet parfois le succès de l'entrevue. Loquace, il ressent le besoin de s'étendre longuement sur un sujet et d'en préciser les moindres détails; il fait de nombreuses digressions, occasionnant de ce fait des pertes de temps et de la confusion. Face à un tel comportement, l'interviewer doit évidemment être patient et ne pas interrompre son client; il doit faire preuve d'un certain tact. Il profitera d'un moment où ce dernier reprend son souffle pour le ramener habilement au thème de l'entrevue. Il doit donc faire en sorte que le client quitte le bureau satisfait, réconforté à la pensée qu'on l'a écouté et compris.

Le client prétentieux, qui a tendance à exagérer, érige parfois des obstacles de taille aux relations humaines. C'est à l'interviewer que revient la tâche d'orienter son client vers une optique plus réaliste, tout en lui montrant qu'il n'est pas dupe de ses exagérations.

Avec des clients agressifs, l'interviewer doit ici encore user de tact, mais aussi de fermeté, pour réorienter le client vers l'analyse objective des faits, en même temps que pour chercher à comprendre la cause d'une telle attitude.

Quant au client menteur, il importe que l'interviewer sache distinguer celui qui cherche délibérément à tromper de celui qui déforme ou dissimule la vérité inconsciemment. Le mensonge, sauf chez certains malades mentaux, est un comportement précis qui doit être considéré selon les circonstances où il se produit et selon les motifs qui le provoquent. En signalant à son client certaines erreurs, contradictions ou omissions qu'il a relevées, l'interviewer doit faire preuve d'un grand tact et, surtout, il ne doit pas chercher à l'impressionner par sa perspicacité. L'habileté professionnelle ne protège jamais complètement l'interviewer du mensonge délibéré ou inconscient de certains clients. La tactique qui consiste à utiliser des astuces (questions qui permettent des recoupements, débit rapide des questions pour forcer le client à se contredire) ne peut qu'ébranler certains sujets particulièrement émotifs; pour la plupart, le récit sera faux, mais malgré tout cohérent. Le meilleur moyen de réduire ce problème des mensonges est de structurer l'entrevue de telle sorte que le client sente que l'interviewer ne désire que son bien, qu'il ne porte aucun jugement de valeur sur son comportement. Mais il faut admettre, par souci de réalisme, que même dans les conditions les plus favorables, certains clients sont presque toujours portés à mentir.

Il existe évidemment d'autres types de comportements ou d'attitudes susceptibles de nuire au climat ou au déroulement de l'entrevue. Le client qui refuse de parler ou d'aborder un sujet particulier en est un exemple. Vu l'importance et la fréquence relative de ce type de comportement et le rôle souvent bénéfique des silences en situation d'entrevue, cette question sera traitée à un chapitre ultérieur.

Conclusion

Bien que la clientèle que rencontreront les techniciens en intervention criminologique tout au long de leur carrière soit assez particulière, elle est, en dernière analyse, très diversifiée. C'est d'ailleurs cette diversité qui rend le travail de l'intervenant si stimulant et si enrichissant. Rien n'est jamais complètement acquis dans le domaine de l'entrevue. Les recettes et les techniques éprouvées risquent d'échouer lamentablement avec un type particulier de client. Il faut innover sans cesse et surtout apprendre à s'adapter rapidement aux situations créées par les clients. Certes, la technique apporte au praticien une gamme intéressante de moyens qui lui permettent d'atteindre un certain degré d'assurance et de confiance en soi et de manœuvrer avec plus de douceur dans les moments stressants, mais l'intuition et la souplesse demeurent des atouts indispensables au bon déroulement d'une entrevue.

Chapitre 5

L'interviewer

5.1 La formation de l'interviewer

L'aspect technique

La pédagogie de la formation des interviewers nous semble assez difficile à définir, car on se penche sur les problèmes qu'elle suscite depuis peu. Il est certain qu'avant de passer à l'enseignement de la technique de l'entrevue, il est nécessaire que les futurs interviewers acquièrent toutes les connaissances scientifiques nécessaires à la compréhension des problèmes qu'ils auront à aborder. Mais en supposant que les futurs interviewers soient bien renseignés et préparés à leur profession, quels moyens pédagogiques doit-on adopter pour les initier à l'art de l'entrevue ?

Pendant longtemps, l'apprentissage de l'art de l'entrevue s'est fait presque exclusivement par l'observation de professionnels, passés maîtres dans ce domaine, et par la mise en pratique directe des techniques acquises. Il s'agissait alors, pour devenir interviewer, de faire preuve d'aptitudes à établir des relations avec autrui et de développer intuitivement, ou en observant un spécialiste de l'entrevue, ses propres habiletés techniques. Les caractéristiques de la personnalité avaient donc, à une certaine époque, une grande importance, qui se manifestait, peut-être, au détriment des moyens plus concrets d'intervention.

Aujourd'hui, les étudiants en techniques d'entrevue sont particulièrement attirés par les techniques; ils souhaitent avoir des règles à suivre, et des «recettes» à appliquer de façon presque automatique. Malheureusement, il est impossible de répondre à une telle demande, puisque les entrevues se déroulent entre des individus qui ont chacun leur personnalité propre et qu'on ne peut donc prévoir ou diriger leurs comportements et leurs réactions émotives en utilisant une formule quelconque. De toute façon, il nous semble qu'il serait inutile de fournir à l'étudiant un tableau synoptique présentant ce qu'il faut faire et ne pas faire s'il ne possède que ce seul outil de travail et met de côté la qualité relationnelle.

La formation des interviewers a toujours visé deux grands objectifs: d'une part, un apprentissage purement technique et, d'autre part, le développement des caractéristiques de la personnalité susceptibles de mieux servir l'interviewer dans ses relations avec les autres. Examinons quelques-uns des moyens que la pédagogie moderne utilise pour atteindre ces objectifs.

La plupart des moyens actuellement favorisés pour former les interviewers s'appuient sur le principe qu'un programme de formation à l'entrevue est plus efficace s'il se déroule en groupe que s'il est vécu isolément. L'expérience a démontré en effet que les changements de comportements ou d'attitudes se réalisent mieux en situation de groupe. Cela est particulièrement vrai quand ces changements visent le développement d'une sensibilité particulière aux processus d'interaction humaine.

L'expérience a démontré aussi que les cours magistraux, les conférences et les lectures ne sont pas les meilleurs outils pédagogiques, à moins qu'ils ne soient étayés de séances d'observation, de jeux de rôles et de discussions en groupe. Les futurs interviewers apprendront beaucoup mieux à entrer en interaction avec les autres en vivant, puis en analysant, leurs propres expériences d'interaction, plutôt qu'en assimilant des techniques et des théories sur le sujet. Ainsi, dans un programme de formation à l'entrevue, l'occasion devrait être fournie à tous les étudiants de discuter les principes théoriques de l'entrevue, de faire des entrevues, de décrire leurs sentiments, leurs forces et leurs faiblesses, d'observer leurs collègues dans le feu de l'action et d'avoir des échanges entre eux. Il est aussi important que ces diverses activités se déroulent dans un climat sécurisant qui tolère les efforts malhabiles ou les erreurs grossières.

Les cours magistraux

Même s'ils ne constituent pas un outil pédagogique de première importance, les cours magistraux sont utiles. Ils servent à présenter la philosophie de l'entretien, à décrire certaines caractéristiques de la clientèle, à définir des modes particuliers d'interaction; en somme, ils permettent de transmettre un ensemble d'informations dont la substance constitue justement le contenu du présent ouvrage. Cependant, l'entraînement à l'entrevue ne se fait pas par la mémorisation de données, mais plutôt par l'assimilation de ces données par une personnalité qui les adapte pour mieux les appliquer. Un interviewer qui essaierait de mener ses entrevues en se basant sur une liste de choses à faire ou à ne pas faire aurait l'air figé, emprunté et serait difficilement capable d'accorder toute son attention à son client. Ce n'est que lorsque le futur interviewer a vraiment réussi à dépasser la technique, pour l'avoir intégrée à sa personnalité, qu'il est en mesure de s'oublier et de s'intéresser à son client.

Les jeux de rôles

Parmi les méthodes d'entraînement à l'entrevue qui permettent le mieux d'assimiler les éléments théoriques, le *jeu de rôles* occupe certainement une place de choix. L'un des étudiants joue alors le rôle de l'interviewer, et un autre celui du client. Celui-ci peut choisir d'entrer dans la peau d'un personnage fictif ou d'être lui-même. Nous favorisons cette dernière méthode, surtout au début du programme de formation. Pour les deux partenaires, le simple fait de se retrouver en situation d'entrevue est insécurisant en soi, et si l'étudiant client est, de son côté, obligé de s'identifier à un personnage, tout en essayant de répondre aux questions souvent mal formulées de l'apprenti interviewer, on risque d'assister à des situations loufoques, confuses ou encore à des blocages insurmontables. L'étudiant qui joue son propre personnage de client sera généralement plus calme et, de ce fait, plus en mesure de collaborer à l'entrevue. Il va sans dire que les jeux de rôles visent d'abord l'apprentissage des techniques de formation et non la mise à nu des étudiants clients. Ces derniers devraient d'ailleurs toujours avoir la possibilité de taire ou de modeler à leur guise les aspects de leur vie qu'ils ne désirent pas exposer devant un public, si réduit soit-il.

Les enregistrements d'entrevues

Les sessions de jeux de rôles auraient avantage à être enregistrées sur bandes magnétiques pour être ensuite présentées au reste du groupe. Malheureusement, dans la plupart des institutions collégiales, l'utilisation du matériel audio-visuel est compliquée par le fait que ce matériel doit être manipulé par les étudiants eux-mêmes. L'expérience de l'entrevue se double alors d'une expérience d'enregistrement audio-visuel, ce qui occasionne des pertes de temps souvent considérables. Cependant, lorsque cela est possible, une entrevue visionnée et discutée par tout le groupe est un outil pédagogique de grande valeur. En effet, non seulement est-il alors possible d'entendre et de réentendre toutes les interventions des partenaires, mais aussi d'examiner le langage non verbal qui les a accompagnées. Cette méthode permet donc de disséquer et d'analyser en profondeur l'ensemble du matériel de l'entrevue, en même temps qu'elle conserve un certain degré d'intimité aux participants au moment du déroulement de leur entrevue. Ce fait n'est pas à négliger, car, même s'ils sont prévenus qu'ils n'ont pas à dévoiler les secrets de leur vie privée et même si le thème de l'entrevue est «superficiel», les étudiants manifestent beaucoup de gêne à s'exprimer directement devant leurs collègues et le professeur. Cette gêne prend d'ailleurs toujours un certain temps à se dissiper, malgré les efforts et les encouragements répétés de l'enseignant pour créer, à l'intérieur du groupe, ce climat de confiance indispensable au bon déroulement des jeux de rôles.

Le miroir unidirectionnel

À défaut de pouvoir utiliser, sur une base régulière, des enregistrements d'entrevues faites par les étudiants, on peut utiliser la technique du miroir unidirectionnel: l'entrevue se déroule alors dans un bureau ou un cubicule équipé d'un miroir unidirectionnel et donnant sur une petite salle de discussion. Cette technique présente des avantages certains: la distance, plus psychologique que réelle, créée par le miroir augmente incontestablement le degré de concentration et de confiance des exécutants, en même temps qu'elle les éloigne du bruit et des distractions provenant de l'auditoire.

L'équipement sophistiqué dont nous venons de vanter les mérites n'est pas toujours disponible pour les professeurs de techniques d'entrevue. Ces derniers doivent souvent faire exécuter les jeux de rôles dans une simple salle de cours, où le décor n'est certes pas très approprié pour ce genre d'expérience. Dans ces circonstances, un aménagement moins académique des pièces du mobilier et un tamisage de l'éclairage pourront, la créativité aidant, diminuer l'influence de l'environnement physique.

Lorsque le jeu de rôles est terminé, les étudiants discutent des techniques utilisées par l'interviewer, des problèmes que le comportement et les réponses du client lui ont posés et de ses principales forces et faiblesses.

L'étudiant qui joue le rôle de l'interviewer profite évidemment beaucoup de l'expérience. La mise en situation lui donne certes l'occasion de mettre en pratique ce qu'il a vu en théorie, mais elle lui permet surtout de constater combien ces principes de l'entrevue, simples à comprendre, sont difficiles à appliquer. Avec le jeu de rôles, il peut donc aborder non seulement de «vrais problèmes», mais aussi s'observer lui-même en situation d'entrevue, sans craindre d'avoir à supporter les conséquences de ses erreurs. Il se sensibilise à lui-même en tant qu'interviewer.

L'étudiant client, ainsi que le groupe des observateurs, apprennent également beaucoup par le jeu de rôles. En observant la situation de l'extérieur, ils peuvent l'envisager plus objectivement, déceler les erreurs, les défauts et les qualités de l'interviewer et remarquer leurs propres réactions face à ses interventions. Pour profiter au maximum de l'expérience, les observateurs doivent cependant procéder à l'analyse minutieuse des divers aspects de l'entrevue. Ils prendront en note les questions posées par l'interviewer, ainsi que ses gestes, ses commentaires, ses transitions, ses silences et ils tenteront de qualifier ses attitudes et l'atmosphère générale qui se dégage de l'entrevue; bref, ils observeront tous ces aspects que nous développerons dans cet ouvrage et qui concernent le rôle de l'interviewer et le déroulement de l'entrevue. Au cours des premières expériences, il est difficile pour les observateurs de prendre en considération tous les éléments; il est donc bon à ce moment de diriger leur attention vers des points particuliers et surtout de les amener à prendre conscience de leurs propres réactions face aux interventions de l'interviewer; de cette façon, ils se sensibiliseront aux effets de divers types d'interventions sur les clients. Avec l'évolution du groupe, d'autres points d'observation s'ajouteront et les étudiants pourront même se répartir les divers éléments à observer, de façon à favoriser une analyse aussi exhaustive que possible de l'entrevue.

Les entrevues enregistrées sur magnétophone

L'utilisation d'entrevues enregistrées sur magnétophone offre aussi de nombreuses possibilités de travail. Ainsi, au cours du programme de formation, il est possible d'illustrer, avec des exemples enregistrés, certains principes de l'entrevue. Grâce à ces enregistrements, on pourra démontrer aux étudiants diverses façons de débuter une entrevue, de poser des questions, d'encourager la communication, etc.

Le matériel de travail peut aussi être créé par les étudiants eux-mêmes; ils ont alors le loisir de choisir leur client, de procéder à l'enregistrement de leur entrevue dans l'intimité d'un local mieux approprié qu'une salle de cours et, détail souvent important, d'arrêter le magnétophone quand ils se sentent incapables de mener à bien l'expérience. L'analyse de l'entrevue fera par la suite l'objet d'une discussion de tout le groupe. Ce type d'enregistrement offre la possibilité de faire marche arrière pour examiner des aspects particuliers de l'entrevue. Par contre, il présente l'inconvénient de l'absence presque totale de données non verbales. En effet, seuls quelques intonations, constructions de phrases, changements dans le débit verbal et silences apporteront de la matière à discussion au chapitre de la communication non verbale.

Des entrevues enregistrées par des professionnels et leurs clients réels constituent un autre mode intéressant d'apprentissage pour les étudiants. Ceux-ci sont alors appelés à analyser non seulement la technique même de l'entrevue, mais aussi son contenu. Ils ont d'ailleurs tendance à centrer leur attention sur ce dernier aspect pour négliger le premier. Il y a donc avantage à les faire procéder à deux lectures différentes de l'entrevue, l'une portant sur la technique et l'autre sur le contenu. On étaiera alors l'analyse du contenu d'exercices de rédaction d'histoires de cas.

Les transcriptions littérales d'entrevues

Lorsqu'il est impossible de recourir à la méthode décrite précédemment, on utilise une méthode similaire: l'étude, en tout ou en partie, de transcriptions littérales d'entrevues réalisées par des professionnels. Plusieurs manuels, en particulier les manuels américains, reproduisent et commentent de telles entrevues que l'on peut présenter aux étudiants. Là aussi, le texte servira à une double analyse portant sur la technique et le contenu, mais, de façon générale, les étudiants préfèrent de beaucoup les enregistrements à ces textes qu'ils trouvent plutôt froids.

L'observation d'un professionnel de l'entrevue

L'observation directe, par les étudiants, d'un professionnel de l'entrevue (par exemple, l'enseignant) s'avère un moyen d'enseignement habituellement très apprécié des futurs interviewers, bien que nous préférions ne pas en encourager l'utilisation au début du programme de formation. À ce stade, les étudiants ne savent pas encore vraiment quoi regarder ou ils sont aveuglés par la performance, à leurs yeux parfaite, du professionnel ou, enfin, ils constatent et même amplifient avec un certain découragement leurs propres lacunes. Le but de ces séances d'observation n'est évidemment pas de décourager les étudiants, mais de leur faire prendre conscience, une fois qu'ils ont eux-mêmes vécu l'expérience de l'entrevue, de certains de ses aspects techniques et du résultat qu'avec la pratique ils obtiendront. Les discussions faisant suite à une observation de ce genre doivent donc servir à l'analyse de points techniques précis et du climat général de l'entrevue.

Les diverses méthodes, que nous venons de décrire, visent toutes l'apprentissage par les étudiants de l'art de l'entrevue, mais l'objectif sera atteint plus efficacement si leur utilisation est graduée en fonction de l'évolution du groupe. Comme nous l'avons mentionné précédemment, la démonstration d'une entrevue par un professionnel (enseignant ou autre) au début du programme de formation risque de décourager les étudiants ou, au contraire, s'ils n'ont pas encore vécu de mise en situation, de leur donner l'impression qu'il s'agit d'un exercice particulièrement facile. Dans les deux cas, la démonstration n'apportera pas les fruits d'un véritable apprentissage.

L'utilisation des diverses techniques

Avant même de faire des entrevues, les étudiants devraient apprendre à écouter. Nous avons en effet constaté qu'ils ont besoin d'une période de sensibilisation et d'initiation à cette forme particulière d'attention à l'autre que nous avons appelée l'écoute active. Ainsi, malgré les exposés théoriques reçus sur le sujet, les étudiants sont, au début de leur programme de formation, essentiellement centrés sur eux-mêmes et donc incapables d'une véritable écoute compréhensive. Ils pensent à leur prochaine question, craignent les silences, s'inquiètent du ton de leur voix ou de leur attitude générale et oublient une grande partie de ce que leur dit leur interlocuteur. S'ils se concentrent uniquement sur leur client, pensent-ils, l'entrevue prendra fin dès que ce dernier aura répondu à la question d'ouverture. Cette peur du silence paralyse facilement un grand nombre d'étudiants et elle doit être vaincue avant que les apprentissages plus techniques (bonnes formulations de questions, transitions, etc.) ne soient entrepris à l'occasion de mises en situation plus longues.

Pour développer l'écoute active chez les étudiants, on peut faire des exercices simples et courts d'échanges entre deux personnes. Par exemple, pour développer un thème, un étudiant (ou l'enseignant), qui joue le rôle du client, invite une personne du groupe à lui poser une question et, à partir de la réponse donnée, à en reformuler une autre en utilisant l'information reçue du client. Le rôle de l'enseignant consiste surtout, à ce moment, à faire prendre conscience aux étudiants du type d'utilisation faite du matériel fourni par l'interlocuteur et de la qualité de l'écoute démontrée. Ces exercices visent donc, dans un premier temps, à amener les étudiants à centrer leur attention sur autrui et, dans un deuxième temps, à tirer de ce qu'il dit l'information qui leur permettra de poursuivre l'entrevue. Lorsque cette capacité d'écoute est acquise, il est plus facile, pour les étudiants, d'assimiler les nombreux éléments techniques touchant la bonne conduite de l'entrevue.

Dans ces exercices de groupe (en prenant pour acquis que le nombre de personnes dans le groupe le permet) où chaque étudiant, à tour de rôle, prend la place de l'interviewer pour poser quelques questions, le degré d'attention et de concentration demandé à chacun est moindre que lors d'un échange formel entre deux personnes. C'est donc une excellente préparation pour les futurs jeux d'entrevue où chaque apprenti interviewer aura alors à entendre personnellement tout ce que dit le client.

De plus, les exercices d'écoute fournissent, s'ils sont enregistrés sur magnétophone, par exemple, un matériel qui permet aux étudiants de bien identifier leurs défauts (manque d'attention, reformulation de questions ne respectant pas l'information reçue, etc.) et de reformuler leurs questions à partir d'une analyse réfléchie, et non spontanée, de ce que dit le client.

Pour que les étudiants assimilent et intègrent vraiment tous les aspects de la formation à l'entrevue, il y a lieu de bien doser les efforts qui leur sont demandés. Il est bon de commencer l'apprentissage technique par des exposés théoriques suivis d'exercices pratiques simples et de courte durée; cela leur apprend à écouter l'autre. En outre, c'est un excellent moyen, pour les étudiants, d'apprivoiser l'art de l'entrevue et de prendre conscience de leurs propres réactions en situation d'entrevue (aspect relationnel).

La formation d'un interviewer doit viser essentiellement le développement d'une certaine qualité d'écoute et l'intégration dans sa personnalité d'un ensemble d'outils qui lui permettront de créer un climat de confiance et d'entreprendre un échange véritablement centré sur le client. Est-il possible d'apprendre à écouter un client avant de posséder quelques connaissances, par exemple, sur la façon de poser les questions qui l'aideront à parler ? Cela est certes possible, mais dans la mesure où la formation vise un objectif d'intégration de tous les éléments techniques et relationnels de l'entrevue dans une personnalité donnée, il faut travailler les divers aspects, en mettant l'accent tantôt sur l'aspect écoute (relationnel) et tantôt sur l'aspect technique. Cependant, puisque, pour réaliser une bonne entrevue, il faut avant tout être capable d'écouter son interlocuteur (on peut, en fait, se permettre quelques erreurs techniques si l'on écoute vraiment bien), nous conseillons de commencer avec les exercices portant sur la qualité de l'écoute, en réduisant au minimum les interventions qui touchent les détails plus techniques du déroulement de l'entretien.

Les techniques développées pour former un interviewer mettent aujourd'hui l'accent sur les mises en situation et les jeux de rôles, c'est-à-dire sur les exercices pratiques vécus en groupe. De plus, selon l'utilisation qui en est faite, ces diverses techniques ont pour objectifs principaux d'acquérir des outils concrets de travail et de prendre conscience des éléments de la personnalité, des attitudes et comportements qui assureront la meilleure qualité de la relation interviewer-client.

L'aspect relationnel

La personnalité de l'intervenant

Les recherches effectuées pour déterminer les caractéristiques de la personnalité reliées à la compétence de l'interviewer n'ont pas apporté les résultats escomptés: elles n'ont pas permis de dégager le portrait type du bon interviewer. On peut expliquer cela en partie par le fait que des personnalités particulières sont mieux adaptées pour certains types d'entrevues. Par exemple, dans un contexte thérapeutique, un interviewer chaleureux, spontané et ouvert est mieux accepté des clients qu'un interlocuteur agressif et dominateur. Ces dernières caractéristiques sont toutefois appréciées lors d'entrevues de conseil.

D'autres sortes d'incompatibilités peuvent aussi expliquer l'impossibilité de tracer un portrait type de la personnalité de l'interviewer compétent. Bien qu'ils bénéficient d'une longue expérience, plusieurs spécialistes de l'entrevue se sentiront toujours plus mal à l'aise, moins naturels donc moins compétents face à certains types de clients ou face à des catégories de problèmes qui soulèvent en eux de trop vives émotions. Notons que le vécu de l'interviewer influence grandement sa personnalité et que certains ennuis personnels peuvent, à des moments particuliers de son existence, nuire à son contact avec les clients.

Au-delà de ces incompatibilités ou compatibilités inévitables, il existe cependant un certain nombre de caractéristiques susceptibles de faciliter la relation client-interviewer. Des qualités telles que la chaleur, la patience, la tolérance, l'ouverture d'esprit, la flexibilité et la sincérité font partie des caractéristiques ordinairement mentionnées comme indispensables pour devenir un bon interviewer. De plus, les personnes peu anxieuses, sérieuses, dont le comportement social est plutôt réservé, qui sont sensibles aux autres tout en demeurant objectives (qualité d'empathie), qui sont capables d'analyser et de comprendre leur propre comportement en même temps que celui de leurs clients et enfin qui acceptent la faiblesse humaine possèdent des atouts de choix pour réussir dans le domaine.

Fait étonnant, mais constaté par plusieurs auteurs, la compétence des interviewers est rarement reliée à l'extraversion et à la sociabilité, mais plutôt à une forme d'intérêt pour autrui, dite scientifique et objective, par opposition à une attirance purement émotive et intuitive.

Les recherches sur les caractéristiques de personnalité des interviewers compétents mettent aussi en évidence l'existence d'un lien entre l'intelligence et la performance en entrevue. Il serait cependant plus juste de dire que ce n'est pas le niveau d'intelligence comme tel qui joue, mais la gamme étendue et variée des intérêts et expériences de l'interviewer. Ces éléments peuvent alors lui donner une possibilité d'échange et de partage réel avec un plus grand nombre de personnes différentes.

S'il est difficile d'énumérer les traits de personnalité propres aux interviewers compétents, il est par contre possible de dégager quelques indices précis au sujet de leurs comportements. On remarque, en effet, que les interviewers expérimentés (donc probablement plus compétents que les débutants) sont moins directifs, moins actifs et moins portés que les débutants à présenter des suggestions ou à offrir des conseils à leurs clients. Ils parlent peu et ne sentent pas le besoin d'un contrôle serré du déroulement de l'entrevue. Ces comportements des interviewers expérimentés traduisent probablement plus une certaine sécurité intérieure acquise au cours des années qu'une performance purement technique. Avec l'expérience, l'interviewer en vient à mieux maîtriser l'art de l'entrevue; il intervient au moment opportun et dit ce qui doit être dit, de sorte que ses interventions ont une portée maximale. Contrairement à celles des débutants, elles visent surtout le monde émotif du client et moins les données factuelles.

On peut en conclure qu'il n'existe pas de portrait-robot de l'interviewer idéal. Le succès d'une entrevue tient à la fois de la personnalité de l'intervenant, de celle du client, des objectifs de la rencontre et des conditions immédiates dans lesquelles se déroule l'entrevue. Ainsi, même un interviewer considéré comme compétent peut, à cause d'une préparation inadéquate, d'ennuis personnels dont il ne parvient pas à se libérer ou encore d'un client rébarbatif, rater son entrevue. La personnalité aide à créer un climat de confiance entre les interlocuteurs, mais d'autres éléments contribuent aussi au succès ou à l'échec de la rencontre.

Au cours d'un programme de formation à l'entrevue, les étudiants sont invités à prendre conscience, par l'observation et l'analyse de leurs propres réactions en situation d'entrevue, des caractéristiques de leur personnalité qui facilitent la relation avec le client et de celles qui, au contraire, risquent de leur nuire. Il est évident qu'il ne s'agit pas pour les apprentis interviewers de changer leur personnalité mais, avant tout, d'être attentifs à eux-mêmes de façon à bien identifier les forces et les faiblesses de leur personnalité qui affecteront leur performance en entrevue. Trop souvent, en situation d'entrevue, les étudiants se sentent obligés d'adopter une série d'attitudes et de comportements qui ne correspondent absolument pas à leur nature, mais qui représentent pour eux le portrait théorique du parfait interviewer. Ils manquent alors de spontanéité et se sentent vite prisonniers d'un rôle qu'ils ne peuvent soutenir longtemps. C'est sur la nature profonde de l'individu que devraient se fonder les attitudes et les comportements qui faciliteront la relation.

En plus d'amener les étudiants à adapter les forces et les faiblesses de leur personnalité aux exigences de la situation d'entrevue, il faut les sensibiliser aux interférences que peuvent créer leurs attitudes et leurs attentes à l'égard du client et de la situation d'entrevue. Il est à craindre que les étudiants cherchent à suivre uniquement leurs intuitions, sous prétexte que ce qui compte en entrevue est de bien écouter et comprendre l'autre ou, au contraire, qu'ils se dissimulent derrière un éventail de techniques plus ou moins appropriées. L'un et l'autre de ces modes d'intervention conduisent inévitablement à des erreurs souvent irréparables et surtout ils nient l'indispensable complémentarité des éléments techniques et relationnels qui interviennent dans le déroulement des entrevues.

Le statut professionnel de l'intervenant

Au chapitre précédent, alors que nous décrivions les caractéristiques générales de la clientèle rencontrée en entrevue, nous avons souligné les problèmes que certains clients peuvent soulever sur le plan relationnel. Nous avons indiqué aussi qu'il appartenait d'abord à l'interviewer de diminuer l'impact des différences existant entre lui et ses clients.

Si, du côté des clients, il existe des données factuelles (âge, sexe, race, etc.) et des traits de personnalité plus difficilement compatibles avec ceux de l'intervenant, l'inverse est également vrai. Toutes les variables que nous avons présentées jouent, en effet, dans les deux sens. À ces données s'ajoutent cependant d'autres éléments qui ont une importance certaine dans la création du climat de l'entrevue. Le fait, par exemple, que l'intervenant appartienne à un groupe professionnel particulier suscite chez certains clients des appréhensions ou des attitudes précises, en même temps qu'il implique souvent pour l'interviewer une orientation particulière de l'entrevue dans le sens d'une recherche d'informations reliées plus directement aux schèmes de référence professionnels. Le problème des déformations professionnelles existe réellement et il dépasse la caricature qu'en présente souvent l'opinion publique. Les criminologues ne voient pas en chacun de leurs clients un délinquant qui s'ignore, et les psychologues et psychiatres n'expliqueront pas nécessairement tous les problèmes de leurs clients en se référant au complexe d'Œdipe non résolu. Cependant, la vision qu'ont ces divers types de professionnels est teintée aux couleurs de leur formation. En effet, chaque intervenant, en raison même de l'ensemble de sa formation théorique et des écoles de pensée auxquelles il a adhéré, développe un système de référence qui oriente, consciemment ou non, sa perception de l'autre et détermine le type de données qu'il rejettera ou retiendra en entrevue. L'interviewer organise le matériel reçu en fonction de sa théorie: il a appris à expliquer les situations en se référant à un cadre propre à sa profession; il perçoit donc les problèmes présentés par ses clients avec les outils mentaux qu'il a acquis et développés. L'identification professionnelle implique donc que l'intervenant ait une façon particulière d'appréhender l'univers, qu'il se réfère à des modèles d'explication des comportements précis et qu'il utilise souvent un vocabulaire spécifique, pour ne pas dire hermétique.

De telles déformations professionnelles sont inévitables, mais l'expérience et surtout le travail dans un milieu où cohabitent diverses disciplines professionnelles et où sont véhiculés des modèles d'analyse et d'intervention propres au milieu réduiront l'effet de ces déformations. Ainsi, après sa période de formation académique, l'intervenant en sciences humaines qui commence à travailler devra adapter sa façon de penser, de percevoir et d'agir à celle véhiculée par son milieu. Ce processus ne vise pas à nier l'individualité professionnelle du débutant, mais plutôt à créer à l'intérieur de l'équipe une certaine uniformité de pensée et d'action au-delà des différences individuelles. Il ne s'agit donc pas d'annihiler toute forme d'originalité, mais de faire en sorte qu'un type de formation ne devienne pas l'ultime modèle de référence dans un milieu de travail donné.

Les qualités à développer en situations d'entrevues

Après avoir identifié les éléments de sa personnalité et de sa formation professionnelle qui le serviront le mieux dans sa relation avec les clients, l'interviewer doit développer, s'il ne les possède déjà, certaines qualités plus directement reliées à une bonne prise en charge de l'entrevue. Il lui faut ainsi apprendre à dépasser ses difficultés personnelles intérieures. Si ses difficultés sont liées à des troubles psychologiques, causés par des problèmes extérieurs à la situation d'entrevue, ou à des réactions intimes soulevées au cours de l'entretien, l'interviewer doit chercher à les comprendre pour être en mesure de les maîtriser, car elles ne doivent pas affecter son travail. Un interviewer qui vit certaines perturbations psychologiques peut difficilement être disponible d'esprit et ouvert à ses clients, parce qu'il est trop centré sur lui-même; sa perception des problèmes de l'autre est subjective. Pour être capable d'objectivité en situation d'entrevue, l'intervenant doit donc d'abord régler ses propres problèmes.

De plus, certaines peurs ou difficultés particulières auront à être surmontées, surtout par les débutants. La peur de l'entretien est, sans aucun doute, le premier obstacle à franchir. La peur de l'affectivité d'autrui, la peur de ses propres réactions affectives, la peur de ne pas être capable de bien mener l'entrevue sont autant de craintes qui envahissent l'étudiant qui s'apprête à «jouer» sa première entrevue; elles proviennent avant tout du manque d'assurance et de sécurité personnelle. Pour les surmonter, l'interviewer a souvent tendance à se composer une attitude trop réservée ou froide ou à s'enfermer dans une technique très rigide. Ces méthodes ne règlent rien, et, finalement, c'est avec l'expérience que l'intervenant acquerra cette confiance en lui-même et, par conséquent, assouplira son mode d'intervention avec les clients.

La peur des silences est souvent paralysante pour les interviewers. Une panique s'empare de certains d'entre eux lorsque le client se tait. Les débutants ont d'ailleurs tendance à surestimer la durée des premiers silences qu'ils vivent. Presque instinctivement, ils se lancent alors dans des questions plus ou moins bien formulées, des digressions personnelles ou des pressions à seule fin de rompre ces silences. Cette phobie, si elle n'est pas pathologique, s'explique de nombreuses façons: impression d'inefficacité personnelle, crainte d'être jugé par l'autre, sentiment de perte de temps, etc. Quelle que soit l'explication donnée à cette peur, l'interviewer doit apprendre à supporter les silences et même à les utiliser, car cette appréhension est particulièrement nuisible lorsqu'on veut faire des entrevues en profondeur.

La difficulté de rester attentif au client pendant une longue période de temps présente, pour les débutants, un autre problème de taille. Ils ont tendance, par souci d'efficacité, à beaucoup solliciter le client, à être actifs; ils confondent facilement efficacité et initiative. Or, pour bien comprendre un client, il est nécessaire d'être avant tout réceptif, de l'aider à s'exprimer sans induire de réactions parasites, et d'être patient, car, pour que l'interaction s'établisse, l'interviewer doit être centré sur son interlocuteur. En d'autres termes, il doit chercher à comprendre le problème tel qu'il se pose au client et l'aider à évoluer personnellement dans le sens d'une meilleure adaptation sociale. Il doit chercher le sens plus profond et personnel de ce qui est dit.

Carl Rogers, psychologue américain, qui a développé cette notion de «centration sur le client», en spécifie le sens en définissant les impératifs de la bonne attitude de l'interviewer. (Nous développerons ce sujet dans le prochain chapitre.) Il parle ainsi d'accueil du client et de réceptivité face au client, plutôt que d'initiative qui mettrait le client dans l'obligation de répondre aux questions ou de réagir. Il parle aussi d'orienter sa recherche et son analyse sur le vécu du client, plutôt que sur les faits qu'il mentionne. L'interviewer s'intéresse davantage à la manière dont sont vécus les événements et moins aux détails concrets qui les entourent. Dans cette même ligne de pensée, l'interviewer cherche à analyser le problème du point de vue du client et non à l'examiner de l'extérieur, sans tenir compte du sens et de la couleur que le vécu du client lui ont donnés. Rogers suggère aussi à l'interviewer d'intervenir de façon à donner à son client la certitude qu'il respecte sa manière de voir et de comprendre les choses et qu'il ne cherche pas une occasion de lui montrer sa grande perspicacité ou de lui faire des révélations. L'interviewer n'est pas là pour jouer au devin ou au magicien, mais pour comprendre et aider son client.

Conclusion

Toutes les peurs et les difficultés que vivent les nouveaux interviewers avant et pendant les premières mises en situation vont, en grande partie, disparaître avec l'expérience. L'acquisition de techniques pour aider à surmonter les silences, à poser les questions, à effectuer les transitions aideront également le débutant à acquérir une confiance en lui-même, et cette confiance s'accroîtra avec l'expérience. Par contre, la mémorisation de règles ou de tactiques réussira peut-être au début à diminuer les appréhensions prévisibles du débutant, mais, à long terme, elle le figera dans un comportement affecté, qui nuira à l'efficacité de la relation. Les jeux de rôles ont pour but de permettre aux futurs interviewers de vivre leurs peurs, d'apprendre peu à peu à les assumer et à les surmonter, grâce à la mise en pratique de certaines techniques et aux discussions qui entourent la mise en situation. Ces jeux favorisent en fait l'indispensable intégration des éléments techniques et relationnels impliqués dans le déroulement d'une entrevue.

5.2 Les fonctions de l'interviewer

Le rôle du responsable de l'entrevue comporte évidemment plusieurs facettes; on peut les résumer en deux éléments principaux:

— Diminuer les barrières à la communication, de façon à créer une atmosphère favorable à l'échange;
— Diriger l'entrevue de façon à atteindre les objectifs fixés.

Les objectifs d'une entrevue peuvent être divers, et nous avons vu qu'ils permettent de faire une classification des entrevues. Plus loin, nous analyserons quelques types d'entrevues, en nous attardant à l'entrevue biographique, car c'est surtout à partir de ce type d'entrevue que les techniciens en intervention criminologique seront appelés à travailler. Or, dans un tel contexte, les objectifs que l'interviewer cherche à atteindre sont la cueillette de données pertinentes et la compréhension de la personnalité du client. Ces deux objectifs sont indissociables, et un interviewer qui voudrait reconstituer l'histoire sociale de son client ou l'aider à régler un problème particulier sans créer un climat favorable à l'échange ou sans diriger la relation ou les deux ferait fausse route.

Il n'existe pas de règles précises à suivre pour réduire les barrières à la communication et pour faire progresser l'entrevue dans le sens désiré. Il n'existe donc aucune définition précise du rôle de l'intervenant. En fait, c'est par un ensemble de techniques et d'attitudes adaptées à la situation d'entrevue, au client et à la personnalité même de l'interviewer que l'on peut le mieux définir les fonctions de l'intervenant.

Avant la rencontre

Sur le plan technique, les tâches de l'interviewer commencent avant même la rencontre avec le client. La création d'une relation de confiance et le déroulement harmonieux de l'entrevue ne sont pas les seuls points importants de la rencontre. Celle-ci vise un but précis, et, par conséquent, l'interviewer doit préparer un plan qui lui permettra de diriger l'entrevue dans ce sens.

La préparation de l'entrevue ne signifie pas qu'on imagine l'entretien en prévoyant mentalement le plus grand nombre possible de réactions, de questions ou d'objections de la part du client. Une telle préparation est inutile, car chaque rencontre a sa dynamique propre, qui se développe en fonction des interventions spontanées de chacun des interlocuteurs. La réalité de chaque rencontre est unique. Le plan sert de guide général à l'échange; il donne à l'intervenant une marche à suivre, élaborée en fonction du but visé et il permet d'une part, de revenir au sujet de la rencontre si le client (ou lui-même) s'écarte du sujet et, d'autre part, de s'assurer que l'ensemble du sujet a été couvert par l'entrevue.

Il existe évidemment un lien entre le problème à résoudre et les questions à poser. L'atteinte des objectifs de l'entrevue dépend de l'ingéniosité et de l'expérience du responsable, qui doit sentir qu'il est essentiel d'aborder certains points pour bien comprendre le problème et aider son client à trouver une solution. Sa formation professionnelle pourra le guider tant dans sa préparation à l'entrevue que dans ses interventions au cours de la rencontre, mais, face à certains types de problèmes, il lui faudra consulter des livres ou des collègues de travail pour être en mesure de répondre aux attentes de son client.

Il n'est pas toujours possible de prévoir un plan d'entrevue. Parfois c'est le client qui, unilatéralement, décide de l'objectif de la rencontre. Le responsable peut alors, tout en écoutant, concevoir ce plan au fur et à mesure du déroulement de la conversation, en portant une attention particulière aux différents indices fournis.

Pendant la rencontre

La souplesse est une qualité essentielle au bon déroulement de l'entrevue. L'intervenant doit toujours, lorsqu'il s'aperçoit que son plan n'est pas adéquat, qu'il ne mène nulle part ou néglige des points essentiels aux yeux de son interlocuteur, être prêt à modifier ou même à abandonner complètement son plan.

L'une des principales fonctions de l'interviewer, dès les premiers moments de la rencontre, est d'identifier le type de motivation de son client par rapport aux objectifs de l'entrevue et de développer, s'il y a lieu, le degré de motivation nécessaire afin de diminuer les barrières à la communication.

Plusieurs facteurs entrent en jeu lorsqu'il s'agit d'évaluer la motivation du client: le degré de résistance de ce dernier à l'entrevue, quels que soient le but de la rencontre et la personne qui en a la charge, le caractère plus ou moins menaçant du sujet abordé, les pressions exercées sur le client en termes de temps et d'énergie, le degré d'émotivité du client, son acceptation du responsable de l'entrevue, sont autant de facteurs qui peuvent interférer. La somme totale des exigences imposées au client est en relation directe avec son degré de motivation. Le responsable doit donc évaluer ces exigences qu'il s'apprête à imposer à son client et se préparer à le motiver en conséquence. Ainsi, il est évident qu'il lui faudra plus de temps pour établir une relation de confiance avec un client hostile qu'avec une personne qui vient, de son propre chef, demander de l'aide. D'autre part, si le but de l'entretien se rapporte à un thème facile à aborder, le client sera plus facile à motiver que s'il s'agit de traiter d'un problème délicat dont le contenu émotif est important.

Si le client est obligé d'abandonner une activité intéressante pour se présenter à l'entrevue, il ne sera pas porté à collaborer avec le responsable. Ce dernier, en planifiant le moment et la durée de la rencontre, devra accorder une attention particulière à cet aspect.

Une fois les premières barrières à la communication disparues et une certaine motivation créée, l'intervenant doit veiller à maintenir cette motivation à un niveau acceptable durant toute la durée de l'entrevue. Il doit donc, par ses attitudes et ses interventions, stimuler son client et l'inviter à participer de façon constructive au déroulement de l'entrevue. Attentif aux changements émotifs et comportementaux de son client, l'interviewer pourra intervenir efficacement pour alléger, par exemple, son anxiété, diminuer ses sentiments de crainte ou d'embarras et réduire ses tendances à l'opposition et à la fermeture sur soi. Par ses interventions, l'interviewer soutiendra le client dans les moments difficiles de réflexion, le rassurera et l'encouragera à poursuivre sa démarche. En tout temps, il cherchera à maintenir un climat de confort psychologique, grâce auquel le client se sentira à l'aise pour se confier.

Si l'interviewer est physiquement présent, mais émotivement ou psychologiquement absent, il ne pourra rien accomplir de valable durant l'entrevue. Toutefois, s'il s'attarde uniquement aux besoins immédiats exprimés par son client, en oubliant les objectifs de l'entrevue ou les motifs qui ont amené ce dernier à le consulter, il pourra certes se flatter d'avoir créé une relation chaleureuse et ouverte, mais force lui sera d'admettre que peu de résultats concrets se sont dégagés de la rencontre. Sur le plan de la technique relationnelle, l'interview sera réussie, mais, sur le plan de l'information reliée au but visé, elle sera un échec.

Dans chaque situation d'entrevue, l'interviewer intervient pour influencer le processus interactionnel, c'est-à-dire pour développer et maintenir un climat propice à la confidence, de façon à atteindre les objectifs de la rencontre. Chaque réponse de l'intervenant est choisie à la fois pour maintenir une atmosphère favorable à l'échange et pour orienter le dialogue vers le but visé.

Pour atteindre les objectifs fixés, l'interviewer doit évidemment poser les questions qui s'y rapportent, de façon qu'elles incitent le client à développer chacune de ses réponses. L'intervenant doit être conscient que le climat psychologique sera meilleur si les questions sont bien formulées. De plus, si les transitions s'effectuent en douceur, cela allégera l'atmosphère, il sera plus facile de ramener discrètement le client sur une piste dont il s'était écarté ou de l'amener à faire de l'introspection. Enfin, il est bon de provoquer des silences ou simplement de les respecter; cela contribue à la bonne progression de l'entrevue.

Pendant l'entrevue, l'intervenant est donc très actif. Il utilise divers modes d'intervention (questions, transitions, silences), pour faire progresser le client ou pour l'aider à reprendre l'entretien s'il s'est arrêté. Il aide son client à choisir et à articuler les éléments d'information, les sentiments et les attitudes les plus pertinents avec les objectifs de la rencontre. En somme, durant la rencontre, l'intervenant reçoit toutes sortes de données; il les analyse rapidement, il décide de la façon dont il doit répondre à toutes ou à certaines d'entre elles, il choisit le type de réponse appropriée et en évalue les effets sur le client. Ce dernier présente généralement son histoire ou son problème en pièces détachées, dont certaines ont beaucoup de valeur et d'autres aucune. La tâche de l'intervenant consiste alors à organiser ces éléments pour dégager un tableau aussi complet que possible. C'est donc une écoute active qu'il doit développer au cours de l'entretien.

Après la rencontre

Après la rencontre, il ne suffit pas, pour l'interviewer, de prendre en note les informations obtenues, mais il doit aussi les analyser et les interpréter. C'est une tâche difficile et souvent négligée du processus général de l'entrevue. Le responsable de l'entrevue qui n'a pas de difficulté à motiver ses clients, à établir des relations de confiance et à bien diriger le dialogue en fonction des objectifs fixés, peut fausser complètement les résultats de son travail s'il est incapable de condenser et d'interpréter les renseignements obtenus pour en faire un tout cohérent et valable. La tâche de rédaction d'un rapport est souvent considérée comme particulièrement fastidieuse par les apprentis interviewers qui lui préfèrent de beaucoup l'action de la rencontre. Cependant, le succès de toute entrevue s'évalue non seulement par la performance de l'intervenant en situation, mais également par sa capacité de rendre compte avec précision, objectivité, clarté et concision de ce qui a été dit en entrevue.

Les fonctions secondaires de l'interviewer

En plus des fonctions plus directement reliées à l'entrevue, l'intervenant aura, selon son milieu de travail, d'autres tâches à remplir. Les discussions de cas sont une de ces tâches qui, presque partout, font partie du travail habituel des intervenants, car ils évoluent rarement en vase clos. Les contacts avec des collègues de travail sont souvent d'une grande utilité lorsque l'interviewer a de la difficulté à saisir le problème de son client ou, tout simplement, à établir une relation de confiance avec lui, ou encore à rédiger son rapport. Une discussion du cas pourra alors fournir à l'intervenant les moyens nécessaires pour poursuivre son travail. De tels échanges s'avéreront utiles aussi, pour ne pas dire indispensables, lorsque d'autres spécialistes devront prendre en mains le même dossier. C'est le cas, par exemple, des spécialistes chargés du diagnostic des clients et des éducateurs impliqués dans la mise en pratique du plan de traitement proposé par les premiers. Pour les uns comme pour les autres, les échanges d'informations sont utiles et contribuent à l'amélioration des services rendus à la clientèle. Malheureusement, trop souvent, les échanges entre les intervenants des différents paliers d'intervention se font uniquement par l'entremise de rapports écrits. Chacun ignore alors totalement un ensemble d'éléments qui auraient pu, s'ils avaient été discutés ouvertement, lui être d'un précieux secours.

Les discussions de cas constituent un excellent moyen d'évaluer sa propre performance en tant qu'interviewer, d'intégrer les informations recueillies en un tout cohérent avant de procéder à la rédaction du rapport final, de se procurer des conseils pour poursuivre la relation avec un client et de fournir aux intervenants qui lui succéderont un ensemble de données qu'il n'est pas toujours possible d'insérer dans un rapport. L'interviewer devrait profiter des occasions qui lui sont offertes de discuter de ses cas et se préparer de façon à pouvoir présenter d'une manière claire, objective et succinte les éléments qui permettront à ses collègues de bien saisir la problématique et de l'aider lui-même, s'il y a lieu, à répondre aux interrogations qu'il a face à son client. L'intervenant concerné n'est pas le seul à tirer des bénéfices de tels échanges: chacun en tire des connaissances, sur le plan théorique du problème abordé, sur des techniques utilisées pour motiver tel type de client et l'amener à se confier, sur la manière de présenter le matériel reçu, ou sur les démarches à poursuivre face au client. Les discussions de cas font partie intégrante de la tâche des interviewers dans la plupart des milieux de travail; elles sont un instrument de choix pour favoriser l'évolution personnelle et faciliter le travail de ceux qui ont à intervenir auprès des mêmes clients.

Outre les discussions de cas, bon nombre d'interviewers seront appelés à faire ce qu'on appelle de l'observation de comportement. Dans les milieux institutionnels, par exemple, les intervenants vivent avec les clients et ne les reçoivent en entrevue que périodiquement. C'est donc à partir de données qu'ils ont observées ou que des collègues de travail leur ont transmises qu'ils planifient et dirigent leurs entrevues. Dans de tels milieux de travail, une formation particulière aux techniques d'observation est indispensable et devient un complément à la formation à l'entrevue.

Même si l'intervenant ne peut observer ses clients quotidiennement, étant donné qu'il ne vit pas avec eux, il doit quand même développer son sens de l'observation. Au cours d'une entrevue, le client transmet des informations non seulement par les paroles qu'il prononce, mais également par les gestes et les mimiques qui accompagnent son langage. La communication non verbale est parfois fort révélatrice des tensions, des craintes, des joies et des moments de bien-être que le client ne peut exprimer par des mots ou dont il n'est pas conscient lui-même. L'interviewer attentif captera ces messages et les reliera à l'ensemble des informations fournies pour pousser le client à l'introspection ou, au contraire, le diriger vers une autre voie s'il le sent trop tendu. Une des tâches qui incombent à l'interviewer en situation d'entrevue est donc d'observer les réactions de son interlocuteur et de savoir interpréter correctement tous les signes non verbaux émis.

Conclusion

Les fonctions de l'interviewer ne se définissent pas uniquement par rapport à la situation d'entrevue. Avant la rencontre, l'intervenant dresse son plan de travail, recherche les informations qui lui manquent, essaie de libérer son esprit des ennuis personnels qui pourraient nuire à son travail, puis accueille son client. À cette étape du processus d'interaction, le rôle de l'interviewer est déterminant et demande une attention constante. Pour créer une atmosphère propice aux confidences et diriger l'entrevue vers les objectifs fixés au départ, l'interviewer doit savoir utiliser les techniques et démontrer les attitudes qui contribueront le mieux à faire progresser harmonieusement l'entrevue vers ses buts. Par la suite, l'interviewer rédigera son rapport après en avoir discuté, si la chose est possible, avec des collègues.

Toutes ces facettes du rôle du responsable de l'entrevue sont interreliées. Un interviewer mal préparé éprouvera, éventuellement, certaines difficultés en cours d'entrevue. De même, un interviewer rivé à son plan et incapable de centrer son attention sur ce que dit son client ou de le laisser aborder les questions qu'il juge importantes passera à côté du problème ou créera une atmosphère si froide que le client se retranchera derrière des confidences tout à fait superficielles.

Un interviewer compétent préparera donc et assumera consciencieusement toutes les étapes du processus d'interaction. De plus, durant la rencontre, il cherchera à intégrer les attitudes, les comportements et les techniques qui serviront le mieux les objectifs de l'entrevue et surtout les besoins de son client.

Chapitre 6

Les attitudes de l'interviewer

6.1 L'interviewer en situation d'entrevue

Les concepts d'attitudes et de stéréotypes occupent une place de choix dans le domaine de la psychologie sociale. Ils ont également une influence de première importance dans le contexte d'une entrevue professionnelle.

M. Robert définit le mot attitude comme une «disposition à l'égard de quelqu'un ou de quelque chose»; un «ensemble de jugements et de tendances qui poussent à un comportement*.»

Le stéréotype est un phénomène semblable à celui de l'attitude. Les psychologues sociaux le définissent comme une manière rigide et simplifiée de concevoir et de juger des groupes de gens; il est l'attribution faite à chaque individu de l'ensemble des caractéristiques par lesquelles on définit le groupe.

Attitudes et stéréotypes sont donc constitués d'une combinaison d'éléments cognitifs, émotionnels et motivationnels par rapport à un objet ou une personne de l'environnement du sujet. Ce sont des modèles de perception qui déterminent plusieurs de nos comportements et qui, malheureusement, offrent une étonnante résistance à la logique des faits qui les contredisent. Ce sont donc des caractéristiques relativement stables de la personnalité qui sont modelées tout au long de notre existence par notre appartenance à divers groupes sociaux.

À cause de leur composante motivationnelle, les attitudes et stéréotypes amènent les gens à agir dans un sens précis. Si nous savons, par exemple, qu'une personne a une attitude négative à l'égard de tel groupe ethnique, nous pouvons imaginer qu'elle aura certains types de comportements qui refléteront précisément son attitude. De la même façon, nous pouvons qualifier la relation interviewer-client en disant que ce dernier a une attitude de confiance

---

* Définition tirée du dictionnaire *Le Petit Robert*.

ou de méfiance à l'égard de l'interviewer, lequel a, pour sa part, une attitude froide ou chaleureuse, tolérante ou fermée à l'égard de son client. Dans les deux cas, nous pouvons nous attendre à ce que de telles attitudes influencent le climat et le contenu de l'interaction puisque certaines attitudes susciteront certains types de comportements.

L'interviewer, tout comme son client, porte un ensemble de jugements et a un ensemble de tendances qui se sont développés au cours de son existence; ils sont le fruit de ses interactions avec l'environnement. Certaines des attitudes ainsi formées lui faciliteront la tâche en situation d'entrevue, alors que d'autres lui nuiront.

D'une part, les recherches sur la dynamique de la relation entre les partenaires en situation d'entrevue ont démontré que le client s'attarde surtout aux comportements de l'interviewer plutôt qu'à ses attitudes. Comme les attitudes entraînent habituellement des comportements précis, l'interviewer qui ressent, par exemple, de l'agacement face à son client devra être particulièrement attentif à ne pas laisser transparaître ses sentiments dans ses gestes, ses intonations, ses mimiques.

D'autre part, en situation d'entrevue, il semble que beaucoup de clients, parce qu'ils sont concentrés sur l'analyse de leurs propres problèmes, n'ont pas véritablement le temps d'observer le comportement de l'interviewer; ils ont encore moins le loisir de chercher à comprendre les attitudes qu'il exprime. Cependant, même si les clients ne perçoivent pas toujours les dispositions d'esprit de l'interviewer dans les gestes qu'il pose, le responsable de l'entrevue doit être conscient que ses attitudes et les stéréotypes qu'il véhicule, s'ils deviennent évidents, donneront une teinte particulière à la rencontre. Ainsi, un interviewer trop préoccupé par ses problèmes personnels risque de ne pas avoir l'énergie nécessaire pour camoufler ses préoccupations et démontrer un comportement accueillant à son client.

Enfin, comme il est difficile de supporter la tension créée par la dissonance entre les gestes démontrés et les sentiments vécus, les gens ont spontanément tendance à rapprocher les uns des autres. Ainsi, il semble que l'interviewer qui ressent une attitude favorable à l'égard de son client trouve facilement les mots pour exprimer son sentiment. De la même façon, l'interviewer qui s'efforce de trouver les expressions justes, chaleureuses, finit par ressentir une attitude en accord avec ce qu'il vit.

Qu'est-ce qui peut amener les partenaires d'une situation d'entrevue à développer et à exprimer des jugements favorables ou défavorables à l'égard de l'autre ? Nous avons déjà analysé certaines des caractéristiques descriptives des clients et interviewers susceptibles d'influer sur l'expression de telles attitudes. Nous avons ainsi vu que l'âge et le sexe sont des variables importantes; le statut et le rôle social de chacun des partenaires doivent également être considérés. Par exemple, le client qui perçoit l'interviewer comme un «spécialiste» de l'entrevue se présentera peut-être à l'entrevue avec certaines opinions ou attitudes (favorables ou défavorables) qui interviendront dans le processus d'interaction, avant même que ne commence l'entrevue; ce type de client cherchera souvent, durant l'échange, des motifs de renforcement. Notons que l'interviewer peut également être sujet à de telles prédispositions face à son client.

Lorsqu'ils se présentent en entrevue, l'interviewer et le client adhèrent donc à tout un bagage de préjugés, d'opinions, façonnés au cours des années. En plus des divers facteurs précédemment étudiés, d'autres variables, plus directement reliées à la situation même de l'entrevue, entrent en ligne de compte. Examinons-en quelques-unes.

L'idée que chacun s'est faite à l'avance de l'autre et de l'entretien, c'est-à-dire de la manière dont l'interaction allait se dérouler, de son ambiance, de ses résultats, influence incontestablement le comportement des partenaires. Cette variable est d'ailleurs particulièrement déterminante dans l'évaluation que le client fera de l'entretien, surtout s'il s'agit d'une première rencontre, car il revêt souvent une valeur de modèle pour le client. L'intervenant a donc avantage à bien peser ses interventions, et plus particulièrement lors de la première entrevue.

Lors d'une première rencontre, certaines réactions affectives spontanées émergent. Ces sympathies et antipathies immédiates sont difficilement explicables. Plusieurs facteurs entrent en jeu et il n'est pas possible de préciser la valeur et l'influence respectives de chacun d'entre eux. Les facteurs d'appartenance aux groupes sociaux véhiculant divers stéréotypes jouent certes un rôle important dans le déclenchement des attirances ou des répulsions spontanées. L'âge et le sexe sont aussi des facteurs explicatifs. De même, des ressemblances, même inconscientes, avec des personnes considérées comme sympathiques ou antipathiques, peuvent éveiller, par simple association, des réactions affectives à l'égard de la personne en présence.

Les intuitions morphologiques ont parfois une certaine importance. Beaucoup de gens attribuent un caractère particulier à une personne à partir des caractéristiques du visage, des mains, du regard ou des expressions de la physionomie ou de la morphologie générale du corps; ils y réagissent par des attitudes favorables ou défavorables. Les études faites sur ces intuitions tendent à démontrer que les attitudes favorables proviendraient soit d'une identification à l'autre (on reconnaît en lui des caractéristiques qui nous sont propres), soit d'une aspiration à être cet autre (on retrouve en lui un style que nous aimerions avoir). Pour leur part, les attitudes défavorables seraient attribuables aux caractéristiques que nous reconnaissons en l'autre comme en nous-mêmes et que nous nous efforçons de camoufler ou de refouler. Quelle que soit l'explication donnée aux intuitions morphologiques, force nous est de constater qu'elles existent et qu'elles nous influencent.

L'esthétique générale est un autre facteur qui colore les réactions affectives immédiates. Même si chacun a ses critères personnels pour évaluer la beauté ou la laideur, il n'en demeure pas moins que certaines normes générales d'harmonie ou de difformité déterminent nos réactions face à l'esthétique de l'autre. De même, le langage utilisé, la manière de s'habiller, de se présenter, de serrer la main, de se tenir sont autant d'éléments qui sont évalués en fonction de critères personnels, qui influent, du moins en partie, sur les sentiments que nous éprouvons lors du contact avec l'autre.

Enfin, tout au long de l'entrevue, la connaissance des goûts, des habitudes et des modes de pensée de l'autre contribuera à développer des impressions qui amplifieront le sentiment d'accord ou de désaccord interpersonnel perçu au moment du contact ou anticipé lors de la préparation de l'entrevue.

Il est impossible de demander aux futurs interviewers de changer leur personnalité et de faire disparaître toutes les caractéristiques personnelles susceptibles de nuire à leur efficacité en situation d'entrevue. Nous pouvons cependant souhaiter qu'ils prennent conscience de ces attitudes, stéréotypes, clichés ou opinions inscrits en eux, et que, en situation d'entrevue, ils essaient d'en contrôler l'expression. L'interviewer, tout comme le client, a droit à ses sympathies et antipathies; il n'est pas un être parfait. Cependant, à cause des exigences particulières de son travail, il a le devoir de limiter l'expression de certaines de ses attitudes afin de ne pas fausser la relation avec son client.

Pour être en mesure de comprendre son client et de l'aider à s'exprimer en toute confiance, l'interviewer doit donc bien se connaître et s'observer en situation d'entrevue. De plus, pour mener à bien l'entrevue et l'orienter selon le but fixé, il doit être attentif aux influences de toutes les variables que nous avons examinées et il doit veiller à contrôler ses propres réactions qui pourraient être nuisibles au climat de l'entrevue. Les difficultés reliées à la clarification du problème présenté par le client sont souvent énormes; il est à souhaiter que la personnalité de l'intervenant de même que la situation de contact interpersonnel ne représentent pas des obstacles qui s'ajouteraient aux problèmes éventuels que nous avons soulevés.

6.2 Exercices sur les attitudes

Dans son ouvrage intitulé *L'entretien de face à face dans la relation d'aide*, Roger Mucchielli présente des exercices d'interaction tirés de fragments d'entretien. Ces exercices ont été conçus pour favoriser la découverte et l'analyse des attitudes spontanément utilisées en entrevue par les intervenants. Nous nous sommes inspirés de sa démarche pour vous proposer huit extraits d'entrevue.

Ces extraits d'entrevues regroupent un certain nombre de stimuli (expressions formulées par une personne aidée) suivis d'une série de réponses (expressions formulées par l'interviewer). Les clients s'expriment donc sur différents problèmes et, en réponse à ce qui est exprimé par eux, l'interviewer donne sept commentaires possibles.

Sans chercher à analyser chacune des réponses données par l'interviewer, indiquez, pour chaque extrait, la réponse qui se rapproche le plus de celle que vous êtes spontanément tenté de donner, compte tenu du problème présenté.

Après avoir inscrit vos choix sur la grille d'analyse (page 84), vous pourrez découvrir la tendance dominante ou l'attitude habituelle de votre personnalité à l'égard d'autrui en situation d'entrevue.

Extrait d'entretien 1

La cliente

«Le médecin ne m'a pas dit toute la vérité... je sais que je suis condamnée... je suis atteinte de cancer... je n'en ai plus pour longtemps... je suis très malade... je ne sais pas combien de temps il me reste à vivre... je voudrais vous expliquer ce que je ressens... je voudrais... pardonnez-moi... connaissez-vous la psychologie des cancéreux ? Avez-vous déjà eu des clients atteints de cette maladie ?»

Commentaires possibles de l'interviewer

1. Oui, bien sûr, je connais la psychologie des cancéreux et j'ai déjà eu des clients qui étaient atteints de cette maladie.
2. Si vous désirez vous confier à un spécialiste en psychologie des cancéreux, vous feriez mieux de demander à votre médecin de vous en conseiller un, car je n'en connais pas moi-même.
3. Je ne vois pas ce qui vous fait croire qu'il ne vous reste pas beaucoup de temps à vivre. Votre médecin ne vous a rien dit au sujet de votre espérance de vie. C'est une idée que vous vous êtes mise en tête.
4. Ne croyez-vous pas que je peux vous aider en vous écoutant, même si je n'ai pas de connaissances particulières de la psychologie des cancéreux ?
5. Voulez-vous dire que si je ne possède pas certaines connaissances relatives à la psychologie des cancéreux, il me sera difficile de comprendre votre problème ?
6. Qu'est-ce que vous a dit exactement votre médecin ?
7. Les médecins commettent parfois des erreurs de diagnostic. Cependant vous vous fiez à ce que votre médecin vous a dit pour chercher de l'aide auprès de quelqu'un qui travaillera dans le sens de son diagnostic.

Extrait d'entretien 2

La cliente

«Je suis enchantée des enfants. Ils vont merveilleusement bien. Ils ont bien réussi à l'école et ils semblent heureux à la maison. Ils s'accordent bien et semblent prendre plaisir à jouer ensemble; c'est étonnant! Je pensais qu'ils n'y arriveraient jamais. Ils semblent avoir vieilli. Je les apprécie beaucoup. La vie est devenue plus facile, et pour moi c'est vraiment un plaisir maintenant que d'élever trois garçons. Je ne pensais pas que ça le serait. Je suis tellement contente... mais j'ai un peu peur pour l'avenir... à cause de mon mari... il est encore bien loin d'eux.»

Commentaires possibles de l'interviewer

1. Maintenant que la situation s'est rétablie avec vos enfants, il serait opportun d'entreprendre le même travail de rapprochement entre votre mari et les enfants.
2. J'ai l'impression que votre tâche est loin d'être terminée et que vous ne devriez pas vous réjouir trop vite de la situation. Tant que votre mari ne se sera pas rapproché des enfants, rien ne sera vraiment acquis.
3. Que pensent vos garçons du climat actuel ?
4. Ne vous en faites pas. Avec le temps votre mari comprendra qu'il a avantage à se rapprocher de ses enfants. Il faut être patiente.
5. Vous êtes heureuse de la bonne entente qui règne maintenant entre les enfants et vous souhaiteriez que votre mari y participe, j'imagine...
6. Votre mari semble être ce type d'homme pour qui les enfants ne sont pas une priorité; il semble avoir tendance à laisser à la femme la tâche de veiller à l'harmonie des relations familiales. Vous lui demandez de s'impliquer dans quelque chose qui ne fait pas partie de ses préoccupations.
7. Si vous ne vous occupez pas de votre mari au plus tôt, vous serez bientôt aussi malheureuse que lorsque ça ne fonctionnait pas avec vos enfants.

Extrait d'entretien 3

La cliente

«Notre fille est une délinquante. Elle n'écoute ni son père ni moi. Elle entre à des heures impossibles et vole parfois de l'argent dans mon sac à main. Elle ne fait que des bêtises. Les punitions, même les plus sévères, n'ont aucun effet sur elle. Elle nous défie constamment et se moque complètement de notre autorité. Il n'y a pas de doute... elle se dirige vers une belle carrière... criminelle...»

Commentaires possibles de l'interviewer

1. Je comprends vos soucis. Il n'est pas facile en effet de voir sa propre fille s'engager sur la mauvaise voie, surtout lorsqu'on a fait des efforts pour l'en détourner.
2. À l'âge qu'a votre fille, il arrive souvent que les enfants aient certains comportements hostiles. Votre fille réagit sans doute à vos interventions qu'elle juge trop protectrices.

3. Avez-vous songé à la placer dans une école privée où elle subirait moins l'influence des amis peu recommandables dont vous parliez tout à l'heure ?
4. Si je comprends bien, le comportement actuel de votre fille vous fait craindre pour son avenir.
5. Votre fille est-elle la seule de la famille à présenter un tel type de comportement ?
6. À cet âge, les enfants ont tous un comportement provocateur face à leurs parents. Il ne faut pas dramatiser; cela passera.
7. Vous ne savez pas vous y prendre avec elle. Vous vous énervez à la moindre incartade de sa part; vous ne lui laissez aucune liberté et ensuite vous venez vous plaindre de son comportement.

Extrait d'entretien 4

Le client

«Je ne sais pas si j'ai tort ou raison de ressentir ce que je ressens, mais je constate que je m'éloigne de plus en plus des gens. Il me semble que je ne suis plus sociable, que je ne suis plus capable de me faire des amis. Ça me dérange, et lorsque je rentre à la maison, j'ai des maux de tête. Il fut un temps où j'entrais facilement en contact avec les gens... mais j'étais alors ce que les autres voulaient que je sois... Aujourd'hui, je ne veux plus de ce genre d'amitiés... mais, en même temps, je me sens très solitaire.»

Commentaires possibles de l'interviewer

1. Vous êtes sûrement encore capable de vous faire des amis. Ressaisissez-vous et arrêtez d'avoir peur des gens. Allez vers eux spontanément et ne vous demandez pas si telle personne que vous rencontrez est la bonne, celle qui deviendra l'ami(e) sincère.
2. Le meilleur moyen pour se faire de véritables amis est d'abord d'aller vers les autres et de prendre le temps de vraiment les connaître. L'important est de ne pas s'imaginer que l'on va toujours rester solitaire.
3. Si vous m'expliquiez un peu de quelle façon vous vous y prenez pour entrer en contact avec les gens, je pourrais avoir une idée plus précise de ce qui ne va pas.
4. Vous traversez une période d'ajustement due à votre changement d'emploi. Ne soyez pas trop pessimiste; vous vous ferez de véritables amis. Laissez le temps arranger les choses !
5. Vous êtes dans une situation difficile et il est important que vous vous en préoccupiez et surtout que vous cherchiez à trouver des moyens qui vous permettront de vous créer des amitiés profondes.

6. Cette solitude que vous vivez actuellement est probablement due au fait que toutes vos énergies sont utilisées pour vous ajuster à votre nouvel emploi. Il vous en reste donc peu pour les contacts sociaux.
7. Le fait de préférer les amitiés profondes aux amitiés superficielles semble vous faire vivre des moments de solitude que vous avez de la difficulté à supporter. Est-ce bien ce que vous voulez dire ?

Extrait d'entretien 5

Le client

«Et voilà! Il y a un nouveau détenu au centre. Il se prend pour un autre et croit qu'il gagnera les faveurs de tout le monde. Il ne sait pas à qui il a affaire... j'ai tout ce qu'il faut pour devenir le véritable leader du groupe...»

Commentaires possibles de l'interviewer

1. Si je comprends bien ce que vous me dites, l'arrivée de ce nouveau résident vous incite à passer à l'action.
2. Décrivez-moi un peu le comportement de ce nouveau venu.
3. Il est excellent de penser comme vous le faites, mais agissez... et agissez surtout en fonction de ce que vous voulez prouver aux autres.
4. Ce n'est probablement qu'un moment difficile à passer. Ce n'est qu'une attitude de bravade qu'il affiche. Bientôt, tout reviendra à la normale.
5. Je crois que vous devriez bien observer son comportement et essayer de trouver ses faiblesses. En même temps, vous auriez avantage à chercher des moyens pour mieux vous faire valoir aux yeux de tout le monde.
6. Vous croyez que vous devez conserver votre statut dans le groupe et que la chose la plus importante est d'être le leader.
7. J'ai l'impression que vous envisagez mal le problème. Laissez ce nouveau venu agir et, à la première erreur de sa part, vous pourrez prendre la relève et regagner votre statut.

Extrait d'entretien 6

Le client

«Je viens de me trouver un emploi qui correspond tout à fait à mes goûts, et mon patron m'a déjà dit qu'il était content de moi. C'est fantastique... mais j'ai peur; je n'ai pas indiqué sur ma demande d'emploi que j'avais un dossier judiciaire... Je crains que mon patron ne découvre mon erreur de jeunesse et qu'il me renvoie pour cette raison. Je ne sais pas si je devrais le lui dire avant qu'il ne le découvre.»

Commentaires possibles de l'interviewer

1. Il est évident que le fait d'avoir menti en remplissant votre demande d'emploi est une grave erreur.
2. Vous vous sentez coupable de ne pas avoir avoué votre erreur et vous craignez les conséquences de la découverte de cet incident par votre employeur.
3. Vous ne pouvez pas supporter l'idée qu'une telle omission vous fasse perdre le seul emploi qui corresponde vraiment à vos goûts et à vos aptitudes.
4. Comment décririez-vous votre patron ?
5. Comment avez-vous pu mentir en remplissant un formulaire de demande d'emploi ? Vous saviez que cela pourrait vous causer des ennuis.
6. Votre souci d'honnêteté est très louable. Si votre employeur ne se soucie pas de votre passé, vous devriez adopter la même attitude.
7. Si vous le désirez, je peux communiquer avec votre employeur et lui expliquer ce qui est inscrit à votre dossier de même que le comportement que vous avez eu depuis l'incident.

Extrait d'entretien 7

Le client

«Si j'ai demandé qu'on isole ce jeune temporairement, c'est que, pour l'instant, il est impossible de penser à une autre solution. Éventuellement, on devra le transférer dans une autre unité de vie. Sa présence dans le groupe m'empêche de maintenir une atmosphère de calme. Il perturbe tout le monde... Je ne peux plus le supporter.»

Commentaires possibles de l'interviewer

1. Quelles sont généralement vos réactions aux comportements perturbateurs des jeunes de votre groupe ?
2. Si vous le transférez dans une autre unité, ne craignez-vous pas une réaction du groupe telle que votre autorité en soit réduite ? Vous devriez peut-être penser à une solution qui serait un compromis.
3. Votre réaction me semble directement reliée à la crainte que vous avez de perdre votre autorité sur l'ensemble du groupe. Qu'en pensez-vous ?
4. Je trouve que vous recourez vite aux grands moyens. Vous auriez avantage à être plus patient; dans ce milieu de travail, il faut apprendre à supporter les frustrations. Si vous ne travaillez pas ce point, vous ne pourrez pas garder votre emploi bien longtemps.
5. Vous avez l'impression que son comportement ne changera pas et qu'il n'y a pas d'autre solution à envisager que celle du transfert d'unité.

6. Plutôt que de transférer ce jeune dans une autre unité, peut-être vous serait-il possible de demander à un collègue de le prendre en charge de façon à surveiller son comportement de plus près.
7. Ne vous en faites pas. La solution que vous proposez n'est nullement inhabituelle, et vous avez parfaitement raison de vouloir retirer du groupe un individu qui le perturbe systématiquement.

Extrait d'entretien 8

Le client

«Je ne sais pas quoi faire... devrais-je laisser cet emploi que je ne déteste pas vraiment, et qui me fait bien vivre, et accepter ce poste dont j'ai toujours rêvé ? Je ne sais pas. D'un côté, le travail que je fais est bien payé, mais ennuyeux et peu valorisant; de l'autre, ce poste qui m'est offert me permettrait d'affronter de nouveaux défis et de travailler dans un domaine qui me fascine... mais je devrai commencer au bas de l'échelle...»

Commentaires possibles de l'interviewer

1. Votre indécision vient du fait que vous ne savez pas exactement ce qui vous attend en acceptant ce nouvel emploi, tout comme vous n'êtes pas vraiment en mesure d'apprécier tous les avantages et les inconvénients de votre emploi actuel.
2. À votre âge, il est temps de changer d'emploi. Si vous ne le faites pas maintenant, dans quelques années il sera trop tard et alors vous le regretterez. Prenez votre courage à deux mains et faites le grand saut.
3. Si vous le désirez, je peux vous adresser à un conseiller en placement qui vous aidera à analyser les avantages et les inconvénients de chacun des emplois.
4. Avant de prendre une décision, il serait important que vous réfléchissiez, à tête reposée, aux conséquences à court et à long termes d'un tel changement d'emploi.
5. Il est toujours difficile de prendre ce genre de décision. Restez calme et essayez d'analyser froidement la situation.
6. Cela semble une décision particulièrement difficile à prendre. D'un côté, vous avez la sécurité financière, mais un travail ennuyeux; et de l'autre, la possibilité vous est offerte d'un nouveau départ dans un domaine qui vous plaît; évidemment, vous devrez commencer au bas de l'échelle.
7. Pourriez-vous me donner de plus amples explications sur ces nouveaux défis qui semblent être rattachés à ce nouvel emploi ?

La grille d'analyse

Une fois que vous aurez choisi un commentaire à chaque extrait d'entretien, reportez le numéro qui y correspond sur la grille, dans la case appropriée. Pour l'instant, ne vous préoccupez pas des lettres qui figurent dans la première colonne de gauche.

Cas / Attitude	no 1	no 2	no 3	no 4	no 5	no 6	no 7	no 8
A	4	2	1	5	7	1	2	4
B	2	1	3	2	5	7	6	3
C	6	3	5	3	2	4	1	7
D	1	4	6	4	4	6	7	5
E	3	7	7	1	3	5	4	2
F	7	6	2	6	6	3	3	1
G	5	5	4	7	1	2	5	6

Une fois la grille remplie, vous pourrez constater que:

a) la majorité de vos réponses (cinq et plus) est concentrée sur la même rangée horizontale. La lettre qui identifie cette rangée indique une certaine attitude qui, chez vous, est dominante;

b) vos autres réponses se groupent majoritairement dans une seule autre rangée (ou dans deux rangées); vous avez alors identifié votre attitude (ou vos attitudes) sous-dominante(s);

c) quelques réponses sont isolées (une ou deux par rangée).

N.B.: Il arrive parfois qu'il n'y ait pas de dominantes ni de sous-dominantes, aucune rangée ne contenant plus de trois cases marquées.

L'analyse des choix

À quoi correspondent les lettres de la grille ? Elles représentent en fait un certain nombre d'attitudes qui sont habituellement adoptées en situation d'entrevue. Nous vous en présentons ici une brève définition, de façon que vous puissiez comprendre votre propre tendance. Nous ferons une description exhaustive de ces attitudes plus loin dans le chapitre.

L'attitude A est caractérisée par des réponses dites évaluatives. Vous avez tendance à donner un point de vue personnel, à juger ce que dit le client, à décider de ce qui est bon ou mauvais. Vous vous posez en censeur moral en fonction de votre propre cadre de référence.

L'attitude B est caractérisée par des réponses où l'on sent que vous tentez de solutionner le problème du client. Vous ne cherchez pas à comprendre vraiment la nature du problème qui le préoccupe. Vous pensez à ce que vous feriez dans une situation semblable et lui présentez le résultat de votre réflexion. Par cette attitude vous renvoyez le client à lui-même en même temps que vous l'incitez à arrêter de se plaindre.

L'attitude C est caractérisée par des réponses investigatrices. Vous êtes curieux. Vous voulez connaître tous les détails pour satisfaire votre propre besoin d'en savoir davantage. Vous ne vous souciez pas du problème tel qu'il se pose pour le client. Vous décidez de ce qui est important et orientez le dialogue en conséquence.

L'attitude D en est une d'appui, de soutien. Vous consolez le client, l'encouragez, compatissez à son malheur, mais vous ne le faites pas évoluer vers la recherche de solutions à son problème.

L'attitude E est autoritaire. Vous êtes responsable de l'entrevue et vous affirmez votre autorité en réprimandant, en menaçant ou en ridiculisant votre client. Vous dirigez la relation dans la direction qui vous apparaît correcte, sans laisser de place à la discussion.

L'attitude F est caractérisée par des réponses qui laissent voir que vous interprétez ce que dit le client. Vous recevez ce qu'il dit, mais vous organisez ce matériel en fonction de ce qui vous paraît être l'explication logique du problème. Vous faussez les faits en ignorant certains éléments ou en les transformant selon votre propre conception.

L'attitude G est une attitude de compréhension. Vos réponses démontrent votre capacité d'écoute active face à ce que dit le client. Vous lui servez d'écho en vous basant sur l'hypothèse que cela l'aide à examiner son problème plus profondément. Vous cherchez vraiment à envisager le problème tel qu'il est vécu par l'autre et à l'entraîner à s'exprimer davantage.

L'interprétation

La lettre qui correspond, dans la grille, à la rangée où vous avez inscrit le plus grand nombre de réponses, représente la tendance habituelle ou naturelle de votre personnalité à l'égard de l'autre en situation d'entrevue. Spontanément, vous êtes porté à répondre en adoptant, dans la plupart des cas, ce type d'attitude. C'est donc votre attitude dominante.

L'attitude sous-dominante (il est possible qu'il y en ait plus d'une) est celle qui correspond à la rangée la plus chargée, après celle qui marque votre attitude dominante. Cette sous-dominante révèle une autre tendance habituelle, possiblement moins forte que la première, que vous adoptez en situation de confidence.

Il peut arriver qu'aucune dominante ne se dégage. On peut expliquer ce fait en disant que vous répondez surtout en fonction de la situation ou du problème présenté ou des caractéristiques du client. Vous vous laissez alors guider par vos propres perceptions de la réalité qui se présente à vous. Vous vous laissez influencer par cette réalité en perdant une partie de votre objectivité.

Si vous avez choisi consciencieusement un commentaire à chacun des extraits d'entretien, l'exercice vous a peut-être fait découvrir un aspect de votre personnalité qui vous avait échappé jusqu'à maintenant. Si vous n'êtes pas convaincu de réagir habituellement et spontanément dans le sens de la dominante révélée, essayez de prendre conscience, dans des conversations intimes, avec des amis par exemple, des attitudes et des comportements que vous adoptez alors. Il est bien possible que cela vous amène à conclure que vos réponses à autrui trahissent effectivement des tendances inscrites dans votre personnalité.

Cet exercice a non seulement pour but de vous permettre d'identifier les tendances dominantes de votre personnalité, mais également d'analyser les divers types de commentaires ou de réponses qui peuvent être donnés en situation d'entrevue. Seules les réponses qui correspondent à une attitude compréhensive sont véritablement centrées sur le client et cherchent à l'encourager dans sa démarche. Les autres attitudes, sans être toujours dommageables, présentent des inconvénients, surtout parce qu'elles ne tiennent pas vraiment compte du client, de ce qu'il vit et exprime.

Lorsque vous aurez abordé les principales attitudes négatives et positives de l'interviewer décrites plus loin, vous pourrez revenir à cet exercice afin de voir si vous comprenez mieux le sens et les effets possibles des réponses que vous avez retenues et ceux de toutes les autres réponses que vous n'avez pas choisies.

6.3 Les attitudes négatives de l'interviewer

L'ensemble des phénomènes qui se produisent au cours de l'entrevue, ainsi que les lois psychologiques qui les déterminent, constituent ce qu'on appelle la «dynamique de l'entrevue». La dynamique est définie, entre autres, par les diverses variables que nous avons déjà analysées et qui entrent en jeu avant même la situation d'entrevue; elle est également déterminée par toutes les attitudes et réactions de l'interviewer au cours de la rencontre.

Pendant l'entrevue, les réactions de l'interviewer influent fortement sur la perception qu'a le client de lui en tant que personne, ainsi que sur sa réaction au processus de déroulement de l'entretien. Ce processus se compose d'une série d'interactions entre les deux partenaires; chacun agit et réagit non seulement en fonction de ses buts personnels ou de ceux de l'entrevue, mais également en fonction de ce que dit ou fait le partenaire. Ce jeu unique des actions et réactions donne à chaque entrevue son ambiance; il est donc absurde et ridicule que l'intervenant essaie de se préparer à l'entrevue en l'imaginant d'avance et en répétant les phrases et questions qui, à son avis, auront le meilleur effet. La réalité de l'entrevue est dans les réactions qui s'y produisent.

Le bon interviewer est celui qui, par la maîtrise de l'observation de ses réactions et de celles de son client, par l'écoute attentive et l'aptitude à l'analyse de la relation actuelle, contrôle ses propres attitudes et les interactions de façon à favoriser l'introspection chez son interlocuteur, de même que l'expression de ses problèmes. Pour atteindre un tel objectif, il ne suffit pas de laisser s'exprimer le client sans l'interrompre; de toute façon, une telle motivation à exposer ses problèmes est habituellement rare chez le type de clients que rencontrent les techniciens en intervention criminologique. Et même dans ces cas, l'attitude de laisser-faire adoptée par l'intervenant pourrait être jugée par le client comme une réaction inquiétante ou à tout le moins ambiguë; elle pourrait faire émerger des sentiments d'anxiété, de frustration, d'irritation et le résultat serait alors bien inférieur à celui qui était visé.

On doit toujours se rappeler que si l'entrevue devient, avec le temps, une situation au sein de laquelle l'interviewer se meut à l'aise, il n'en va pas de même pour la plupart des clients. Quelle que soit la qualité de sa présentation et de son comportement, le client est habituellement une personne préoccupée; ses réactions intimes peuvent être masquées en partie ou ne se manifester que par moments, mais elles existent toujours et jouent un rôle important dans la dynamique de l'entrevue. L'interviewer doit être attentif à toutes ces réactions du client; il doit également se soucier de ses propres réactions et des effets qu'elles auront sur son partenaire. Son rôle est de créer un climat d'harmonie, d'entente qui favorise les confidences, et, s'il n'est pas conscient que certaines de ses attitudes peuvent détruire cette atmosphère, il aura de la difficulté à expliquer l'échec de certaines rencontres.

En situation d'entrevue, l'interviewer réagit à la personne interviewée et à la structure de la situation telle qu'il la perçoit, en fonction d'un certain nombre d'attitudes inscrites dans sa personnalité. Les réactions alors suscitées sont presque automatiques; l'intervenant ne s'en rend pas toujours compte car elles font partie de son caractère. Il est évident que toutes ces attitudes n'induisent pas nécessairement les conduites attendues. Certaines peuvent même avoir des effets particulièrement néfastes sur le client et compromettre dangereusement la relation.

Une attitude verbale dite négative de l'interviewer est donc une réponse que ce dernier fournit au client et qui ne facilite pas l'expression, ni la compréhension du problème qui le préoccupe. C'est une réponse qui n'est pas centrée sur le client.

Quelles sont ces principales attitudes négatives dont peut faire preuve l'interviewer ? Comment affectent-elles les clients ? C'est ce que nous tenterons d'étudier.

La réponse évaluative

La réponse évaluative fait référence à des normes, à des valeurs, qui sont, en l'occurrence, celles de l'interviewer. Ce dernier fait la morale à son client en essayant de l'amener à découvrir la vérité. L'approbation ou la désapprobation qu'exprime ici l'intervenant est un jugement de valeur porté en fonction de son propre cadre de référence. Il décide, à la place du client, de ce qui est bon ou mauvais. Il manifeste son accord ou son désaccord face aux comportements, aux projets, aux manières de penser de son client en se basant sur ses propres critères d'évaluation. Une réponse évaluative est donc une réponse moralisatrice: l'intervenant donne un avis et incite l'autre à le suivre, en vertu de certains principes considérés comme vrais par l'intervenant.

Voici quelques exemples de réponses évaluatives:

Exemple 1

Le client
«Ce n'est pas parce que je suis plus petit que la moyenne des garçons de mon âge qu'il me faut renoncer à faire partie de l'équipe du centre. Je suis capable de tenir ma position. Il n'est pas nécessaire d'être grand pour pouvoir bien jouer. Je n'accepte pas qu'on me laisse sur le banc.»

L'intervenant
«Il faut apprendre à accepter votre taille. Pour devenir un bon joueur, il faut être grand. Après tout, ce n'est pas si terrible de ne pas pouvoir faire partie de cette équipe. Vous aurez d'autres occasions de vous faire valoir.»

Exemple 2

Le client
«Vous ne connaissez pas ma fille. Si elle le pouvait, elle quitterait définitivement la maison, en claquant la porte. Je suis même certain qu'elle prendrait tout l'argent que j'ai dans mon portefeuille.»

L'intervenant
«Monsieur, vous exagérez sans doute. Vous ne pensez sûrement pas tout ce que vous dites. Vous n'avez pas le droit d'imaginer que votre propre fille ferait une chose pareille. Ne pensez-vous pas que, sous le coup de la colère, vous noircissez un peu le tableau en ce moment ?»

Ces deux exemples illustrent bien de quelle façon le responsable de l'entrevue intervient pour juger les dires ou le comportement de l'autre. Dans les deux cas, il désapprouve l'attitude de son interlocuteur et lui dit comment il devrait penser. Il utilise son propre système de valeurs et essaie de l'imposer à son client. Il ne l'écoute donc pas vraiment.

Les réponses désapprobatrices peuvent déclencher chez le client plusieurs types de réactions, selon sa personnalité. Le client qui reconnaît le bien-fondé des dires de l'interviewer se sentira peut-être coupable, pris en faute, vaincu. Pour l'interviewer, cette réaction peut lui apporter un certain triomphe, mais nous sommes en droit de nous demander s'il a véritablement aidé son client. Ce dernier reconnaît-il sa culpabilité parce qu'intérieurement il a pris conscience de ses erreurs, ou parce qu'il considère inutile de résister au responsable de l'entrevue qu'il sent incompréhensif ? Dans le cas de bon nombre de délinquants, la deuxième interprétation nous semble la plus plausible. Les leçons de morale profitent rarement dans ces cas. Plutôt que de provoquer le remords et un changement d'orientation dans sa vie, de telles leçons enseignent surtout au délinquant la méfiance et la dissimulation. Le résultat est donc bien loin de celui souhaité.

Le client vraiment indigné par la réponse de l'interviewer peut se révolter et chercher à devenir maître de la situation en tenant, par exemple, fermement sa position tant que cela lui est possible. Dans un cas semblable, le client n'approfondit pas son problème, parce qu'il est trop préoccupé à manœuvrer, à se défendre et à attaquer.

Le client peut avoir une autre réaction, celle de se refermer sur lui-même. Se sentant coincé dans une position très inconfortable, il peut, plutôt que d'admettre sa faute ou jouer de finesse avec l'interviewer, refuser de poursuivre le dialogue ou, à tout le moins, montrer beaucoup de réticences à le poursuivre. Ainsi, pour éviter d'autres commentaires moralisateurs, il tiendra des propos peu compromettants et s'engagera dans des confidences qui ne l'impliquent pas profondément.

L'approbation moralisatrice déclenche parfois certaines de ces réactions qui font suite à la désapprobation. Elle provoque souvent aussi chez le client une recherche de l'accord à tout prix, donc une attitude qui ne facilite nullement l'expression libre et franche des problèmes qui le préoccupent.

La réponse clé

La réponse clé est celle qui propose au client une idée pour qu'il puisse se sortir de la situation présentée. L'interviewer adresse, par exemple, son client à une personne qu'il croit en mesure de le tirer d'affaire, il lui propose une méthode à suivre pour résoudre son problème, il lui désigne la voie à suivre pour trouver la solution ou, enfin, il lui donne un conseil précis pour régler le problème et, du même coup, mettre fin à la relation.

Voici quelques exemples de ce type de réponse:

Exemple 1

Le client

«Je ne sais pas si je dois continuer mes études à l'Université de Monkland ou s'il serait préférable d'aller voir ce qu'offre l'Université de Saint-Jean.»

L'intervenant

«Je crois que vous auriez avantage à examiner attentivement les programmes des deux universités et à jauger les avantages offerts par l'une et l'autre; lorsque vous aurez toutes ces informations en mains, vous pourrez vraiment faire votre choix.»

Exemple 2

Le client
«Depuis que mon père est à sa retraite, il a complètement changé de caractère. Je ne suis plus capable de le supporter. Nous nous disputons sans cesse, pour tout et pour rien.»

L'intervenant
«Compte tenu de votre situation financière, ne pourriez-vous pas envisager d'aller vivre en appartement ? Vous êtes capable de vous débrouiller sans vos parents qui, de toute façon, n'ont pas vraiment besoin de vous à la maison.»

Ces réponses de l'interviewer indiquent souvent la solution personnelle qu'il aurait envisagée dans la même situation. Ce n'est donc pas une solution attribuable à l'initiative personnelle du client, puisqu'elle est imposée par l'intervenant.

Lorsqu'on présente une solution, qu'on donne un conseil, on dit en fait à l'autre comment il doit se comporter, ce qu'il faut et ce qu'il ne faut pas faire. Ce conseil peut être prodigué directement ou indirectement, d'une manière non menaçante ou comme un ultimatum. En fait, cette façon de conseiller dénote un manque de confiance de l'intervenant à l'égard de son client puisqu'il ne le juge pas capable de choisir le comportement le plus adéquat pour lui. Cette attitude satisfait, d'une certaine façon, le besoin de domination de l'intervenant et ne laisse pas au client l'occasion d'identifier les éléments de solution à son problème.

Une telle attitude de l'interviewer soulève parfois chez le client le sentiment d'être poliment éconduit: il se voit refuser l'aide qu'il était venu chercher. Que la solution proposée lui paraisse ou non intéressante, le client sortira de l'entrevue insatisfait, puisqu'il n'aura pas eu vraiment l'occasion d'examiner à fond toutes les facettes de son problème.

D'autres clients auront l'impression qu'ils doivent choisir l'issue proposée par l'interviewer, même s'ils ne sentent pas que la solution leur convient parfaitement. Une personne qui manque d'assurance trouvera dans ce conseil une occasion de demeurer dépendante et, peut-être aussi, de faire peser sur l'interviewer la responsabilité de l'échec de la solution, le cas échéant. Une attitude qui donne la solution au problème accentuera le manque d'assurance et le besoin de soumission de certains clients.

Il est parfois difficile pour l'interviewer de résister à une demande de conseil, de suggestion ou de solution. Il est en effet tellement plus simple de donner un conseil que de s'impliquer plus profondément dans les problèmes d'autrui. Cependant, la première chose à faire, à notre avis, est de ne pas accéder trop rapidement à la demande mais plutôt de chercher à découvrir ce que la personne interviewée pense de la situation. Il faut l'encourager à chercher et à analyser toutes les idées et les sentiments qui gravitent autour du problème qui l'a amenée à solliciter de l'aide. Il arrive que, par ce seul encouragement, le client parvienne de lui-même à trouver la solution.

Il est également important que le responsable de l'entrevue détermine jusqu'à quel point son client est incapable de régler son problème seul. Il se peut qu'il ait pris l'habitude de s'en remettre aux autres au moment d'une décision à prendre et qu'il en soit venu à se considérer incompétent face à toute situation qui lui demande de faire un choix. L'interviewer qui propose à son client ce genre de solution toute faite risque donc d'accentuer sa dépendance.

Si l'interviewer juge qu'une suggestion de sa part aidera véritablement le client (il ne s'agit pas, en effet, de proscrire toute forme de conseil en situation d'entrevue), il doit s'attendre à ce que le client choisisse de la refuser s'il juge qu'elle ne lui convient pas. Le rejet de la part de la personne interviewée peut être interprété comme un affront personnel, mais en exprimant sa réaction l'interviewer n'encouragera certes pas le client à poursuivre sa démarche. Il lui faut plutôt accepter le rejet de la même manière que le client peut avoir essayé une solution qui n'a pas donné les résultats escomptés; il devrait plutôt chercher à comprendre ce qui arrive au client, ce qu'il ressent, plutôt que d'essayer de défendre sa position propre.

La réponse investigatrice

La réponse investigatrice est celle qui se traduit par une ou des questions; l'interviewer cherche à obtenir des confidences supplémentaires qu'il juge indispensables pour sa compréhension de la situation. En insistant sur certains détails, qu'à son avis le client a oubliés, il laisse paraître sa manière à lui de juger ce qui est important; il essaie de «deviner» son interlocuteur de façon à en tirer l'information désirée. Il utilise la faiblesse du client, sa timidité, ses contradictions pour l'obliger à s'expliquer.

Examinons un exemple de ce type de réponse:

Exemple

Le client

«Je ne vais presque jamais manger au restaurant avec mes collègues. Je m'arrange toujours pour leur dire que j'ai un rapport à terminer ou que je vais rencontrer un ami pour dîner. Si j'allais avec mes collègues, voyez-vous, je ne saurais trop quoi dire, de quoi leur parler.»

L'intervenant

«Vos moyens financiers vous permettent-ils de les accompagner dans les restaurants qu'ils fréquentent ?»

ou

«Il a dû y avoir une histoire entre vous et vos collègues. Comment votre adaptation s'est-elle faite dans ce milieu ?»

Dans ces deux réponses, l'interviewer cherche à montrer à son client qu'il n'a pas complètement fait le tour de la question, qu'il a laissé tomber certaines informations et qu'il devrait donc examiner tous les aspects du problème. L'interviewer joue au détective et, en plus d'utiliser son propre cadre de référence, il fait souvent preuve d'une curiosité inutile.

Ce genre d'intervention de la part du responsable de l'entrevue provoque différentes réactions chez le client, selon sa personnalité. Celui-ci poussé à répondre à un interrogatoire, plutôt qu'à exprimer ce qu'il éprouve, peut se sentir frustré, incompris et même se montrer hostile.

Il semble donc que cette attitude investigatrice crée plus de problèmes qu'elle n'en solutionne. Pour recueillir des informations d'un client et susciter ses confidences, le meilleur moyen que peut adopter l'interviewer est encore d'expliquer franchement ce qu'il désire obtenir et pourquoi; il peut ainsi éveiller chez son interlocuteur les mêmes motifs d'exposer les faits qu'il en a de les rechercher. Quand l'interviewer essaie d'être plus intelligent ou plus habile que le client, il oublie que ce dernier en fait de même, ce qui crée une situation basée davantage sur la méfiance que sur la confiance mutuelle. La situation devient comparable à celle du chat et de la souris.

La réponse appui

La réponse appui vise à encourager l'autre, à lui apporter un soutien, une consolation, une compensation en faisant, par exemple, référence à une communauté d'épreuves entre l'interviewer et le client. L'interviewer manifeste son intérêt à l'égard de ce que ressent son interlocuteur; il lui montre qu'il le comprend. Il accepte évidemment son point de vue et exprime, par sa réponse, sa compréhension des sentiments vécus par l'autre.

Considérons les exemples suivants qui illustrent ce type de réponse:

Exemple 1

Le client

«Étant donné la conjoncture économique, je crois que je ne trouverai jamais d'emploi.»

L'intervenant

«Je comprends votre inquiétude mais ne vous en faites pas, vous trouverez un emploi. Vous n'avez même pas encore terminé votre cours. Soyez plus optimiste.»

Exemple 2

Le client

«Je ne me consolerai jamais de la mort de mon fils.»

L'intervenant

«Mais oui! Vous finirez par vous consoler. Le temps arrange toujours les choses... puis, vous avez deux autres enfants qui ont aussi besoin de vous.»

Dans ces deux extraits d'entretien, on constate que l'interviewer cherche à rassurer, à consoler l'autre en minimisant l'importance de la situation, en essayant d'éviter, chez le client, la dramatisation des événements ou en faisant ressortir leurs aspects positifs. C'est essentiellement une attitude paternaliste que l'intervenant adopte dans son intervention.

Par ce type de réponse l'interviewer peut induire divers types de réactions chez son client. Pour conserver la bienveillance de l'intervenant, il peut devenir très dépendant de lui. Il attendra ou sollicitera, par ses attitudes, les idées, les suggestions et les encouragements de l'interviewer. Au lieu de continuer à explorer la situation, il s'en remettra à l'interviewer qui, s'il poursuit dans cette voie, augmentera à son tour la réaction de soumission de son client.

D'autres sujets, toutefois, refuseront de se faire prendre en pitié par l'interviewer. Ceux-là considèrent qu'ils sont venus pour trouver des moyens de régler un problème, des façons d'analyser plus objectivement une situation et ils n'acceptent pas d'être traités de façon paternaliste. Ils veulent de l'aide et non de la compassion. L'attitude de l'interviewer risque donc de les rendre hostiles et de les amener à réduire ou transformer leurs confidences.

L'interviewer qui veut montrer à son client qu'il le croit capable d'agir, de surmonter les obstacles, de faire face à la situation avec succès peut donc adopter l'attitude de le rassurer. Ce moyen d'intervention peut évidemment être appliqué en en variant l'intensité et, s'il est bien appliqué, peut effectivement aider le client à persévérer dans une démarche déjà amorcée. Avant d'employer ce moyen, il est important toutefois que l'intervenant s'assure que son client accepte d'être guidé; par ailleurs, il doit savoir s'effacer pour laisser à son client toute la responsabilité de son action.

La réponse autoritaire

La réponse autoritaire est celle de l'interviewer qui se perçoit comme la figure déterminante de l'entrevue, donc qui détient autorité et vérité. Quand il intervient de façon autoritaire, l'interviewer interprète les idées, les sentiments et les actions de l'autre. Les ayant compris d'une manière qu'il juge satisfaisante, il réagit avec vigueur. L'interviewer croit de son devoir de remettre le client sur le droit chemin, de le corriger.

Voici quelques exemples de ce type de réponse:

Exemple 1

Le client

«Je ne voulais pas la blesser.»

L'intervenant

«Vous ne le vouliez pas, mais c'est bien ce que vous avez fait. Vous devriez réfléchir avant d'agir. Ça vous éviterait bien des ennuis.»

Exemple 2

Le client
«Ce n'est pas moi qui ai commencé la bagarre.»

L'intervenant
«Cessez de mentir. Monsieur X vous a vu. Et si vous ne reconnaissez pas vos torts, ça pourrait vous coûter cher.»

Quand il réprimande ou menace, comme c'est le cas dans les deux exemples ci-dessus, l'interviewer fait, sans contredit, une utilisation abusive de son autorité et de son pouvoir sur le client: il considère qu'il a besoin d'être dirigé par une main ferme et il se croit la personne la plus qualifiée pour le faire. En réagissant de la sorte, il aiguillonne le client pour qu'il se dirige vers la voie qui lui apparaît correcte; aucune discussion n'est possible.

Plusieurs clients accepteront, sans mot dire, les réprimandes et les menaces de l'interviewer par peur des conséquences ou tout simplement parce qu'ils le considèrent effectivement en droit de procéder ainsi. Ces clients voient en l'interviewer le spécialiste qui trouvera la solution à leur problème, celui qui sait ce qui est bon pour eux et qui connaît les modes d'intervention susceptibles de les faire avancer. Ils ont une confiance absolue en l'intervenant et ne désirent pas s'impliquer personnellement dans la démarche de recherche d'une solution. Même s'ils trouvent les méthodes utilisées par l'interviewer dures ou humiliantes, ils les acceptent parce qu'ils sont convaincus qu'ils n'ont pas le droit, ni la capacité de s'opposer à l'interviewer.

Certains clients, au contraire, refuseront catégoriquement d'être ainsi malmenés et dirigés par l'interviewer. Ils auront des réactions hostiles, allant jusqu'à la rupture de la relation. S'ils n'expriment pas leur hostilité, c'est souvent parce qu'ils sont convaincus qu'une telle attitude de leur part ne fera qu'augmenter le besoin d'exercer l'autorité de l'intervenant.

Enfin, ce type de réaction provoquera chez d'autres clients un sentiment de culpabilité ou d'anxiété à cause, encore une fois, de la sensation d'inégalité et d'infériorité que l'interviewer leur fait ressentir.

La réponse interprétative

Dans le cas des réponses interprétatives, l'interviewer prend la relève du client, il transforme le matériel reçu en fonction de son cadre de référence personnel. L'accent est mis sur tel ou tel point particulier, ce point étant jugé par lui comme essentiel.

L'intervenant manifeste cette attitude de trois façons:

— En reprenant, de façon partielle ou orientée, ce qu'a dit le client et en favorisant ainsi un aspect particulier de son discours au détriment d'un autre;

— En déformant les propos (traduction infidèle, voire tendancieuse) de son client;
— En donnant une interprétation, une explication, à ce qui a été dit.

Examinons un exemple de ce genre de réponse:

Exemple

Le client
«Je suis décidé à faire quelque chose. Je ne crains pas le travail, ni les coups durs. S'il me faut en écraser certains au passage, je le ferai. Je veux gravir les échelons de la hiérarchie et je ferai ce qu'il faut pour y parvenir.»

L'intervenant
«Ce besoin d'écraser les autres ne risque-t-il pas de nuire, à long terme, à votre carrière ?»

ou

«Cette résolution d'arriver à quelque chose ne serait-elle pas surtout guidée par votre désir d'être riche, plutôt que par votre ambition professionnelle ?»

Dans ces deux exemples, on remarque facilement une déformation de ce que dit le client et une projection, par l'interviewer, de sa propre manière de comprendre la situation. L'interviewer présente une opinion personnelle, une explication qui ne relève pas de son cadre de référence. Dans les deux cas, on voit qu'il y a distorsion de ce que le client a exprimé.

Une interprétation fondée sur le cadre de référence de l'interviewer peut induire chez le client un sentiment d'incompréhension dû au fait qu'il ne se sent pas concerné par la réponse. Parfois le client osera apporter une rectification à la réponse de l'interviewer, mais si ce dernier poursuit dans la même veine, le client se lassera de vouloir replacer les éléments dans leur juste perspective. Il se désintéressera peu à peu du déroulement de l'entrevue, se contentant d'acquiescer sans conviction à ce que dit l'intervenant, de répondre au hasard ou encore de changer de sujet simplement pour ne pas interrompre complètement la relation. Il est possible qu'une attitude interprétative persistante provoque chez le client une irritation croissante tout au long de la rencontre ou un blocage de plus en plus marqué devant l'incompréhension flagrante du responsable de l'entrevue.

Toute interprétation qui se fait par rapport au cadre de référence interne de l'interviewer implique que ce dernier prend la place du client; ce genre d'attitude risque de nuire au dialogue plutôt que de le favoriser. L'attitude de l'interviewer qui interprète les propos du client et le fait dans des termes qui correspondent au monde personnel du client est nettement plus profitable.

Les réponses de l'interviewer ouvrent alors la voie au dialogue; le cadre de référence du client devient alors celui de l'interviewer.

La différence entre ces deux formes d'interprétation est considérable, bien que souvent difficile à percevoir au moment même de l'intervention. Une écoute et une observation attentives du client, plutôt que la recherche de l'explication globale et définitive du problème, conduisent vers cette forme d'interprétation que l'on veut centrée sur le client.

Autres types de réponses

En plus de ces six attitudes négatives que peut avoir l'interviewer en réaction aux propos des clients, il en existe quelques autres qui s'y apparentent ou en intègrent des éléments. C'est le cas d'une réponse par laquelle l'interviewer ridiculise les propos de son client ou se montre incrédule face à ceux-ci. Le fait de tourner en ridicule est voisin de l'incrédulité, mais, dans le premier cas, l'attitude est plus sarcastique: l'intervenant donne ici une leçon à son partenaire en lui démontrant combien lui-même ou ses manières de percevoir sont absurdes. C'est une attitude qui humilie le client, mais qui a habituellement pour objectif de l'amener à se conduire raisonnablement. L'incrédulité manifestée par l'interviewer (et qui n'implique pas nécessairement qu'il soupçonne son client de mentir) vise également cet objectif. Dans les deux cas, le praticien use de son autorité pour montrer à son partenaire qu'il n'est pas dans la bonne voie et qu'il aurait avantage à se laisser guider par lui. Il ne fait pas confiance à son client et il prend sa place. Il interprète ses propos selon son propre cadre de référence et il cherche à l'aider en se basant sur ce qu'il croit être son intérêt.

Le fait de tourner en ridicule un client, ou de se montrer incrédule face à ce qu'il dit, démontre de la part de l'interviewer une attitude interprétative, soit moralisatrice, soit purement basée sur l'autorité que sa fonction lui procure. Il ne s'agit donc pas d'un type différent d'attitude, mais d'une variante d'une des attitudes déjà analysées.

Les exemples que nous venons de présenter peuvent être vus de bien des façons; ils ne constituent pas la seule illustration possible d'une attitude. Au contraire, certains verront dans chacune des diverses réactions de l'intervieweur des variantes d'une attitude fondamentale et même, à la rigueur, la combinaison de plusieurs de ces attitudes. Étant donné que les commentaires de l'interviewer sont sortis du contexte global de l'entrevue et qu'ils ne sont pas éclairés par les signes non verbaux qui normalement les accompagnent, il est possible que le lecteur leur donne différents sens ou les nuance. Dans une situation réelle de rencontre, ces attitudes pourraient être, selon le cas, plus ou moins nocives qu'elles ne le paraissent lorsque présentées sous forme écrite. Il ne faudrait cependant pas conclure que c'est uniquement l'expérience pratique et le moment présent qui doivent dicter à l'interviewer les attitudes à choisir, pas plus qu'il ne faudrait croire que la connaissance théorique des effets de ces attitudes n'a pas réellement de valeur. En fait, l'expérience et la connaissance s'intègrent peu à peu dans la personnalité de l'interviewer et c'est cette heureuse harmonie entre les éléments concrets et abstraits de l'art de l'entrevue qui constitue la force du bon interviewer.

6.4 Les attitudes positives de l'interviewer

La compréhension empathique

Définition

En situation d'entrevue, tout est interaction, interrelation; chacun des partenaires influence l'autre. La nature ou la qualité de cette interaction est d'importance primordiale pour le bon déroulement de l'entrevue et la satisfaction du client. Si la relation qui s'établit est négative, c'est-à-dire si elle laisse place à des attitudes hostiles, défensives, menaçantes, irrespectueuses entre les partenaires, chacun sera moins enclin à écouter ce que dit l'autre. Si, par contre, la relation est positive, c'est-à-dire empreinte de chaleur, de respect, de confiance et de sécurité, il y a tout lieu de croire que les partenaires seront plus réceptifs aux divers messages émis. Ainsi, selon la nature de la relation créée entre les interlocuteurs, les messages seront plus ou moins bien perçus.

Lorsqu'un climat positif s'installe, les barrières sociales et émotives tombent ou deviennent plus perméables à la communication. Le client accepte alors plus facilement de s'ouvrir et d'aborder des sujets délicats, car il a confiance en l'intervenant. Mais comment peut-on définir et surtout réaliser un tel climat ? Pour Carl Rogers, ce climat résulte d'une attitude de «compréhension empathique» émanant de l'intervenant.

La compréhension est certainement un des aspects importants de l'expérience relationnelle que vit le client en situation d'entrevue. Il existe cependant plusieurs façons d'être compris, dont certaines sont plus efficaces que d'autres.

L'une de ces façons consiste à investiguer pour voir comment le client est perçu par les autres. En lisant des documents relatifs au client, en interrogeant des personnes qui le connaissent, l'intervenant peut se faire une idée de sa personnalité. Cette connaissance et cette compréhension de l'autre s'acquièrent en quelque sorte en empruntant le regard de son entourage et non en regardant avec ses propres yeux ou ceux du client. Il s'agit donc d'une approche du client qui se fait par personnes interposées, à distance. Il est possible qu'une telle méthode fausse les données et, qu'en situation d'entrevue, l'intervenant ait à reprendre l'analyse des données et des conclusions qui lui avaient été fournies par des tiers.

Une autre façon pour l'interviewer de comprendre une personne consiste à le faire directement, sans intermédiaires. C'est d'ailleurs la méthode à laquelle la plupart des gens ont recours pour se faire une opinion d'une autre personne au cours de conversations et d'échanges quotidiens. Dans une telle situation, l'intervenant utilise les moyens dont il dispose: son appareil sensoriel, son cadre de référence, sa manière de ressentir et d'analyser les événements, ses connaissances, son savoir-faire. Il comprend alors son client selon ses propres critères à travers le prisme nécessairement déformant de sa propre expérience de vie, de son imagination, de son passé, en somme de sa personnalité. Il existe certes des émotions universelles, mais l'intervenant en perçoit alors l'expression selon ce qu'il a déjà éprouvé, entendu ou vu. Encore une fois, l'intervenant qui utilise cette façon de comprendre risque de ne pas saisir véritablement son client et de prêter à ce qu'il fait un sens qui correspond plus à la façon dont il voit lui-même le problème.

Il existe une troisième façon de comprendre autrui; c'est la plus difficile, mais aussi la plus significative. Il s'agit de la *compréhension empathique*.

La notion d'empathie ou de compréhension empathique est un des aspects dominants de la théorie de Rogers sur les relations thérapeutiques. Ce psychologue américain a laissé sa marque dans le domaine de la psychothérapie en introduisant, entre autres, la notion d'entrevue non directive, puis celle d'entrevue centrée sur le client, ce qui a remplacé la première expression. Le thérapeute centré sur son client essaie de lui manifester une attention positive inconditionnelle et cherche à le comprendre de l'intérieur, c'est-à-dire en adoptant pour un temps son cadre de référence. L'intervenant ainsi centré sur son client démontre une attitude de compréhension empathique que Rogers définit ainsi:

«L'état d'empathie, ou le fait d'être empathique, consiste à percevoir le cadre de référence interne d'une autre personne avec exactitude et avec les composantes émotionnelles et les significations qui s'y rattachent, comme si l'on était l'autre personne, mais sans jamais perdre la condition «comme si»... Si la qualité de «comme si»... se perd, alors il s'agit d'identification*.»

Selon l'approche rogérienne, l'intervenant cherche donc à comprendre ce que le client tente d'exprimer, il cherche à comprendre son point de vue. Il s'attarde, non seulement au contenu manifeste, mais également au contenu latent de la communication du client. Il comprend avec le client ce qu'il tente d'exprimer et il retransmet cette compréhension qu'il a de l'autre dans des mots qui sont en accord avec les sentiments du client.

L'empathie est d'abord une attitude (et non une technique) par laquelle l'intervenant sort de lui-même pour comprendre l'autre, sans pour autant éprouver les mêmes émotions que lui. Il ressent certaines émotions «avec»

---

* PAGÈS, Max, *L'orientation non directive en psychothérapie et en psychologie sociale*, 2e éd., Paris, Dunod, Collection Organisation et sciences humaines, 1970.

son client, mais ne les ressent pas à sa place. L'empathie est donc une capacité de se mettre «dans la peau» de l'autre, tout en gardant son sang-froid, son objectivité et sa neutralité. Certains auteurs parlent d'ailleurs de «neutralité bienveillante» pour décrire l'attitude d'empathie.

L'empathie n'est pas synonyme de sympathie. Cette dernière attitude aboutit à une sorte d'identification et d'implication émotionnelle de l'intervenant qui fait siens les problèmes du client. La sympathie brise la valeur de l'entretien qui repose sur la possibilité de faire progresser le client vers sa meilleure adaptation sociale. L'empathie, par contre, amène l'intervenant à exprimer la compréhension qu'il a de son client, tout en conservant une lucidité et une objectivité par rapport à la situation d'entretien et à son interlocuteur.

La compréhension empathique, au sens rogérien du terme, n'implique ni approbation ni désapprobation. Il ne s'agit donc pas pour l'intervenant d'être gentil, au sens péjoratif du terme. Il s'agit d'entrer, par l'imagination, dans l'univers de l'autre et de le regarder à travers les yeux de cet autre. Pour y parvenir, l'intervenant doit lui-même être libéré de ses tendances subjectives susceptibles de devenir des facteurs de distorsion des propos qu'il écoute ou de l'impliquer dans la situation.

La philosophie de la compréhension empathique

Fondamentalement, par son attitude de compréhension empathique, l'intervenant témoigne qu'il a confiance dans les capacités d'autodirection de son client. C'est sur ce postulat que repose l'idée ou la conviction que l'homme est capable de se diriger lui-même; d'ailleurs, ce postulat est à la base de toute la théorie rogérienne de la personnalité et, par conséquent, de sa conception de la relation d'aide. Pour Rogers donc, l'être humain a la capacité latente, sinon manifeste, de se comprendre lui-même et de solutionner ses propres problèmes de façon à fonctionner adéquatement dans la société. L'homme naît avec un certain bagage, qui est l'héritage de ses parents et des générations qui les ont précédés. Dès le début de sa vie, l'homme entre ainsi en contact avec un environnement donné. C'est par l'interaction entre sa base constitutive (constitution biologique) et l'environnement que se forme sa personnalité.

Pour expliquer le développement de la personnalité de l'homme, il faut considérer, d'une part, une tendance actualisante de l'organisme, c'est-à-dire un système motivationnel qui suppose que l'organisme tend à poursuivre des fins qui lui sont propres et, d'autre part, une capacité de régulation de l'organisme par lui-même, c'est-à-dire un système d'évaluation des expériences perçues qui fonctionne comme régulateur du premier système.

Chaque homme a en lui cette capacité de développement, qui est influencée par le monde extérieur mais non créée par lui. Le processus de maturation de l'être humain ne se déroule pas en vase clos. Il se développe grâce aux contacts interpersonnels. Cependant, il ne faut pas faire l'erreur d'exagérer l'importance de ces rapports interpersonnels pour en arriver à affirmer que tout accomplissement de soi est impossible sans eux ou, à l'inverse, minimiser leur rôle jusqu'à rendre ces contacts accessoires dans le processus de maturation. Il s'agit donc de ne jamais oublier que l'influence de l'environnement s'exerce sur un sujet lui-même doté d'une puissance intérieure de développement.

Pour se développer harmonieusement, l'homme doit non seulement pouvoir réagir à son environnement, mais aussi être capable d'apprendre à entreprendre des actions susceptibles de le modifier. L'homme est ainsi un être dynamique, en perpétuel changement, et la tendance actualisante qui le pousse à poursuivre certains objectifs et à adapter son action en fonction des objectifs en est une essentiellement positive.

Le cheminement de l'homme vers la maturité s'accomplit par étapes, chacune requérant un nouvel apprentissage et l'abandon des sécurités acquises au stade précédent. À travers des expériences répétées et selon le climat du milieu environnant (une atmosphère chaleureuse motive davantage l'enfant à tenter des expériences plus risquées, à se dépasser), le concept de soi se développe graduellement chez l'enfant. Selon Rogers, ce concept de soi n'est rien d'autre que la perception qu'a l'individu de lui-même; il résulte essentiellement des interactions avec autrui (les autruis significatifs), qui donnent un sens particulier à l'expérience de soi.

Au début, le concept de soi se bâtit en fonction de la façon dont l'enfant se sent perçu par les autres. Ainsi, un enfant traité par les personnes importantes de son entourage comme un être de valeur aura tendance à se percevoir lui-même de cette façon. Peu à peu, l'enfant prend donc à son compte la perception qu'a l'entourage de lui et il apprend à se voir tel que l'environnement le voit. L'image de lui-même qui se forme ainsi en lui amène l'enfant à avoir des comportements qui confirment cette image et qui, à leur tour, provoquent l'entourage à réagir de façon à solidifier cette perception que l'enfant a développée de lui-même. Si l'enfant est élevé dans un climat défavorable, axé sur le rejet, les énergies dont il dispose seront presque exclusivement consacrées à sa propre défense et non à sa maturation psychologique positive. Si, au contraire, l'enfant vit dans une atmosphère chaleureuse, il peut utiliser son énergie pour élargir le cercle de ses contacts interpersonnels et y trouver matière à l'épanouissement de son être. Un climat de rejet tend à favoriser le développement de la peur chez l'enfant, et cette peur l'empêche par la suite de sortir de lui-même pour aller vers les autres. Inversement, un climat chaleureux le sécurise et augmente sa capacité d'épanouissement et de liberté.

Le processus de maturation vise avant tout l'autonomie de l'être humain, c'est-à-dire la pleine possession de ses moyens et non le contrôle de soi par les forces de l'environnement. L'être qui a eu la possibilité de se développer pleinement est donc capable de donner son amour de façon désintéressée aux autres. Mais pour en arriver à cet idéal, il lui faut d'abord recevoir l'amour des autres, qui lui permettra de développer un sentiment positif à l'égard de lui-même. L'amour des autres et le don de soi, indices de maturité, reposent avant tout sur un amour de soi véritable. Et à son tour, cet amour de soi trouve sa source dans l'amour reçu des autres. C'est un cercle vicieux où l'interaction continuelle entre l'individu et son environnement façonne une personnalité qui sera soit orientée positivement vers autrui, soit, au contraire, méfiante à l'égard des autres.

La tendance actualisante de l'être humain ne s'accomplit pas toujours harmonieusement. Une fois le concept de soi assez bien formé, il est possible aussi, pour diverses raisons, qu'un individu se sente de plus en plus inadapté. Par exemple, l'individu, qui valorise une action quelconque et qui est amené par l'attitude de son entourage à se percevoir comme «méchant» s'il agit ainsi, en vient à installer des mécanismes de défense pour protéger son concept de soi menacé. Des conflits psychiques résultant de l'opposition entre les valeurs de l'individu et celles du milieu se traduiront par la mise en place de mécanismes de défense, et il est possible qu'un sentiment d'aliénation ou de mésadaptation émerge au niveau de la conscience. L'inadaptation psychologique provient donc du fait que l'individu est coupé, complètement ou non, de sa propre expérience ou que cette dernière est déformée par des influences extérieures.

En thérapie, le rôle de l'intervenant est essentiellement d'aider le client à réduire ses mécanismes de défense et à réapprendre à se valoriser. L'action du thérapeute vise essentiellement à créer des conditions favorables à l'augmentation de la valorisation positive de soi par le client. Cette action devrait se concrétiser par un changement qui sera significatif pour le client et qui lui donnera la possibilité, dans l'avenir, de fonctionner d'une manière plus harmonieuse et heureuse. Elle a pour but ultime d'aider le client à s'aider lui-même, c'est-à-dire à opérer en lui les transformations qui assureront son plein épanouissement personnel. L'intervenant ne veut pas que le client compte sur lui pour lui indiquer la direction des changements à apporter, mais il souhaite plutôt qu'il se fie de plus en plus à lui-même et assume la responsabilité de ses actes.

«Aider l'autre à s'aider lui-même» est certes une expression fort à la mode aujourd'hui, mais elle décrit exactement l'objectif d'une relation d'aide. L'intervenant est là non pas pour indiquer au client ce qu'il doit penser et comment il doit ressentir et réagir, mais pour l'amener à se regarder en face et à devenir plus conscient de lui-même et de ses capacités. En démontrant à son client d'une manière évidente qu'il le considère comme un individu responsable de ses actes, de ses pensées, de ses sentiments, et qu'il le croit capable d'utiliser ses ressources personnelles d'une façon de plus en plus importante, il lui indique que le changement est possible, mais que c'est de lui seul que dépend la décision de changer et dans quel sens et à quel moment il doit le faire.

La meilleure façon pour l'intervenant d'aider son client à s'aider lui-même consiste à l'accepter inconditionnellement et à adopter face à ce qu'il exprime une attitude de compréhension enpathique. Pour être en mesure de démontrer une telle attitude, l'interviewer doit être très présent à la relation et il ne doit pas adopter une attitude défensive à l'égard de ses propres sentiments envers le client. Cela suppose donc, comme nous l'avons déjà mentionné, qu'il connaisse ses forces et ses faiblesses et qu'il soit en mesure, lorsqu'il est en situation d'entrevue, d'être véritablement à l'écoute de son client.

L'attitude de compréhension empathique sous-entend que l'intervenant a un réel désir de saisir la nature précise du problème de son client et de l'aider à trouver la meilleure solution. Tous les clients ne répondront pas, il va sans dire, de la même façon à cette attitude et à l'objectif d'aide d'un intervenant, mais ils constituent, à n'en pas douter, une manière sûre de ne pas leur nuire et de travailler pour eux et avec eux.

Les techniques utilisées pour démontrer la compréhension empathique

La compréhension empathique ne porte pas seulement sur ce que l'on pourrait appeler le contenu intellectuel de la communication. Par exemple, quand un jeune garçon raconte à son père que «tous les enfants de sa classe ont une bicyclette à dix vitesses», celui-ci peut très bien ne s'attarder qu'au contenu objectif de ce que lui dit son fils et ne pas comprendre ses sentiments. Au-delà des mots, le père doit entendre les émotions cachées; ainsi, l'enfant veut probablement signifier, par son message, qu'il souhaiterait beaucoup posséder une telle bicyclette, et c'est ce désir que le père doit surtout reconnaître s'il veut vraiment comprendre son enfant. La compréhension empathique porte précisément sur le monde émotif qui se cache sous le contenu objectif d'un message.

La capacité d'axer son attention sur le monde émotif de l'autre et la signification qu'a cet univers pour l'autre est difficile à atteindre parce que chacun d'entre nous est habitué à se fier à sa propre perception de l'environnement, qui est elle-même influencée par l'ensemble des perceptions qui se sont accumulées durant nos années de vie et qui constituent notre cadre de référence personnel.

Le monde émotif d'un client ne s'exprime pas toujours de façon très évidente. Ainsi, nous avons tendance à accorder une importance primordiale à la communication verbale; pourtant, le système non verbal existe, et il est parfois plus révélateur que le langage verbal. Les gestes, les mimiques, les regards, les sueurs même trahissent souvent plus clairement que les mots les émotions ressenties par une personne. L'intervenant doit donc être attentif autant à l'expression non verbale qu'au langage verbal pour bien comprendre son interlocuteur.

Enfin, certaines émotions exprimées clairement en cachent parfois d'autres lorsque le client ne sait pas comment les communiquer, parce qu'il n'est pas vraiment conscient de ses véritables émotions ou parce qu'il en restreint volontairement l'expression. Ainsi, même si le client révèle certaines émotions, l'intervenant a toujours à en préciser l'identité véritable et aussi à en apprécier l'intensité. Par exemple, face à une expression de tristesse, l'intervenant essaiera de voir si telle est bien la nature du sentiment que vit le client (s'assurer qu'il ne confond pas ce sentiment avec un autre) et, dans ce cas, s'il s'agit d'une tristesse cachant un découragement total ou un simple vague à l'âme passager.

La compréhension qu'a l'intervenant du monde émotif de son client doit évidemment lui être communiquée. Il est en effet inutile que l'intervenant comprenne profondément son client s'il ne lui manifeste pas l'essentiel de cette compréhension. D'une part, une telle attitude permet à l'aidant de vérifier la précision de sa compréhension de l'autre, et, d'autre part, elle guide le client dans l'analyse de son monde intérieur et la recherche des solutions au problème qui l'a amené en entrevue.

Les expressions d'intérêt. La première technique utilisée par l'interviewer pour indiquer à son client qu'il l'écoute et le comprend réside dans l'utilisation de certains sons ou expressions très courtes (hum hum, oui oui, je vois, etc.) dont la variété est considérable et qui sont souvent accompagnés de signes non verbaux. Des gestes tels un hochement de tête, un signe de la main, un regard plus attentif peuvent aussi communiquer au client l'attention et la compréhension de l'interviewer. Ces diverses indications verbales et non verbales ne sont toutefois pas suffisantes pour communiquer au client l'essentiel de ce que l'intervenant a saisi de son problème; elles peuvent même parfois être une source de confusion pour le client. Ainsi, par un simple «hum hum», et selon le ton utilisé, l'interviewer peut signifier son approbation de ce que dit le client, suggérer la critique ou, enfin, indiquer son désir d'en savoir plus avant de s'exprimer sur la question. En somme, ces expressions courtes et à première vue banales peuvent donner lieu à une grande variété d'interprétations, et l'interviewer ne doit donc pas les considérer comme des outils précis pour communiquer la compréhension qu'il a de ce qu'exprime son client.

La reformulation. La technique privilégiée pour communiquer la compréhension empathique est celle de la reformulation qui consiste à redire en d'autres termes et d'une manière plus concise ou plus simple ce que le client vient d'exprimer, de façon à obtenir l'accord de ce dernier.

La bonne reformulation ne se limite pas à une simple répétition mot pour mot de ce que vient de dire le client; elle est axée principalement sur son monde émotif et, de façon accessoire, sur le contenu objectif de la communication. L'intervenant fait écho aux paroles de la personne interviewée, c'est-à-dire qu'il fait entendre à la personne interviewée l'essentiel de ce qu'elle a exprimé afin que cela lui vienne en aide, l'encourage à parler, à aller plus profondément dans l'examen de son problème et la recherche d'une solution.

Par la reformulation, l'intervenant essaie d'identifier clairement les sentiments que le client vient d'exprimer. Il s'agit pour l'intervenant d'accepter ce contenu subjectif en considérant celui qui l'exprime comme la personne la mieux informée de la situation et la seule capable d'exprimer ce qu'elle vit. L'intervenant reformule ce que son interlocuteur a dit pour essayer de reconstituer le plus fidèlement possible ce qu'il ressent et éprouve. Il prend donc pour acquis que le client est capable de réflexion, de prise de conscience de soi et qu'il n'y a pas de meilleur moyen pour savoir comment un autre être humain vit un événement ou une situation que de le lui demander et de reconstruire avec lui le tableau des significations. Mis à part les cas où il est impossible d'obtenir des données intelligibles (déficients mentaux, clients qui ne sont pas en contact avec la réalité), cette confiance en l'autre est habituellement tout à fait justifiée et s'avère, à long terme, une attitude préventive pour empêcher que la communication ne soit faussée.

Lorsque l'interviewer utilise la reformulation, son propre mode perceptif n'entre pas ou peu en ligne de compte. En reformulant les propos du client, il lui communique un message du style: «Je vous écoute avec beaucoup d'attention, en fait avec une telle attention que je suis capable de reformuler ce que vous venez de dire. Cela devrait vous donner l'occasion de vous réentendre et de préciser votre pensée si cela est nécessaire.»

Il existe plusieurs formes ou modes de reformulation. Le mode le plus simple est la réponse écho qui consiste à reformuler exactement ce qui a été dit par l'interviewé. Cette forme ne peut évidemment pas être utilisée très longtemps, car elle risque tôt ou tard d'attirer l'attention du client qui s'interrogera alors peut-être sur le véritable rôle du professionnel ou sur sa compétence professionnelle.

La reformulation reflet utilise d'autres termes considérés comme équivalents. C'est une technique supérieure à la première, dans la mesure où elle démontre un réel effort de la part de l'interviewer pour comprendre le monde subjectif du client. En «reformulant» les propos de la personne interviewée, l'interviewer reflète ses sentiments et ses attitudes en lui renvoyant ce qu'elle a dit. L'interviewer n'ajoute rien qui soit de sa propre invention; il traduit en paroles tout l'aspect affectif que son interlocuteur a exprimé en termes rationnels et descriptifs. Il donne une forme verbale à ce que son client ressent. Quand il joue ce rôle, l'interviewer ne devine pas et ne suppose pas; il ne réagit pas à son propre cadre de référence, mais à celui de son client. Il exprime seulement ce qui se cache derrière les mots et il fait apparaître le contenu affectif de ce monde.

La reformulation reflet des attitudes et sentiments de la personne interviewée est une tâche exigeante pour le responsable de l'entrevue; cela implique une grande faculté de percevoir, d'identifier et d'exprimer véritablement le monde affectif de l'autre.

Des expressions comme «Ainsi, selon vous...», «Vous voulez dire...», «En d'autres termes...», «Si je comprends bien, vous...» annoncent souvent une réponse reflet de la part de l'interviewer. Examinons un exemple de ce type de réponse.

Exemple

Le client
«Tout allait très bien jusqu'à ce que mon mari nous quitte. Il travaillait régulièrement. Depuis qu'il est parti, rien n'est plus comme avant.»

L'intervenant
«Vous voulez dire que depuis que votre mari est parti, les choses sont plus difficiles qu'avant...»

La réponse reflet est habituellement formulée, non pas sous forme de question mais plutôt sous forme d'énoncé, affectivement neutre, c'est-à-dire qui n'implique ni approbation ni désapprobation. En plus, comme dans ce genre de réponse l'interviewer cherche surtout à refléter le monde émotif de son client, il n'utilise pas nécessairement l'ensemble des propos de ce dernier, mais la part de ce qui a été dit qui, selon lui, est la plus chargée et vaut la peine d'être réentendue par le client.

Une forme un peu plus complexe de reformulation est la reformulation synthèse qui regroupe en une même communication un certain nombre de sentiments exprimés par le client. Cette opération implique évidemment un choix et suppose que l'intervenant a saisi l'essentiel de ce que le client voulait dire. En choisissant, il fait intervenir son propre mode de perception. Toutefois, il ne s'implique ni intellectuellement, ni émotivement et, en outre, il se borne à résumer ce qu'il a entendu. Il reformule donc ce qui lui paraît être fondamental pour le client lui-même.

La reformulation résumé appartient au même type que la forme précédente; cependant, elle s'applique à des unités plus considérables de la communication.

Ces deux formes, synthèse et résumé, permettent à l'interviewer de revoir brièvement une partie plus ou moins vaste de l'entrevue en explicitant ce qui a été vu jusqu'à maintenant et, par le fait même, en indiquant ce qui ne l'a pas été. Cette révision du matériel abordé donne l'occasion à l'interviewer de conclure sur les éléments qui ont été abondamment discutés et d'attirer l'attention de son client sur ceux qui ne l'ont pas été. Ce genre de reformulation indique également au client jusqu'à quel point il a été écouté et compris par l'interviewer.

Des formulations du genre: «Pour résumer ce dont nous venons de parler...», «Pour m'assurer que je vous ai bien compris, d'après ce que vous m'avez dit, votre situation est...», «Durant le dernier quart d'heure, nous avons parlé de... et il me semble que vous...» annoncent une synthèse de la part de l'interviewer. Par la formulation de cette synthèse, l'interviewer invite habituellement son client à réagir pour s'assurer qu'il reflète précisément les propos de son client.

a) Quelques difficultés d'application. Les diverses techniques de reformulation posent parfois certaines difficultés d'application. Par exemple, les formules stéréotypées constituent un piège dans lequel tombent facilement les interviewers débutants. Lorsqu'on recourt continuellement à la même formulation, cela peut finir pas éveiller l'agressivité du client ou risquer, à tout le moins, d'installer un climat monotone qui donne à toute la relation un caractère artificiel. L'interviewer peut éviter facilement cette monotonie en variant les formules de réponse et en nommant, par exemple, le sentiment exprimé par le client.

Une autre difficulté se présente au niveau du choix du moment opportun pour faire une reformulation. Encore une fois, les interviewers débutants soucieux de bien montrer à leur client qu'ils les comprennent ont tendance à trop parler. Malheureusement, c'est souvent une erreur, et l'intervenant a, la plupart du temps, avantage à attendre quelques secondes avant de procéder à une reformulation, même s'il se produit un silence. Dans ces cas, par exemple, il peut utiliser une expression d'intérêt (hum, hum) de façon à laisser le client continuer la communication de ses émotions. Lorsque le client s'exprime rapidement et dévoile un grand nombre de sentiments, mais de façon superficielle, il est parfois opportun que l'interviewer profite d'une pause de son client pour présenter une brève reformulation qui lui offrira la possibilité d'approfondir les sentiments mentionnés. Si, au contraire, le client exprime peu de sentiments, il est alors préférable de le laisser poursuivre sa communication.

Enfin, se pose le problème du choix du sentiment que reformulera l'interviewer. En effet, il est plutôt rare qu'un client qui explore son monde émotif révèle une seule émotion à la fois. Étant donné l'impossibilité concrète de tout reformuler, l'intervenant doit donc opérer un choix et reformuler ce qui lui apparaît primordial dans l'ensemble des sentiments qu'exprime son client. En faisant un choix, l'interviewer doit se méfier de ses propres interprétations, car ce qui lui apparaît important de reformuler doit l'être surtout par rapport au monde émotif du client. Il doit aussi se garder d'adhérer à une tendance que l'on retrouve habituellement chez les débutants, à savoir celle de reformuler le dernier sentiment exprimé par le client, car il n'est pas toujours le plus important, ni celui qu'il est le plus opportun d'éclaircir ou d'approfondir.

b) Les effets de la reformulation. Pour plusieurs interviewers débutants, l'utilisation des diverses formes de reformulation paraît, à première vue, dépourvue de sens réel. Elles ne sont, à leurs yeux, qu'une simple répétition de ce que vient d'exprimer le client; parfois, quelques modifications mineures sont apportées aux termes employés. Les débutants, avant qu'ils n'en aient fait eux-mêmes l'expérience, apprécient mal les effets de l'utilisation de cette technique.

Lors d'une entrevue, il est finalement assez rare de voir l'intervenant adopter une attitude qui ne soit ni une attitude d'évaluation, ni une attitude d'appui ou de consolation, ni un jugement, ni un conseil, etc. La première réaction du client à une utilisation renouvelée de diverses formes de reformulation en sera une de surprise associée généralement à une certaine forme de soulagement. Le client qui n'est ni jugé, ni consolé, ni conseillé se voit stimulé dans l'analyse de son monde émotif. En effet, les réponses de reformulation ramènent le client à ses propres émotions, plutôt que de l'orienter vers la personne de l'interviewer ou vers un sujet de discussion alimenté par ses questions. Elles l'invitent à poursuivre sa réflexion et à exprimer ce qu'il éprouve.

L'éclaircissement. Les diverses formes de reformulation que nous avons présentées ne sont pas les seules façons mises à la disposition de l'interviewer pour exprimer sa compréhension empathique. L'éclaircissement, par exemple, est une autre technique difficile à appliquer, mais extrêmement efficace. Il s'agit, en fait, d'une autre forme de reformulation par laquelle l'interviewer apporte une explication de ce que le client a dit ou voulu dire. Elle jette un éclairage nouveau sur ce que le client a exprimé et, par ce fait, l'incite à pousser plus loin sa recherche.

L'interviewer peut éclaircir ce que son interlocuteur a dit pour l'aider à mieux se comprendre, mais il peut aussi le faire pour s'assurer qu'il a bien compris ce que son client a dit.

Dans le premier cas, l'interviewer ne s'éloigne pas de ce qui a été exprimé par le sujet, mais le simplifie ou le traduit en d'autres termes pour le rendre plus clair. Il peut aussi essayer de synthétiser des idées, des sentiments qui n'ont pas été formulés clairement par le client. Dans chacune de ces situations, il appartient finalement à la personne interviewée de savoir si l'éclaircissement apporté a été ou non utile, s'il a rendu le sens de sa pensée ou non.

Considérons un exemple d'éclaircissement de ce premier type.

Exemple

Le client

«C'est relativement facile de vivre avec ce handicap, mais en même temps... c'est très difficile... ce n'est pas clair, mais je ne sais pas comment expliquer cela avec précision. Comprenez-vous ce que je veux dire ?»

L'intervenant
«J'ai l'impression que vous voulez dire qu'on peut facilement s'habituer à vivre, sur le plan matériel ou concret, avec un tel handicap mais qu'intérieurement, on ne se sent jamais tout à fait comme avant.»

Dans le second type d'éclaircissement, c'est l'interviewer qui désire en quelque sorte faire le point pour poursuivre le dialogue. Souvent, les apprentis interviewers n'osent pas demander à un client le sens d'une expression, d'un commentaire ou d'une explication par crainte d'être considérés comme incompétents. Il est ridicule de poursuivre le dialogue si l'un des partenaires ne comprend pas l'autre. D'ailleurs, les clients ne s'attendent nullement à ce que les interviewers soient des êtres parfaits, sans défaillances. Le fait que l'interviewer se rende compte et accepte ses lacunes peut diminuer la distance entre les partenaires et donc être d'un grand bénéfice pour la poursuite de la communication.

Voici un exemple de ce second type de clarification.

Exemple

Le client
«Il est absolument impossible de travailler dans une telle atmosphère. Vous ne pourriez pas le supporter non plus. C'est incroyable! Un climat comme ça, c'est à devenir fou!»

L'intervenant
«Je crois comprendre ce que vous ressentez. Si j'étais à votre place, je ferais peut-être les mêmes commentaires... mais si vous me donniez une petite description de ce qui se passe pour que je puisse comprendre les sentiments que vous ressentez...»

L'encouragement. Tout ce que fait l'interviewer en situation d'entrevue vise essentiellement à encourager le client à aller plus loin. Par ses attitudes, ses questions, ses commentaires, l'interviewer cherche à aider son client dans son approche de la réalité et de son propre moi de façon qu'il puisse analyser la situation présente et définir des objectifs et mécanismes de changement. En fait, la moindre expression d'intérêt est émise dans l'intention d'inciter le client à poursuivre sa réflexion. Tout ce que fait ou dit l'interviewer en situation d'entrevue doit être un encouragement, un soutien pour le client, même si cela n'est pas exprimé verbalement.

Cependant, il existe un mode d'encouragement différent, exprimé beaucoup plus clairement. Ainsi, lorsque le client a déjà commencé à parler sur un sujet chargé émotivement et que l'interviewer sent les efforts qu'il déploie pour mener à bien sa démarche de réflexion et d'analyse, il peut l'encourager par un commentaire explicite. Une réponse du type «cela semble difficile pour vous d'aborder ce sujet, j'apprécie l'effort que vous faites pour comprendre ce qui se passe» peut démontrer au client que l'interviewer ne craint pas les sentiments impliqués, qu'il est prêt à les entendre et à appuyer son client dans sa démarche.

Une autre façon d'encourager un client à s'exprimer sur un sujet chargé émotivement consiste à sanctionner, en les identifiant clairement, les divers sentiments que celui-ci peut ressentir face au sujet discuté. Par cette technique, l'interviewer rend en quelque sorte acceptables des sentiments que le client n'aurait peut-être pas osé exprimer; il le libère de sa culpabilité (ou du moins la diminue) et l'invite à révéler sans crainte son monde émotif.

Lorsque l'interviewer encourage explicitement son client, il doit être conscient de ce qu'il fait, il doit savoir exactement à qui il adresse son commentaire et avoir un but précis. Des encouragements trop nombreux ou qui ne sont pas formulés en fonction de la personnalité du client risquent de causer, à long terme, plus de tort que de bien et de développer la dépendance d'un client. L'interviewer doit donc savoir s'effacer quand il sent que son appui concret n'est plus utile, et, s'il décide d'encourager son client, il doit le faire de façon à laisser à ce dernier l'occasion de se libérer de son emprise s'il la sent contraignante. En fait, pour plusieurs auteurs, la meilleure façon d'encourager un client et d'élever son niveau de sécurité est de lui faire sentir qu'il peut compter sur les ressources d'un intervenant compétent et accueillant, plutôt que de l'encourager directement à se confier.

L'explication. Une explication est un énoncé descriptif. L'interviewer peut l'utiliser en début d'entrevue pour donner une structure à la rencontre ou encore, en cours d'entrevue, comme réponse aux propos de son client. En situation d'entrevue, toute explication doit demeurer neutre et viser à aider le client à se rendre compte de la réalité ou à la regarder plus franchement.

Les réponses de ce type peuvent porter, par exemple, sur les causes d'un certain comportement ou sentiment exprimé par le sujet et à propos duquel l'interviewer est en mesure de fournir des explications.

Voici un exemple d'explication.

Exemple

Le client
«Je me demande pourquoi j'ai peur de vous.»

L'intervenant
«Bien... vous m'avez laissé entendre que je vous rappelais votre mère et qu'il vous arrivait de la craindre. Qu'en pensez-vous ?»

Dans cet exemple, on constate que l'interviewer peut manifester sa compréhension du sentiment de son client à son égard en lui fournissant une explication à ce sentiment qu'il tire des propos antérieurs de celui-ci.

Comme on peut l'imaginer, les réponses explicatives peuvent facilement devenir purement interprétatives et elles doivent donc être utilisées avec circonspection. Quand l'interviewer a déjà en mains certaines données, il lui est alors possible d'avoir recours à cette technique avec plus d'assurance.

Autres techniques. Pour plusieurs auteurs, les diverses formes de reformulation, y compris l'éclaircissement, constituent la technique de communication de la compréhension empathique. Pour d'autres, cependant, il existe d'autres façons d'exprimer cette attitude. Nous avons vu ainsi que, par des réponses d'encouragement, des expressions d'intérêt et des explications, l'interviewer peut aider son client à poursuivre sa réflexion.

L'accueil proprement dit du client et les phrases d'introduction à l'entrevue peuvent contribuer à créer un climat de confiance et faciliter l'expression des sentiments du client. Elles sont un moyen, pour l'interviewer, de manifester sa disponibilité et son réel désir d'aider l'autre. Les premiers moments de la rencontre sont importants: dès le moment où il aborde son client et le thème de l'entrevue, l'interviewer peut déjà démontrer sa capacité d'écoute et de compréhension.

Les silences sont aussi utilisés pour exprimer la compréhension empathique. Les silences du client ont une signification, et ils font partie de la dynamique de la situation d'entrevue. Ils doivent donc être l'objet d'une attention bien particulière: l'interviewer doit s'interroger sur leur signification et surtout il doit les respecter, sans imposer quoi que ce soit au client. S'il décide de ne pas intervenir verbalement (et de laisser l'initiative de la reprise de l'échange au client), il peut clairement indiquer son intérêt pour l'autre uniquement par son comportement non verbal.

Lorsqu'il éclaircit, explique ou résume les propos du client, l'interviewer utilise un certain nombre de mots. Le choix de ceux-ci peut être d'une grande importance, surtout lorsqu'on pense aux différentes significations qu'ils prennent et aux connotations qu'ils peuvent avoir. L'emploi de métaphores pour atténuer la portée de certaines expressions ou pour éviter des erreurs d'interprétation s'avère une nécessité technique dans plusieurs situations. Ainsi, si l'on aborde ou commente, par exemple, le problème d'alcoolisme d'un client en identifiant précisément le problème, on peut, dans plusieurs cas, faire une grave erreur et risquer, dans l'immédiat, de bloquer complètement l'expression du client qui, loin de se sentir accepté et compris, aura surtout tendance à se voir jugé par l'interviewer. Pour nombre de personnes, l'expression des sentiments se fait graduellement, de façon indirecte; un interviewer qui désire manifester sa compréhension empathique doit respecter le type de cheminement suivi par son client et non le brusquer et risquer de l'interrompre par des interventions non pertinentes et mal formulées.

Dangers reliés à l'application de la compréhension empathique

L'arsenal des techniques utilisées pour manifester la compréhension empathique est vaste. Toutefois, ces techniques comportent certains dangers d'application dont le plus important semble être le fait, pour l'interviewer, de se détacher du point de vue de son client pour se référer à son propre cadre de référence.

En résumant, en éclaircissant ou en expliquant les propos du client, il est relativement facile de tomber dans le piège d'une interprétation qui se fonde, non pas sur ce que vit le client, mais plutôt sur ce que pense et ressent l'interviewer. C'est alors lui qui occupe la place centrale et qui fait intervenir son propre cadre de référence en demandant au client d'y réagir. Il n'y a donc plus manifestation de compréhension empathique.

Comme nous l'avons vu en étudiant les attitudes négatives, il n'est pas toujours facile de se débarrasser de tendances qui sont bien ancrées en chacun de nous et qui nous empêchent de nous mettre «dans la peau» de l'autre; il peut être difficile de s'oublier soi-même. Lorsque la solution d'un problème nous apparaît évidente et que le client se débat pour trouver une porte de sortie, il est tentant d'être paternaliste et de lui indiquer ce que nous ferions à sa place. Il faut résister à la tentation d'imposer à l'autre notre façon de voir les choses; pour l'aider, on doit plutôt le guider dans sa propre recherche.

Il n'est pas complètement défendu de donner des opinions personnelles, de se référer à son cadre de référence en situation d'entrevue, mais il faut toujours le faire avec beaucoup de tact et d'abord en fonction des besoins du client. L'entrevue doit être centrée sur le client, et toutes les interventions de l'interviewer doivent par conséquent être faites dans ce sens.

Attitudes positives connexes

Pour résumer l'attitude fondamentale positive de l'interviewer en situation d'entrevue, on peut dire qu'il doit centrer son attention sur le client en lui manifestant de la compréhension empathique. Cependant, on peut associer à cette attitude de base d'autres éléments qui vont contribuer à faciliter la communication.

L'accueil

Beaucoup de clients ont peu d'estime d'eux-mêmes et l'obligation qui leur est imposée de demander de l'aide ne fait qu'augmenter leurs sentiments négatifs à l'égard d'eux-mêmes. Nombreux aussi sont ceux (souvent des délinquants) qui croient n'avoir aucun problème et qui sont poussés en consultation par ceux qui ont décidé que leur comportement devait changer. La motivation de ces clients est donc habituellement nulle.

Compte tenu de ces états psychologiques, il devient très important pour l'interviewer de manifester, dès le début de la relation, une attitude de réceptivité et d'acceptation qui est fondamentale pour la construction de la relation. Une attitude qui exigerait du client de prendre des initiatives le mettrait dans l'obligation, dès le premier contact, de répondre aux questions et de réagir.

C'est d'abord par son comportement, plutôt que par des paroles, que l'interviewer manifeste le mieux son attitude de réceptivité. Sa ponctualité, sa disponibilité, l'atmosphère de calme de l'endroit où il reçoit son client, son attention à lui offrir un siège, sa capacité d'utiliser dès le début le nom de l'interlocuteur, l'absence d'interruptions, voilà autant de comportements qui expriment au client que l'interviewer l'accepte et le reçoit comme une personne digne d'attention.

Le respect chaleureux

L'interviewer qui respecte le client et lui manifeste une considération réelle contribue à créer et à maintenir une relation significative. Cela signifie qu'il adopte une attitude et un comportement qui visent à favoriser ou à augmenter l'estime de soi du client. L'atmosphère de la rencontre doit suggérer une relation d'égal à égal; l'interviewer s'adresse à son client en tant qu'être humain unique en essayant donc de lui donner réellement la certitude qu'il respecte sa manière de voir, de vivre ou de penser. L'interviewer ne cherche pas, avec lui, une occasion de montrer sa perspicacité; il est là pour l'écouter et le comprendre.

Cette attitude envers le client suppose que l'interviewer le considère comme un être de valeur et digne d'être respecté, et ce, quels que puissent être ses comportements. Cela implique aussi qu'il accepte que son client ait le droit de prendre ses propres décisions et de mener sa vie comme bon lui semble. Finalement, l'attitude de respect suppose que l'interviewer considère son client comme capable (même si cette capacité est peu développée ou peu perceptible) de faire des choix constructifs et de s'épanouir, qu'il est responsable de sa vie et de ses décisions. C'est donc une attitude par laquelle l'interviewer impose le moins de contraintes possibles à l'autre.

L'interviewer qui respecte vraiment son client ne lui donnera ni ordres, ni directives, ni commandements précis puisque de tels avis laisseraient croire au client que l'interviewer ne lui fait pas confiance. Il évitera également de le menacer, de le ridiculiser, de le sermonner; tous ces comportements sont évidemment opposés au respect de l'autre.

Cette attitude ne sera bien perçue par le client que si elle est basée sur un véritable respect de l'autre (c'est-à-dire un respect qui n'est pas feint), et ce, quels que soient sa condition sociale, son âge, son comportement actuel et ses antécédents. Une des manières les plus efficaces de transmettre un véritable respect est sans doute d'écouter attentivement l'autre personne en se préoccupant uniquement de le comprendre. Il n'est donc pas nécessaire de dire et redire à un client: «Je vous respecte» ou «Je respecte votre point de vue», mais il sera plus sage de témoigner de cette attitude en écoutant activement, en n'interrompant pas le client et en faisant un effort honnête pour bien le comprendre.

Respect de l'autre et sentiment de pitié ne sont pas synonymes. La pitié place le client dans une situation d'infériorité par rapport à l'interviewer. Même si un client peut à l'occasion demander de la pitié et l'accueillir avec gratitude, l'interviewer ne doit pas abuser de cette attitude qui, à long terme, risque d'amener le client à se replier sur lui-même. De plus, par cette attitude, le client continue à se percevoir comme une malheureuse victime. L'expression répétée de sentiments de pitié risque de faire perdre de vue au client qu'il est responsable, du moins en partie, de sa vie et de ce qui lui arrive et qu'il lui appartient de changer son état ou sa situation.

Bien souvent, ce n'est que graduellement qu'un client en vient à admettre qu'il est lui-même la cause de la plupart des difficultés qu'il rencontre. Il lui est tellement plus facile de blâmer les autres et son environnement pour les ennuis qui l'accablent. La pitié démontrée par l'interviewer ne fait donc que favoriser l'accroissement de cet apitoiement sur son sort et retarder d'autant son accession à la responsabilité personnelle de ses actions et de sa vie. Le client a besoin d'être respecté et non d'être pris en pitié.

En outre, la véritable acceptation de l'autre ne doit pas être confondue avec une attitude de laisser-faire dans laquelle l'interviewer accepterait passivement que son client fasse tout ce qui lui semble bon. Un client en processus de changement vit des moments difficiles; il a des peurs, il accepte, puis refuse de prendre ses responsabilités; il croit avoir compris la cause de son problème, puis il s'aperçoit que tel n'est pas le cas; il sent les contradictions qui l'habitent. Aussi quels que soient les faits vécus évoqués par le client, l'intervenant doit lui démontrer qu'il l'accepte tel qu'il est. Dans les cas de délinquance, un éducateur indiquera, par exemple, à son client qu'un certain type de comportement est inacceptable, mais il ne lui retirera pas, par la même occasion, son respect et son affection. Le refus d'un comportement ne doit pas signifier le rejet de l'individu qui en est l'auteur. Un client qui commet une erreur a droit, malgré tout, au respect de celui qui a accepté de l'aider à évoluer. Si tel n'était pas le cas, la relation d'aide serait impossible avec nombre d'individus.

Les effets de la communication du respect sont en général libérateurs pour le client. Celui qui se sent respecté intégralement, c'est-à-dire malgré ses erreurs et ses tâtonnements, acquiert la capacité de s'explorer lui-même et apprend à adopter la même attitude envers lui-même. Il apprend donc à s'aimer lui-même tel qu'il est.

La capacité de respect de l'interviewer pour ses clients semble directement reliée à sa capacité de se respecter lui-même. Un aidant qui ne s'accepte pas et ne se respecte pas éprouvera de grandes difficultés à adopter ces mêmes attitudes envers d'autres personnes.

L'authenticité

L'authenticité (appelée aussi congruence par l'école rogérienne) de l'interviewer est une autre condition essentielle à l'établissement d'une bonne relation client-interviewer. L'authenticité est la correspondance exacte entre ce que l'interviewer sent et pense intérieurement et ce qu'il communique à son interlocuteur. En d'autres termes, ce que l'interviewer décide d'exprimer doit correspondre exactement à un contenu intérieur. Cela implique donc une certaine spontanéité et surtout la capacité de partager avec le client ses propres émotions et sentiments sur ce qui se passe en situation d'entrevue.

Dans sa relation avec l'autre, l'interviewer peut choisir de communiquer ou non ce qu'il pense ou ressent, mais s'il choisit de le faire, son expression, pour être authentique, doit être le reflet fidèle de ce qu'il pense et ressent intérieurement. Une telle attitude n'oblige donc pas l'intervenant à tout dire, mais à dire exactement ce qu'il sent et pense. De toute façon, un commentaire qui ne serait pas en accord avec le monde intérieur de l'interviewer risquerait d'attirer l'attention du client, ne serait-ce que parce qu'il est en désaccord avec le langage non verbal qui l'accompagne. En effet, nous avons peu de contrôle sur nos émissions non verbales et puisque ces émissions sont relativement spontanées, elles attirent facilement l'attention de l'interlocuteur. Ainsi, un interviewer qui dit à son client: «Je trouve votre travail passionnant», tout en étouffant un baillement, manifeste un manque évident d'authenticité.

Il existe des obstacles à l'expression authentique de soi. En effet, très souvent, on ment ou, du moins, on tait ce que l'on pense parce qu'on craint la réaction des autres ou encore ses propres émotions. Quand un interviewer arrive à se libérer de la peur de son monde émotif et parvient à s'accepter lui-même le plus complètement possible, il parvient en même temps à ne plus redouter l'autre et, par conséquent, à pouvoir être lui-même dans la relation. Il n'a plus besoin de se réfugier dans un rôle, il ne se sent pas exagérément anxieux. L'interviewer qui a atteint ce niveau d'évolution personnelle ne se démet pas de son autorité, mais il s'en sert de manière à placer son client au centre de la scène. Il fait part de ce qu'il sent et connaît pour aider l'autre, et non simplement pour faire étalage de ses connaissances ou sentiments personnels. Il révèle sans crainte ce que lui-même pense et comprend des propos de son client pour l'amener à mieux se comprendre lui-même, et non pour lui imposer ses propres conceptions.

Lorsque la relation entre un interviewer et un client évolue, elle se transforme. D'une relation à sens unique qu'elle était initialement, elle progresse graduellement vers une relation à double sens où il devient plus difficile de distinguer qui est l'interviewer et qui est le client. Sans des attitudes d'accueil, de respect, de compréhension empathique et d'authenticité, l'interviewer ne peut parvenir à faire progresser la relation qui devrait ultimement aboutir à la prise en charge complète du client par lui-même.

La précision et la spécificité

La précision et la spécificité ont trait aux communications verbales. L'interviewer oriente l'échange pour que le client puisse discuter directement et complètement de ses sentiments.

Lorsque le client se présente en entrevue, bien souvent il ne sait pas exactement à quoi s'attendre, même s'il connaît le thème de la rencontre. Invité à se décrire et à exprimer les éléments de son vécu, il est, au début, généralement confus, incapable de saisir parfaitement ce qu'on lui demande et, surtout, incapable de se saisir lui-même et d'identifier les divers sentiments qu'il ressent.

Pour aider un client à mieux se comprendre, il est donc essentiel que, dès le début de la relation, l'intervenant guide son client dans sa démarche en faisant des interventions claires et précises. Un intervenant qui ne parvient pas à organiser sa pensée, ni à s'exprimer de façon nette et concrète, ne sera pas d'un grand secours pour un client anxieux et confus. L'échange risque alors de devenir une discussion abstraite ou purement intellectuelle qui ne traite pas des vrais problèmes.

L'intervenant aidera son client à devenir précis en l'étant lui-même mais, là aussi, il ne pourra transmettre ce qu'il n'a pas. Il doit donc pouvoir se présenter comme une personne capable de réfléchir et de s'exprimer en termes concrets, qui n'a pas peur de s'observer, qui est capable de se comprendre, non seulement en termes généraux et abstraits, mais aussi en explorant son vécu intérieur quotidien.

La simplicité et le naturel

L'interviewer doit se montrer sympathique à son client. La difficulté est d'atteindre la juste mesure. Une attitude faite de cordialité artificielle et de commande à l'égard du client est habituellement déplacée et ne peut avoir, à la longue, que des effets médiocres. Par contre, une sympathie trop froide ou hautaine n'est guère plus favorable. L'intervenant doit se garder de tout excès et tendre à être le plus possible lui-même, donc naturel.

D'autre part, il n'est pas défendu à l'interviewer de faire montre, à l'occasion, de sens humoristique. S'il réussit à certains moments à faire sourire son client, il le met à l'aise et réduit ainsi les tensions émotives possibles ou une trop forte concentration.

Sur le plan humain, le fait d'avoir de l'humour spontanément et d'en faire profiter les autres, quand la chose est possible, indique au client qu'il ne faut pas tout prendre au tragique, qu'il n'y a rien d'absolu dans la vie. Ce n'est pas parce que son problème actuel est important que l'interviewer doit créer une atmosphère de tension et de crispation. Si l'interviewer est lui-même détendu, serein, parfaitement à son aise, son attitude influencera celle du client dans le même sens. L'humour bien employé peut rapprocher les deux partenaires de l'entretien. D'ailleurs, une note d'humour peut très bien se traduire par un simple mouvement des yeux, un sourire ou un geste; ce qui importe c'est qu'il s'agisse d'un mouvement spontané, naturel. En fait, la simplicité avec laquelle l'interviewer se comporte, même en apportant une pointe d'humour, lui facilite la tâche d'être réceptif à l'égard de tout ce que peut dire le client et cette réceptivité ne peut qu'avoir des effets bénéfiques sur la relation entre les partenaires.

Effets de l'utilisation de ces techniques

Quand un client se présente en entrevue, qu'il soit obligé ou non de le faire, il est alors le seul à vivre une situation donnée, donc à en connaître toutes les facettes. Plongé émotivement dans cette situation, il lui est habituellement à peu près impossible de prendre le recul nécessaire pour l'analyser en toute objectivité. Un client peut avoir l'impression de bien connaître ce qui se passe en lui, mais il apparaît souvent évident pour son interlocuteur qu'il n'est pas en mesure d'exposer clairement et précisément sa situation. Il arrive également qu'un client ait l'impression de ne rien comprendre à ce qu'il vit; il n'en demeure pas moins qu'il est le seul capable d'en faire ressortir les diverses facettes. Il semble donc que la capacité et l'efficacité de réflexion d'un individu est inversement proportionnelle à l'intensité de son implication affective dans une situation. En somme, plus un individu est impliqué affectivement dans un quelconque problème, moins il est capable de l'analyser objectivement, c'est-à-dire de percevoir les éléments de sa structure et les articulations de ses divers éléments.

Un des effets de l'application des attitudes et des techniques que nous avons présentées dans le présent chapitre est justement la libération du pouvoir de réflexion du client. Le client connaît la situation, et l'interviewer doit l'amener à réfléchir sur cette situation pour qu'il soit en mesure de l'exposer précisément. Les techniques de reformulation visent directement cet objectif.

De plus, le client qui se sent respecté et compris par l'intervenant ne se sent plus seul pour analyser toutes les dimensions de son problème. N'étant plus seul, il peut prendre le risque d'explorer plus profondément son monde intérieur et de l'exprimer en toute confiance. En étant reconnu et accepté par l'autre, il apprend à mieux se connaître et à s'accepter. Il se libère d'une attitude défensive adoptée contre ce qu'il ressent, et il voit plus clair en lui.

L'atmosphère qui se dégage au cours d'une entrevue basée sur la compréhension empathique, le respect du client et l'authenticité est telle qu'elle réduit l'anxiété et la peur du client. Il se sent alors à l'aise pour aborder des problèmes et situations qui normalement soulèveraient en lui de l'anxiété. L'attitude non directive en est une qui incite le client à choisir la voie qui le mènera à la résolution de son problème. Cette attitude fondamentale vise donc essentiellement à restaurer chez le client sa capacité d'adaptation et d'autonomie en augmentant son pouvoir de réflexion.

Conclusion

L'interviewer qui désire maîtriser l'ensemble des attitudes et techniques propres à l'entrevue doit avoir, d'une part, une bonne compréhension des motivations et des conduites humaines et, d'autre part, un réel désir d'aider l'autre. Connaissance de soi et désir d'aider l'autre sont donc les conditions préalables pour réaliser une bonne entrevue et en accroître l'efficacité.

Il arrive que les interviewers débutants pensent tellement à ce qu'ils vont dire qu'ils éprouvent des difficultés à écouter et à se concentrer sur leur client. Le manque de confiance en eux-mêmes les pousse à prendre la parole plus souvent qu'à leur tour dans l'espoir, évidemment faux, de montrer leur assurance. Il n'existe aucune méthode qui permette d'augmenter leur niveau de confiance en eux-mêmes, sinon la patience, l'expérience et une meilleure compréhension d'eux-mêmes. En effet, le gage d'une réelle acceptation de l'autre réside dans une connaissance et une confiance personnelles. S'il évalue bien ses forces et ses faiblesses, s'il reconnaît ses erreurs, bref s'il est honnête avec lui-même, l'interviewer se sentira moins menacé par ce qu'exprime son client; il sera capable de l'écouter avec respect et compréhension. De son côté, le client sera touché par cette simplicité et se sentira plus en confiance pour exprimer son monde intérieur.

Le désir réel d'aider l'autre est un atout primordial. Même si, au moment d'une entrevue, l'interviewer n'est pas toujours au meilleur de sa forme ou en pleine possession de tous ses outils techniques, il peut quand même aider son client en lui témoignant son attention et en créant une atmosphère de confiance et de respect mutuel. Il en retirera le sentiment qu'il peut faire confiance à son interlocuteur et la conviction qu'il est respecté en tant qu'être humain unique, et il s'attirera ses confidences.

Les éléments de base nécessaires à la réussite d'une entrevue résident donc dans une bonne connaissance de soi et dans le désir sincère d'aider l'autre. À ceux-ci viendront s'ajouter les techniques particulières qui, avec la pratique, permettront à l'interviewer de démontrer de plus en plus efficacement sa disponibilité à l'égard de l'autre.

Chapitre 7

Le déroulement de l'entrevue

7.1 La préparation de l'entrevue

Nous avons observé que le comportement et les attitudes de l'interviewer contribuent à créer une atmosphère propice au bon déroulement d'une entrevue. La préparation de l'entrevue est aussi une étape importante qu'il ne faut pas négliger. Nous proposons d'en examiner les différents aspects dans le présent chapitre.

Au plan matériel

Le cadre physique

Le milieu physique est un facteur à multiples facettes qu'il faut considérer avec un soin particulier, car de simples éléments matériels peuvent avoir des répercussions psychologiques importantes sur les deux partenaires.

Toutes les personnes appelées à faire des entrevues ne disposent pas d'un espace dont l'aménagement matériel est entièrement satisfaisant. Cependant, avec un peu d'imagination et de soin, il est possible d'aménager un cadre physique de façon à minimiser les possibilités de distraction et à augmenter le confort psychologique des clients.

L'aménagement. Lorsqu'on parle de cadre physique, on considère d'abord les dimensions de la pièce où se déroulent les entrevues. Dans un bureau trop exigu, on a l'impression d'étouffer; s'il est trop vaste, on se sent perdu. Le premier est trop chaud; le second est trop froid. Ces sensations psychologiques de chaud et de froid touchent chacun de nous, mais il est impossible de donner les dimensions précises auxquelles elles renvoient. C'est surtout une question de jugement et, souvent, de circonstances. Si, par exemple, l'interviewer est appelé à travailler dans un bureau particulièrement grand, il pourra pallier l'impression de vide en augmentant le nombre et le volume des meubles. Si, au contraire, le bureau est trop petit, il compensera le manque d'espace par le choix d'un mobilier aux dimensions plus réduites et de style léger. Toute disproportion des dimensions d'une pièce crée une impression désagréable que seul un choix judicieux de l'ameublement et de la décoration peut corriger.

L'ameublement du bureau devrait avant tout être fonctionnel. Il est inutile de transformer la pièce consacrée aux entrevues en boudoir ou salon uniquement pour favoriser le confort du client; il ne convient pas non plus d'en faire une cellule monastique sous prétexte d'éviter au client tout élément de distraction. Le mobilier et divers éléments décoratifs devraient simplement suggérer une atmosphère d'intimité et de cordialité.

Le mobilier comprend généralement les éléments suivants: un bureau, une chaise, deux fauteuils ou sièges modules (ou plus) confortables, une bibliothèque, un classeur, un appareil téléphonique et quelques accessoires indispensables tels qu'une lampe, un calendrier, etc. Évidemment, selon la grandeur de la pièce, certains de ces éléments seront enlevés ou au contraire ajoutés.

L'aspect décoratif est aussi un élément important. Si l'interviewer en a la possibilité, il optera pour un style particulier, de préférence simple et dépouillé, et des teintes agréables à l'œil. Des tentures de bon goût, quelques décorations murales et des plantes vertes compléteront le décor de la pièce. On pourra aussi donner à la pièce un caractère personnel en exhibant, avec goût et mesure cependant, des bibelots, des souvenirs de voyage et d'autres objets susceptibles d'attirer un peu l'attention et de suggérer des propos neutres avant que l'entrevue ne débute. Il faut cependant se garder de verser dans l'exagération: des murs couverts de tableaux, de diplômes et de bibelots divers témoigneraient à la fois d'un manque de goût et de prétention. Il ne s'agit pas de transformer cette pièce en musée où les clients seront incapables de se concentrer sur un sujet autre que les éléments du décor.

L'éclairage et l'aération. Un bon éclairage et une aération adéquate sont également des facteurs positifs. De jour, on choisira un éclairage naturel, plus agréable pour le client et l'interviewer, mais il sera parfois nécessaire de recourir aux éclairages artificiels; dans de telles situations, il faut éviter qu'une lumière brillante n'éblouisse le client ou, à l'inverse, qu'un éclairage trop faible n'empêche les partenaires de se voir distinctement. Il faut aussi veiller à ce que l'air du bureau soit sain: ni trop chaud, ni trop froid ou corrompu; entre deux rencontres, on aérera la pièce pour ne pas indisposer le client, ni l'interviewer.

L'accessibilité et le caractère privé du lieu de rencontre. Un bureau consacré aux entrevues devrait être accessible, c'est-à-dire qu'il devrait être situé dans un endroit facilement repérable de l'édifice. L'emplacement devrait être central par rapport aux services connexes offerts dans le même édifice, exempt de connotation désagréable, calme et suffisamment privé, c'est-à-dire éloigné des bruits distrayants et d'une circulation relativement intense.

Il est également important que l'interviewer occupe toujours le même local et qu'il ne soit pas appelé à déménager à tout moment. Pour le client, le bureau constitue à la longue un cadre de référence précis: la stabilité de l'intervenant est, en quelque sorte, identifiée par un cadre physique d'activité qui ne varie pas et reflète la personnalité de son occupant. Le bureau crée donc une impression psychologique de continuité chez le client qui n'est pas obligé, à chaque rencontre, de se familiariser avec une nouvelle série d'éléments.

Le caractère privé du local est certainement l'un des facteurs les plus importants qui concourent à créer une impression psychologique rassurante. Il est essentiel que le client sente qu'il est vraiment seul avec l'interviewer et qu'aucune oreille étrangère ne peut capter la conversation. L'étanchéité acoustique de la pièce doit être assurée de façon qu'on y entende le moins possible les bruits extérieurs. Il est également évident qu'une entrevue ne doit jamais se dérouler alors que la porte est ouverte ou qu'une tierce personne (stagiaire, secrétaire, collègue) est présente, à moins que le client n'accepte cette présence étrangère.

Il est essentiel que les interruptions en cours d'entrevue soient réduites au strict minimum. Avant de commencer une entrevue, l'intervenant demandera que ses appels téléphoniques soient retenus et avisera ses collègues de travail de ne pas le déranger pendant cette période; il est parfois nécessaire de suspendre à la poignée de la porte un carton indiquant qu'on ne doit pas être interrompu. Il veillera également à ce qu'aucun objet encombrant déposé sur son bureau n'obstrue la vue entre son client et lui. Il doit mettre de l'ordre dans la pièce, car le laisser-aller indispose les clients.

Les positions respectives des partenaires. Les positions respectives des partenaires en entrevue sont très importantes. Certains clients n'aiment pas se trouver face à face avec l'intervenant. Aussi, les interviewers débutants craignent souvent cette position parce que leur propre nervosité est alors facilement décelable. Lorsque cela est possible, on laisse au client le choix du fauteuil pour lui permettre de se placer selon l'angle qu'il préfère par rapport à l'intervenant; on doit donc disposer les chaises ou fauteuils de façon que le choix soit réellement possible.

La diversité des lieux de rencontre. Les intervenants sont souvent appelés à faire leurs entrevues dans un lieu autre que leur bureau personnel: au domicile du client, dans une chambre d'hôpital, en institution carcérale, dans un bar ou au coin d'une rue. Ces milieux comportent des inconvénients: l'intervenant ne peut contrôler, comme cela est possible dans son bureau, les éléments du décor susceptibles de favoriser l'échange; il ne dispose pas nécessairement de la tranquillité et de la confidentialité que l'on retrouve dans un bureau aménagé spécifiquement pour les entrevues; enfin, dans de tels endroits, l'intervenant n'a pas accès à ses outils habituels de travail (appareil téléphonique, dossiers, livres de référence, etc.).

Les rencontres au domicile du client ou en milieu institutionnel sont deux types d'expériences fréquentes auxquelles les intervenants en sciences humaines sont le plus souvent confrontés. Nous nous y attarderons dans les paragraphes qui suivent.

La visite à domicile permet à l'intervenant de mieux comprendre son client et la situation qu'il vit et, par conséquent, d'y réagir de façon empathique. L'interaction entre les deux partenaires prend alors une dimension nouvelle, car les descriptions que donne le client de son milieu de vie sont parfois trompeuses, et une visite à domicile peut éventuellement amener l'intervenant à ajuster son diagnostic en fonction de ce qu'il voit.

Un tel type de rencontre offre à l'intervenant la possibilité de pénétrer dans l'univers personnel de son client et, par conséquent, d'être considéré comme moins étranger à ses problèmes. Ainsi, le fait de passer un moment avec son client en prenant une tasse de café autour de la table de la cuisine est un événement en apparence anodin, mais il peut grandement rapprocher les partenaires: le client peut le percevoir comme la preuve que l'interviewer s'intéresse vraiment à ses problèmes, puisqu'il accepte de se déplacer pour en discuter.

Il arrive que des intervenants considèrent de telles visites comme menaçantes; le client étant l'hôte, ils ont alors l'impression de perdre le contrôle de la situation. À domicile, le client est en territoire connu, et il lui est possible de fixer lui-même les règles du jeu (disposition des sièges, interruptions diverses, présence de tierces personnes, etc.), ce que l'intervenant peut difficilement refuser, sinon en faisant preuve de beaucoup de tact. Le décor aidant, l'entrevue risque également de se transformer en conversation; il est alors possible que les objectifs de la rencontre ne soient pas atteints.

Un autre danger qui guette les intervenants lors d'une visite à domicile est celui d'être appelés à vivre ou à intervenir dans des conflits imprévisibles ou spontanés. Beaucoup d'intervenants ne se sentent pas capables d'affronter de telles situations dans un milieu qui ne leur est pas familier, surtout si leur visite n'est pas attendue. Pour éviter d'être témoin de scènes désagréables, de passer pour un espion ou de soulever inutilement la méfiance et l'anxiété des gens, il est toujours préférable que l'intervenant prenne rendez-vous avec son client en essayant alors de respecter les horaires et habitudes de vie de ce dernier. Un tel signe de respect à l'égard des clients ne peut que favoriser la qualité de la relation.

Quant au milieu institutionnel, la situation est autre; les éducateurs ou gardiens vivent avec leurs clients et effectuent avec certains d'entre eux des entrevues individuelles (par opposition aux discussions et rencontres de groupe). Avant même que les rencontres individuelles aient lieu, les deux partenaires se connaissent et se sont fait une idée l'un de l'autre. Les expériences communes vécues en dehors du contexte de l'entrevue font inévitablement l'objet de commentaires ou de discussions lors des entretiens. Il est d'ailleurs difficile, sinon impossible, d'empêcher de telles digressions, car le client a là une occasion unique de prouver à l'interviewer qu'il l'a observé et qu'il a recueilli des informations qui lui seront utiles pour obtenir de lui certaines faveurs.

En milieu institutionnel, l'intervenant connaît les diverses activités de ses clients; il lui est donc facile de planifier les moments auxquels auront lieu les entrevues. Toutefois, sur le plan physique, les locaux réservés à ces rencontres sont souvent inadéquats. De plus, dans de nombreux centres, les agents de traitement réussissent difficilement à s'isoler vraiment du groupe pour faire leurs rencontres individuelles.

Dans les centres fermés pour adultes et pour juvéniles, les clients tirent certains bénéfices secondaires de telles rencontres, comme le fait de rompre avec la monotonie de la routine quotidienne, de fumer quelques cigarettes supplémentaires ou d'obtenir la permission de téléphoner à une personne amie, etc. Ces menus privilèges sont quasi inévitables, mais l'interviewer ne doit pas les donner à profusion, car le sens des rencontres pourrait en être faussé: les clients risqueraient de solliciter des entrevues uniquement pour les avantages qu'ils en retirent.

Dans la plupart des milieux institutionnels, les entrevues individuelles font partie intégrante des tâches que les intervenants ont à accomplir couramment. Elles permettent d'abord d'établir un plan de traitement personnalisé, puis de suivre l'évolution des clients tout au long de leur séjour. Étant donné l'interaction quotidienne des intervenants et des clients dans de tels milieux, les questions abordées lors de ces entrevues sont d'un ordre bien particulier et touchent habituellement des événements précis. Cependant, même si les problèmes alors abordés sont différents des problèmes traités avec des clients qu'il faut orienter sur le plan professionnel ou dont on doit dresser l'histoire sociale, par exemple, les techniques d'intervention en cours d'entrevue demeurent essentiellement les mêmes. Ainsi, tous les renseignements exposés dans le présent ouvrage peuvent être utilisés et adaptés aux contextes particuliers à chaque entrevue.

L'apparence et la tenue vestimentaire de l'intervenant. Avant de clore cette section sur la préparation du milieu physique de l'entrevue, il y a lieu d'indiquer quelques soins à apporter à la personne même de l'interviewer. Les caractéristiques physiques et l'apparence de celui-ci constituent aussi pour le client des éléments de sécurité psychologique non négligeables. L'intervenant aura avantage à se conformer aux usages en vigueur dans les différents milieux de travail et à opter pour une tenue vestimentaire propre, sobre et élégante sans pour autant être affectée ou singulière.

La planification du temps

Le facteur temps a une grande importance en entrevue; aussi, les limites temporelles de l'entrevue doivent-elles être clairement établies.

Il est préférable de fixer à l'avance la date et l'heure d'une entrevue et d'être ponctuel. De cette façon, on évitera tout malentendu: si l'intervenant était en retard, le client pourrait douter de son importance aux yeux de l'intervenant ou croire qu'on le fait attendre pour quelque raison obscure qu'il n'arrive pas à comprendre. Une telle conduite pourrait avoir des répercussions sur la confiance du client envers l'intervenant. S'il ne peut être ponctuel, l'intervenant doit s'en excuser et expliquer brièvement les motifs de son retard.

Il est difficile de déterminer la période de temps qui doit s'écouler entre deux entrevues. Plusieurs facteurs entrent en ligne de compte: disponibilité du client et de l'interviewer, contraintes imposées par le milieu de travail, nature des besoins du client; il faut savoir les évaluer dans chaque cas. Cependant, les rencontres devraient être suffisamment espacées pour que le client ait la possibilité d'assimiler ses succès et échecs, d'entrevoir des aspects nouveaux, de mûrir certaines réflexions et idées, bref de progresser et de trouver une solution qui lui convienne.

La durée de chaque entrevue doit être déterminée à l'avance, sinon le client aura tendance à prendre trop de temps pour aborder le sujet. Aussi, devrait-elle faire l'objet d'une entente préalable entre les partenaires, et ceux-ci devraient s'y conformer. D'une part, c'est là un excellent moyen d'habituer le client à une certaine rigueur, et, d'autre part, il apparaît que la connaissance qu'a le client du temps dont il dispose importe plus que la durée même de l'entrevue.

Selon plusieurs auteurs, la durée idéale d'une entrevue varie entre trente et soixante minutes. À cause des limites de la tolérance tant physiologique que psychologique de la plupart des individus, il est préférable de multiplier les rencontres plutôt que de dépasser cette limite de temps. Les auteurs sont également d'avis que deux entrevues de quarante minutes sont plus profitables qu'une seule de quatre-vingts minutes.

Une entrevue de trop courte durée, dix minutes par exemple, est rarement efficace. Cependant, il y a lieu de raccourcir les entrevues lorsque le client utilise une partie du temps mis à sa disposition pour converser de choses plus ou moins importantes et réserve les dernières minutes pour les problèmes plus sérieux. L'art de l'intervenant consiste alors à effectuer le changement d'une façon aimable et naturelle de façon que le client ne se sente pas frustré.

Au plan intellectuel

La préparation d'une entrevue dépasse l'organisation matérielle des lieux où sera reçu le client et l'entente portant sur le moment et la durée de la rencontre. L'intervenant doit également être préparé personnellement et professionnellement.

Selon la situation, l'interviewer peut avoir besoin de réviser l'ensemble du dossier de son client, qui sera volumineux ou au contraire se résumera à quelques données. En prenant connaissance de tels renseignements, l'intervenant évitera de travailler des éléments déjà analysés, ce qui pourrait indisposer le client. À l'inverse, certains intervenants préfèrent ne pas relire ce genre de renseignements avant de rencontrer le client de façon à être le plus objectifs possible. À notre avis, ces deux positions se défendent. Chaque cas présente des avantages et des inconvénients. Une bonne connaissance du dossier du client évite les pertes de temps et les redites, mais elle risque de faire émerger certains préjugés dans l'esprit de l'intervenant. À l'inverse, l'ignorance totale des éléments versés au dossier du client oblige le responsable à l'objectivité, mais il devra faire parler le client sur des aspects qu'il a peut-être déjà longuement développés avec un autre intervenant. Quel que soit le choix formulé, il importe de s'adapter aux circonstances et surtout d'être conscient des avantages et inconvénients de chacune de ces méthodes.

La préparation intellectuelle à l'entrevue oblige aussi les intervenants à se poser certaines questions et parfois même à effectuer quelques recherches. Ils doivent ainsi préciser l'information recherchée et les éléments de solution qu'ils sont en mesure de fournir. Compte tenu du problème à analyser, l'intervenant peut avoir besoin de se renseigner sur les causes, l'évolution et les traitements ou les solutions propres à une situation particulière; il peut se rafraîchir la mémoire en faisant une recherche sur les divers aspects d'un problème qu'il n'a pas eu à aborder depuis longtemps. Cette recherche d'information s'effectue soit en consultant des collègues soit en revoyant la documentation pertinente au sujet. Dans les deux cas, le but visé est de recueillir les renseignements qui lui permettront de bien comprendre les données du problème de son client et de l'aider dans la recherche d'une solution.

La préparation intellectuelle de l'intervenant implique aussi qu'il amasse un certain nombre d'informations précises qui peuvent être utiles à lui ou à son client: numéros de téléphone, adresses, noms, formulaires, etc. Le client qui aurait à remplir un formulaire quelconque ou qui aurait besoin de toute autre information pourrait en faire la demande au responsable de l'entrevue qui serait alors en mesure d'y répondre efficacement et sans délai.

Le plan de l'entrevue

Le but de l'entrevue est de recueillir des informations précises; aussi, l'intervenant doit-il organiser son plan de travail avant de rencontrer le client. Nous vous présentons à la figure 7.1 un schéma de l'entrevue qui nous permettra d'étudier les divers éléments d'un plan de travail.

Figure 7.1 Schéma du processus d'entrevue.

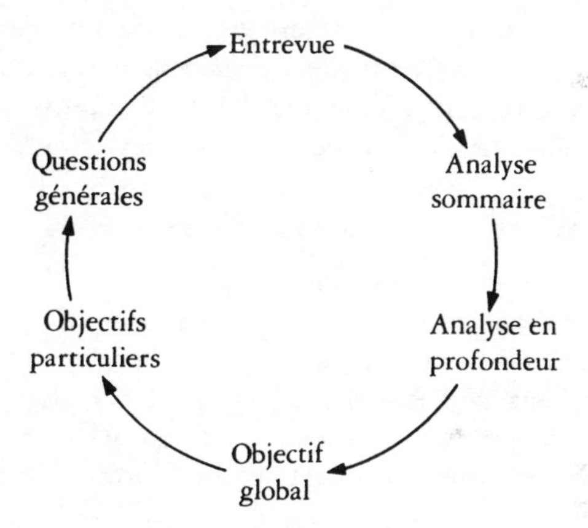

L'objectif global. En premier lieu, il importe que l'intervenant précise l'objectif global de la rencontre de façon à pouvoir en communiquer clairement sa perception au client et à obtenir ainsi son accord.. La formulation de cet objectif devrait correspondre à la pensée du client.

Les objectifs particuliers. Après avoir déterminé l'objectif global de l'entrevue, l'intervenant essaie d'en dégager les objectifs particuliers; il procède alors à l'inventaire des aspects qu'il croit devoir développer en entrevue pour atteindre le but visé: il identifie les voies ou les pistes qu'il pourra utiliser pour bien comprendre le problème présenté par son client. À cette étape de la préparation, le responsable de l'entrevue cherche surtout à s'assurer qu'il a dégagé ou analysé théoriquement tous les aspects reliés au problème central et qu'il a donc prévu les grandes lignes des différents scénarios possibles.

Les questions. Le plan de l'entrevue ainsi préparé, l'interviewer peut alors formuler quelques questions ouvertes qui aideront le client à parler de certains aspects du problème.

Le plan de l'entrevue est donc avant tout un guide pour l'interviewer; tous les aspects du problème doivent y figurer, sans toutefois être élaborés. Pendant l'échange, l'interviewer doit pouvoir se référer rapidement et discrètement à ses notes pour ramener le client dans la bonne voie ou le diriger vers une nouvelle piste. Le plan doit être concis et clair, sinon le responsable perdrait du temps à le consulter et donnerait ainsi à son client l'impression d'être lui-même un peu perdu ! Le plan de l'entrevue ne définit pas l'ordre chronologique des sujets traités lors de l'entretien; il est plutôt une liste générale ordonnée des points et domaines à étudier ou à aborder. Un intervenant qui essaierait de suivre un ordre chronologique manquerait de naturel et pourrait difficilement être à l'écoute de son client.

L'analyse

Au cours de l'échange, l'interviewer peut ou non prendre des notes; quoiqu'il fasse, après la rencontre, il devrait faire un résumé des informations recueillies. En utilisant son plan d'entrevue, il peut facilement organiser les données colligées et faire le point rapidement sur les sujets traités et ceux qui restent à voir avec son client. Le plan sert donc à préparer et à diriger l'échange, et il facilite grandement l'analyse. À son tour, cette analyse fournit des données pour orienter les rencontres futures avec le client.

Les avantages d'un plan d'entrevue

Le plan de l'entrevue est donc un outil de travail essentiel pour l'interviewer, car il lui permet de bien planifier ses rencontres, il lui fournit des points de repère pendant l'entrevue et lui procure une grille d'analyse des informations recueillies. Les débutants pourront le consulter aisément, et leur sécurité personnelle ainsi que leur rendement en seront accrus.

Au plan psychologique

La préparation mentale ou psychologique de l'intervenant entre en jeu dans le processus général de préparation d'une entrevue.

Nous avons déjà mentionné que plus l'intervenant se connaît lui-même et est capable de comprendre, d'évaluer et de contrôler ses propres attitudes, plus il est en mesure de comprendre et d'évaluer les attitudes de ses clients. S'il est bien préparé mentalement, l'interviewer sera plus sûr de lui, et cette attitude aura des répercussions sur le climat général de l'interaction. En devenant plus familier avec lui-même, l'intervenant se sent donc moins menacé par ce qu'il découvre chez autrui, et il est en mesure de réagir adéquatement.

Il ne suffit pas de bien se connaître pour mener à bien une entrevue; il importe également de reconnaître les préjugés qu'on entretient face à un trait de caractère du client ou au sujet de discussion. Beaucoup d'intervenants admettent qu'ils ont des idées préconçues (positives ou négatives) à l'égard de certains types de clients ou de problèmes. C'est un phénomène normal; il s'agit simplement de le reconnaître (plutôt que de le nier) et d'en considérer les effets possibles. Si l'interviewer pense que ces idées peuvent nuire au bon déroulement de l'échange ou être la cause d'erreurs diagnostiques importantes, il peut, selon les circonstances, confier son client à un collègue plutôt que d'entreprendre un entretien dont les chances de succès sont compromises au départ. Une telle attitude est la preuve d'honnêteté et d'éthique professionnelle.

Lorsque l'interviewer est perturbé par des problèmes personnels et qu'il sent que sa compétence peut en être diminuée, il est préférable qu'il remette sa rencontre à plus tard ou, si cela est impossible, qu'il avise son client de façon simple et naturelle de ses difficultés de fonctionnement. L'interviewer n'a pas à raconter à son client les ennuis qu'il éprouve; il pourrait seulement lui laisser entendre, au début de la rencontre par exemple, qu'il n'a pas voulu reporter leur rendez-vous, mais, qu'étant peu en forme, il sera peut-être moins efficace que d'habitude. De telles explications ne sont toutefois pas toujours nécessaires: cela dépend en fait de la nature des ennuis du responsable de l'entrevue, du type de problème qui doit être touché, de la personnalité du client et de la nature du lien qui existe déjà entre les partenaires. L'analyse de ces divers éléments dictera à l'interviewer la ligne de conduite à suivre.

L'importance d'une bonne préparation

À la lecture des explications que nous avons données au sujet des aspects matériel, intellectuel et psychologique de l'entrevue, la préparation à l'entrevue peut paraître une tâche longue et laborieuse. En fait, il n'en est rien. Le cadre physique, une fois mis en place, varie très peu d'une entrevue à l'autre. L'interviewer qui reçoit ses clients dans le bureau où il mène l'ensemble de ses activités professionnelles n'a qu'à se préoccuper du rangement de ses dossiers et documents et de l'aération de la pièce avant de recevoir son client. La préparation matérielle se résume donc à fort peu de choses.

On doit surtout soigner la préparation intellectuelle et mentale. Cela implique d'abord qu'on se soumette à une période de réflexion, puis d'organisation des éléments principaux reliés au thème de la rencontre. L'interviewer expérimenté n'a pas besoin de consacrer beaucoup de temps à cette étape. Toutefois, même si cette préparation peut parfois se faire en quelques minutes, nous croyons que ces instants consacrés au problème du client que l'interviewer s'apprête à recevoir sont indispensables. Ces moments lui permettent de faire le vide en lui, de se libérer l'esprit pour recevoir son client avec le plus d'objectivité possible.

Le but d'une bonne préparation à l'entrevue est principalement de sécuriser les partenaires. L'interviewer qui a revu le dossier de son client, noté quelques informations pour guider l'échange et qui a réfléchi à la nature de son implication dans ce cas se sentira plus sûr de lui et surtout mieux préparé pour faire face aux différents aspects du déroulement de la rencontre et aux imprévus toujours possibles. Cette image que présente l'interviewer ne peut qu'influencer positivement le client qui, à son tour, lui fera confiance. Un tel climat de confiance est une condition essentielle au bon déroulement de l'entrevue et à l'évolution personnelle du client.

Enfin, il va sans dire qu'un intervenant bien préparé à une entrevue sera plus qualifié pour comprendre les différentes facettes du problème exposé et, par conséquent, trouvera plus facilement des solutions appropriées au cas présenté.

7.2 Le début de l'entrevue

L'interviewer doit d'abord accueillir son client avec courtoisie et simplicité. Puisqu'il s'agit d'établir et de maintenir une bonne relation humaine, il est essentiel que l'intervenant ne soit pas pris au dépourvu lorsque son client se présente au rendez-vous. Il devrait être capable, en lui tendant la main, de l'appeler par son nom et de lui dire quelques paroles aimables tout en l'invitant à s'asseoir.

L'interviewer habile commence rarement l'entrevue en entrant dans le vif du sujet. Comme toute activité planifiée qui met en présence deux êtres humains, l'entrevue a besoin d'une phase d'introduction (conversation générale) qui a pour but d'ajuster les deux personnalités à cette nouvelle relation humaine, c'est-à-dire de faire la transition entre un mode de relation familier et un mode particulier, parfois inconnu du client; par ailleurs, cela donne au client le temps de reprendre son souffle, de se mettre à l'aise et de se détendre un peu. Il est donc déconseillé de commencer une entrevue trop brusquement, même s'il s'agit d'un client qui a déjà été rencontré à plusieurs reprises. Cette phase d'introduction ne doit évidemment pas trop se prolonger, sinon elle augmentera l'insécurité du client qui se demandera alors si l'entrevue est commencée ou non.

L'entrée en matière est constituée le plus souvent de réflexions échangées entre les partenaires sur un événement social, sportif, politique ou autre. Peu à peu, pendant cet échange, l'intervenant essaie de faire un rapprochement avec ce qui doit faire l'objet de la rencontre, c'est-à-dire l'objectif de l'entrevue. Le passage de propos d'ordre général à des propos plus précis relatifs au problème à étudier demande de l'habileté et de l'aisance de la part de l'interviewer. C'est un moment délicat, car il détermine largement le succès de l'entrevue.

Lorsqu'il s'agit d'un premier contact avec un client, l'interviewer prendra quelques instants pour se présenter et expliquer son rôle. Dans le cas d'un client «convoqué», il peut être important que le responsable de l'entrevue donne certains détails sur le service qui l'emploie ou sur celui qui a fait la demande d'évaluation (par exemple: l'agent de probation qui doit présenter un rapport présententiel au Tribunal). S'il s'agit d'un client qui a demandé à rencontrer un intervenant, il est parfois utile de savoir comment il a été amené à recourir aux services de telle agence ou de telle personne en particulier. Encore une fois, cette phase de présentation doit être courte et, si des points ne sont pas clairs pour l'un ou l'autre des partenaires, il sera possible de les éclaircir à un autre moment, pendant ou après l'entrevue.

Lors d'une première rencontre, l'interviewer profitera également de la période de conversation générale pour expliquer à son client comment et par qui sera utilisé le matériel qui sera recueilli. L'interviewer doit aborder le sujet de la confidentialité franchement et clairement de façon à ne pas laisser son client dans le doute. Si le client connaît exactement l'utilisation qui sera faite de ses confidences, il sera probablement rassuré, soulagé et reconnaîtra l'honnêteté de l'intervenant à ce sujet.

Quand c'est l'intervenant qui fixe l'objectif de la rencontre, il doit le faire de la façon la plus claire et précise possible. Si la nature du problème à aborder est délicate, il arrive qu'on camoufle le but de l'entrevue et qu'on aborde un thème plus acceptable pour le client. Par exemple, si l'on veut discuter de l'alcoolisme d'un client, il vaut mieux, lors d'un premier contact, annoncer un thème plus vaste (par exemple, les activités du client durant ses moments de loisirs) qui permettra de toucher la question. Quelle que soit la nature du problème, en présentant l'objectif qu'il a fixé pour l'entrevue, l'intervenant devrait chercher à obtenir l'accord de son client; c'est pour lui la meilleure façon de se gagner la confiance du client en début d'entrevue.

Si l'interviewer a des raisons de croire que le client peut lui-même choisir le sujet de discussion, il n'a qu'à le guider en ce sens en lui demandant, par exemple, ce qui s'est passé depuis la dernière rencontre; s'il s'agit d'un nouveau client, il pourra commencer en formulant des phrases comme: «Je crois comprendre que vous avez demandé à me rencontrer pour discuter d'un sujet qui vous préoccupe...» ou encore: «Dites-moi donc à quel sujet vous souhaitiez me voir». Dans ces deux invitations, l'intervenant n'utilise pas le mot «problème»; ce genre d'entrée en matière pourrait gêner le client. En effet, il est possible que le client n'ait pas de problèmes ou qu'il n'ait pas envisagé la situation qu'il vit comme étant problématique jusqu'à ce que l'intervenant le lui ait signalé. Le mot problème est souvent lourd de sens; pour plusieurs, il exprime une situation insurmontable, dont il vaut mieux éviter de parler. Ainsi, lorsqu'on rencontre quelqu'un pour la première fois, il est préférable d'éviter ce terme tant que l'on ignore le sens que lui donne le client.

En début d'entrevue, l'intervenant doit porter une attention particulière aux éléments d'expression non verbale du client. Surtout s'il s'agit d'une première rencontre, le client peut exprimer sa nervosité, son anxiété ou sa gêne par divers signes qui devraient peu à peu disparaître au fur et à mesure qu'il se sentira plus à l'aise face à l'intervenant et au déroulement de l'entrevue. En voyant ces mêmes signes réapparaître au cours d'un entretien, le responsable peut alors faire l'hypothèse que son client ressent un certain malaise face à une question donnée et adopter alors l'attitude qui convient.

Le début de l'entrevue est donc un moment crucial du processus d'interaction entre le responsable de l'entrevue et son client, car il détermine, pour une large part, la nature de la confiance mutuelle qui s'établit ou non entre les partenaires. Surtout lors d'un premier contact, l'intervenant ne doit pas craindre de perdre un peu de temps pour faire connaissance avec son client et lui expliquer tous les aspects reliés au déroulement de la relation qu'ils commencent.

7.3 Le corps de l'entrevue

Une des principales difficultés que rencontre l'interviewer au cours de l'entrevue est d'amener son client à discuter librement de tous les aspects du problème qui l'a amené en consultation. L'interviewer désire donc non seulement que son client décrive l'ensemble des éléments qui touchent à son problème, mais également qu'il analyse les dimensions affectives profondes et intimes de ce problème.

Ainsi, l'interviewer doit souvent faire face au dilemme suivant: traiter d'un problème en profondeur ou voir tous les problèmes qui se présentent. D'une part, si l'entrevue couvre beaucoup de sujets, il est impossible de les examiner en profondeur. D'autre part, si on aborde un seul sujet, on devra en sacrifier plusieurs autres qui pourraient apporter des éléments pertinents à l'élucidation du problème. Examinons les deux facettes de la question.

Lorsqu'il s'agit d'une première rencontre avec un client ou encore d'une entrevue qui a spécifiquement pour objectif de retracer une histoire sociale, l'interviewer a surtout tendance à utiliser une technique qui, si elle devait être représentée, ressemblerait fort à un éventail: il fait donc une sorte d'inventaire du matériel disponible avant de procéder à un deuxième niveau d'analyse. Il encourage alors simplement son client à parler en cherchant à maintenir un flot aussi abondant que possible de confidences et d'informations.

Le travail en profondeur suppose que les partenaires centrent l'entretien sur une situation précise; on part alors de données factuelles reliées à la question et, par l'analyse, on remonte jusqu'aux émotions intimes et personnelles de l'individu. Lorsqu'on parle de profondeur, on signifie qu'on veut toucher le vécu émotif du client par rapport à une situation donnée. Deux éléments entrent alors en jeu: d'une part, l'intensité des émotions soulevées par la situation et, d'autre part, l'intimité de ces mêmes émotions. Il est évident qu'on doit toucher ces deux aspects de la profondeur si l'on veut apporter une aide efficace au client.

L'interviewer qui a recours à la technique «en éventail» observe ce qui s'est passé; s'il fait un travail en profondeur, il s'arrête plutôt à la façon dont le client a vécu ce qui s'est passé. Ces deux techniques sont complémentaires, mais à certaines occasions, l'accent est mis sur un aspect plutôt que sur l'autre. Ainsi, même à l'occasion d'une entrevue ayant pour but de dresser l'histoire sociale du client (travail «en éventail»), l'interviewer peut et même doit s'attarder sur des événements particuliers pour les traiter en profondeur, sinon la biographie qu'il présentera sera terne et incomplète. Dans les rencontres dites thérapeutiques, l'intervenant travaille, en principe, essentiellement en profondeur, mais avant d'amener son client à exprimer ce qu'il ressent par rapport à un certain événement, il est cependant essentiel de connaître les différents aspects de cet événement pour comprendre les sentiments que le client verbalise.

En somme, il n'est pas possible de dresser une liste des situations d'entrevue où l'interviewer travaille obligatoirement «en éventail» ou en profondeur. Chaque entrevue comporte habituellement un mélange des deux aspects, mais l'un prédomine sur l'autre.

Les procédés utilisés pour travailler «en éventail» ou en profondeur sont les mêmes, mais certains favorisent plus l'expression des sentiments que la description des faits.

Pour amener un client à toucher à un grand nombre de sujets, l'interviewer aura recours à des procédés tels que les expressions d'intérêt, les reformulations, les résumés et les questions (surtout directes). S'il désire plutôt aborder son monde émotif, il utilisera ces mêmes procédés (les questions qu'il formulera seront celles dites ouvertes et indirectes) auxquels il ajoutera l'éclaircissement, l'explication des émotions, l'encouragement, les silences, etc. Comme nous avons longuement analysé la plupart de ces procédés au chapitre précédent, nous nous arrêterons maintenant au domaine des questions.

Les questions

Les fonctions et la fréquence

Les interviewers utilisent beaucoup les questions pour obtenir des informations et des confidences de leurs clients. Cependant, les entrevues basées uniquement sur une formule question-réponse créent une relation ambiguë entre les partenaires. Pour que l'entrevue devienne une relation positive grâce à laquelle le client peut vivre une expérience enrichissante, il est essentiel que l'atmosphère invite à la confiance et au respect; il apprendra ainsi à mieux se connaître et bénéficiera de la possibilité de se développer.

Malgré le danger que l'entrevue ressemble à un interrogatoire si on fait une utilisation abusive des questions, il demeure indispensable d'avoir recours à ce procédé; il aide l'interviewer à recueillir des informations, et il amène le client à mieux se comprendre.

Plus précisément, on attribue habituellement aux questions les fonctions suivantes:

— Traduire les buts précis de la rencontre en des termes facilement communicables au client;
— Susciter et maintenir la motivation du client à communiquer;
— Aider le client à s'exprimer;
— Aider le client à préciser sa pensée quand il a de la difficulté à le faire;
— Aider le client à formuler une idée;
— Aider le client à travailler plus en profondeur.

Comme on peut le constater, la fonction globale des questions est d'aider le client, et non de satisfaire la curiosité de l'interviewer, ni de lui permettre d'acculer son partenaire au pied du mur, ou de prendre son client en flagrant délit de mensonge ou de contradiction.

Mais quel serait le nombre idéal de questions que l'interviewer pourrait poser pour atteindre les buts de la rencontre et encourager son client à parler? Combien de questions peut-il poser sans tomber dans l'excès et transformer l'entrevue en interrogatoire? Il n'est évidemment pas possible d'avancer des chiffres à ce sujet. Plusieurs facteurs entrent en jeu: le type d'entrevue et les objectifs visés, la loquacité du client, sa motivation à communiquer, la qualité de la communication, etc. De façon générale, les auteurs s'entendent pour dire que dans la majorité des situations d'entrevue, il est préférable de poser peu de questions. Évidemment, si l'interviewer vise uniquement à recueillir des données factuelles, il aura recours aux questions beaucoup plus souvent que s'il travaille sur un thème précis avec un client prêt à collaborer. Aussi, la nature des questions sera probablement différente dans les deux cas.

À notre avis, le problème d'une entrevue qui ressemblerait plutôt à un interrogatoire se pose surtout pour les interviewers débutants. D'une part, ils craignent les silences ou ont de la difficulté à les supporter, et, d'autre part, ils (surtout les interviewers en formation) maîtrisent souvent mal les divers types de questions. Ils sont peu ou pas conscients que s'ils posent une question directe, le client se contentera de répondre brièvement, sans développer; ils ont tendance à enchaîner avec une autre question du même type et à perpétuer ainsi un mode d'interaction plutôt stérile. Ce n'est que lorsqu'ils ont pu constater l'efficacité des questions dites indirectes et ouvertes et qu'ils ont appris à en maîtriser l'usage que la fréquence générale des questions diminue. L'expérience demeure donc le facteur déterminant.

Pour leur part, les interviewers expérimentés peuvent profiter d'un examen méthodique des différentes sortes de questions qui sont à leur disposition et plus particulièrement de celles auxquelles ils ont habituellement recours. Une telle analyse les amènera parfois à modifier leurs habitudes et ce, pour le plus grand bien des clients.

Les qualités

S'il y a lieu de poser des questions à un client, l'interviewer doit d'abord se préoccuper de savoir si celui-ci est disposé à y répondre. Il lui faut évaluer les circonstances, les dispositions psychologiques générales du client, le thème de l'entrevue pour pouvoir légitimement présumer que le client répondra aussi sincèrement que possible à ses questions.

La forme des questions est reliée à leur qualité, même si cette caractéristique se rapporte surtout au contenu. En effet, la forme affecte le contenu; elle le rend transparent ou obscur, le simplifie ou le complique selon qu'elle est elle-même concise et précise ou, au contraire, longue et floue. L'attitude adoptée lorsqu'on pose une question est parfois aussi importante que la question elle-même. Quand l'interviewer pose une question, il doit donc la formuler en gardant à l'esprit ces trois éléments: la forme, le contenu et l'attitude qui l'accompagne. Une question mal formulée peut bloquer le client, l'insécuriser, l'agresser, bref lui nuire, alors qu'elle devrait lui permettre de poursuivre sa réflexion et d'exprimer clairement ce qu'il pense et ressent.

Pour qu'elle soit correcte, une question doit comporter un certain nombre de caractéristiques que nous décrivons dans les sections qui suivent.

La question claire. Une bonne question est claire. Elle est exprimée avec des mots simples et concrets qui constituent une phrase bien construite et de préférence courte. Si, pour rendre sa question claire, l'interviewer se croit obligé de faire une utilisation exagérée d'adjectifs et de propositions reliées entre elles, il est peu probable qu'il atteigne son but. La question a toujours avantage à être courte. Si l'interviewer a l'impression que le client ne comprend pas sa question, il devrait attendre sa réaction avant de préciser le sens de sa question initiale; si le client n'a pas compris, il l'exprimera.

La question doit être présentée sous une forme positive. Par exemple, il est préférable de demander: «Avez-vous vu Monsieur X?» plutôt que: «N'avez-vous pas vu Monsieur X?». Dans le même ordre d'idée, il vaut mieux proscrire les phrases contenant une double négation comme: «N'est-il pas vrai que vous n'étiez pas présent...» ou «Ne croyez-vous pas qu'il n'est pas nécessaire de boucler sa ceinture en voiture?». Ces formulations sont beaucoup trop complexes et amènent plutôt la confusion. L'interviewer doit chercher avant tout à se faire comprendre de son client plutôt qu'à l'embêter avec des formules compliquées.

Une question claire est concrète, c'est-à-dire qu'elle porte sur ce qui a été, est et risque d'être. L'interviewer doit donc éviter des questions purement hypothétiques. Par exemple, l'interviewer qui demande à son client: «Comment aurait été votre adolescence si vous n'aviez pas perdu votre père à l'âge de 11 ans?» ne fait pas réellement progresser la relation. Toutefois, si l'interviewer désire amener son client à faire une analyse «intellectuelle» d'une certaine situation pour évaluer précisément ses capacités à ce niveau, la question hypothétique peut être intéressante. Elle sera cependant d'autant plus pertinente qu'elle sera reliée à une situation possible ou qui touche personnellement le client. Par exemple, si l'interviewer sait que son client a de bonnes chances d'accéder à un poste de directeur prochainement ou s'il désire connaître son opinion sur la façon dont il envisage les relations entre patron et employés, il pourra demander: «Si vous étiez directeur, comment verriez-vous vos relations avec vos subalternes?». Si on veut qu'elles soient claires, les questions hypothétiques doivent donc toucher des sujets qui concernent le vécu personnel du client.

La question unique. Une question ne doit comporter qu'une seule idée. Par exemple, si l'interviewer demande: «Parlez-moi de vos succès scolaires. Les trouvez-vous acceptables?», on constate qu'une seule idée est touchée (succès scolaires), mais, par la formulation utilisée, on reconnaît deux questions, alors qu'une seule, la première, aurait suffi. Chaque fois que l'interviewer pose plus d'une question à la fois, il risque d'obtenir une réponse confuse, car les clients peuvent rarement mémoriser les divers points proposés et ordonner leurs idées en fonction d'un grand nombre d'aspects contenus dans une question multiple. Ils risquent donc de ne retenir qu'un aspect de la question et d'y répondre en conséquence ou, encore, d'oublier complètement le sens général de la question et de demeurer alors bouche bée. Dans les deux cas, l'interviewer sera obligé de reformuler sa question, ce qui entraîne évidemment une perte de temps et d'énergie.

Si l'interviewer se rend compte qu'il a posé une question dont la formulation lui semble incorrecte, c'est-à-dire qu'elle n'exprime pas bien son idée, et s'il juge qu'il devrait en poser une autre, il devrait plutôt laisser à son client la chance de s'exprimer et, selon la nature de la réponse, il posera sa seconde question.

La question à choix multiples. Une question peut proposer plusieurs choix. C'est le cas des questions du type: «soit... soit...» qui obligent le client à faire un choix entre deux ou plusieurs possibilités. Il pourrait alors choisir les deux, ou n'en préférer aucune, ou encore en choisir une troisième; cependant, la formulation l'oblige à choisir une des possibilités proposées par l'interviewer. Par exemple, l'interviewer qui demanderait: «Voulez-vous du thé ou du café?» ou «Pour votre cours obligatoire d'éducation physique, préférez-vous vous diriger vers la natation ou l'escrime?» ne fournirait pas toute l'information. Dans le premier exemple, s'il s'agit de l'éventail complet des possibilités que l'interviewer a à suggérer, il pourra utiliser une formulation du type: «Je n'ai que du thé et du café à vous offrir; l'une de ces boissons vous plairait-elle?». Une telle formulation indiquera alors précisément au client les limites de son choix. Par conséquent, dans tous les cas où l'interviewer impose un choix, il doit d'abord s'assurer de présenter le tableau complet des possibilités offertes de façon que le client puisse toutes les analyser avant de prendre une décision.

La question non suggestive. Une bonne question doit éviter de suggérer la réponse. Elle ne doit pas inclure de mots ou être posée avec une certaine intonation qui mette le client sur la piste de la réponse. Le choix des mots et la façon dont la question est formulée incitent le client à répondre dans le sens de la question. Si l'interviewer demande: «Votre père est-il un homme irritable ?», non seulement risque-t-il d'obtenir une réponse brève et peu nuancée du type «oui», «non» ou «pas trop», mais il suggère au client l'idée très précise de l'irritabilité de son père. Posée ainsi: «J'aimerais que vous me décriviez les principaux traits de caractère de votre père», la question va sûrement amener une réponse de meilleure qualité tant au plan de la verbalisation qu'à celui des aspects abordés.

Quant à l'intonation de la voix de l'interviewer quand il pose la question, elle est plus difficile à illustrer. De façon générale, l'intonation restreint le sens d'une question en raison de l'emphase mise sur un mot plutôt que sur un autre. Ainsi, l'interviewer peut demander: «Qu'est-ce que *vous* ressentez maintenant face à cette situation ?» ou «Qu'est-ce que vous *ressentez* maintenant face à cette situation ?» ou «Qu'est-ce que vous ressentez *maintenant* face à cette situation ?». Dans chaque cas, une question différente est posée et une suggestion est faite au client.

Les questions suggestives n'amènent pas toujours les clients à répondre dans le sens proposé par l'interviewer. Leur utilisation est dangereuse lorsqu'on est en présence de personnes timides qui n'osent pas s'aventurer dans une direction différente de celle proposée par le «spécialiste» de l'entrevue. Les personnes peu motivées à collaborer à l'entrevue suivront la ligne suggérée, précisément pour éviter de s'impliquer vraiment. Quant à celles qui cherchent à plaire à l'interviewer dans le secret espoir d'en recevoir des faveurs, il est certain qu'elles répondront aussi dans le sens proposé par l'interviewer. En somme, ce sont surtout les clients motivés et capables de s'affirmer qui oseront replacer dans une plus juste perspective une question suggestive de l'interviewer.

La question conçue en fonction de l'interlocuteur. Une bonne question doit correspondre à ce que le client est susceptible de savoir. Elle doit tenir compte du degré de connaissance ou d'expérience de celui-ci. Un interviewer qui demanderait à des parents venant de milieu défavorisé: «Que pensez-vous des voyages en Europe ?» risquerait non seulement de soulever chez eux des sentiments négatifs à son égard, mais aussi de compromettre dangereusement la relation. Si le client sent que l'interviewer ne tient pas compte de ce qu'il est, il n'aura pas vraiment tendance à se confier à lui; cette attitude sera amplifiée du fait qu'il perçoit les questions comme insultantes ou blessantes pour son amour propre.

La question à éviter: «Pourquoi ?». Il n'est pas à propos de commencer une question par l'adverbe interrogatif «pourquoi», même si une telle formulation invite le client à fournir une réponse élaborée. Ce mot a une connotation de déplaisir et de désapprobation. Employé par l'interviewer, le mot «pourquoi» insinue que le client a mal fait ou qu'il s'est mal conduit, même si ce n'est pas le sens que l'interviewer a voulu lui donner. Par exemple, la question: «Pourquoi n'en avez-vous pas parlé avec votre fils ?» peut facilement être interprétée par le client comme un jugement («Vous n'avez pas suivi mon conseil, ce n'est pas bien.») prononcé par l'interviewer. Le client risque alors de se replier sur lui-même, d'attaquer l'interviewer ou de rationaliser; chose certaine, il se sentira moins libre d'explorer, d'examiner ou d'exprimer ce qu'il vit. Un bon nombre de ces questions placent inévitablement le client sur la défensive et nuisent au bon déroulement de la rencontre.

Les clients perçoivent souvent la question commençant par «pourquoi» comme inquisitrice, surtout lorsqu'ils ne connaissent pas la réponse ou ne veulent pas la donner. D'ailleurs, de telles formulations expriment parfois la frustration que vit l'interviewer face à son client ou à lui-même ou à leur relation. En formulant la question de cette façon, il semble exiger du client une réponse qu'il ne possède peut-être pas, qui n'est peut-être pas très claire pour lui ou, encore, qu'il ne souhaite pas donner, du moins pour le moment. Le client à qui l'on demande: «Pourquoi êtes-vous en retard ce matin ?» peut avoir une raison simple d'être en retard, tout comme il est possible qu'il ne sache pas vraiment ce qui a causé son retard. Dans cette éventualité, la question «pourquoi» l'obligera peut-être à inventer une excuse plausible ou à répondre n'importe quoi. S'il désire connaître les véritables motifs de son retard, l'interviewer pourrait formuler sa question autrement: «J'ai constaté que vous étiez en retard au rendez-vous aujourd'hui. S'est-il passé quelque chose ?». Cette formulation a plus de chances de provoquer l'ouverture à autrui, d'amener le client à réfléchir et à faire face à la vérité.

Faut-il éliminer complètement le mot «pourquoi» ? Non; son emploi se justifie si le client perçoit que l'attitude de l'interviewer n'est pas menaçante et qu'il utilise le mot dans le seul but d'obtenir une information sur des faits que le client connaît et que l'interviewer juge nécessaire de savoir. De façon générale, cependant, les interviewers devraient réserver l'utilisation de cet adverbe à l'investigation de faits plutôt qu'à la connaissance de sentiments, de pensées et d'émotions. Ainsi, la question «Pourquoi voulez-vous aller dans telle institution ?» est acceptable parce qu'elle concerne surtout des faits, tandis que la question «Pourquoi vous êtes-vous enfui de cette institution ?» est dangereuse parce qu'elle touche le vécu émotif du client et a une connotation désapprobatrice.

Si, malgré toutes les précautions prises, on a l'impression que la question a placé le client dans une situation embarrassante, il est toujours possible de la reformuler. Cependant, on ne peut jamais savoir avec certitude comment l'autre va percevoir une question qui commence par «pourquoi», même si on la considère comme inoffensive.

La question centrée sur le client. Une bonne question doit avoir trait au client et aux personnes avec qui il a des relations. Elle ne doit pas concerner des tiers qui n'ont aucun rapport avec le client. Si l'on demande à un client: «Comment pensez-vous que A et B s'entendent?», on risque de l'amener à faire une délation, à mentir, à commérer ou à inventer. Ce type de question en est une de simple curiosité personnelle de la part de l'interviewer, et elle n'a pas sa place en entrevue, à moins que l'information demandée aide l'interviewer à comprendre le client et son problème.

En entrevue, l'interviewer centre son attention sur un client et les liens que celui-ci a établis avec un certain nombre de personnes. Pour mieux comprendre ces relations, l'interviewer peut être appelé à demander à son client de lui indiquer comment il perçoit la relation entre des tiers auxquels il est relié; on utilisera toutefois ce procédé avec circonspection. L'objectif d'une entrevue est de comprendre ce que vit le client et non de connaître ses impressions sur ce que vivent entre elles les personnes qui l'entourent.

Une bonne question doit tenir compte de l'état émotif du client. L'interviewer doit percevoir ce que sent son client (grâce, entre autres, aux signes non verbaux); il est inutile de le harceler quand il le sent dans un état de très grande émotion. Trop pressé ou acculé au pied du mur, le client risque de répondre n'importe quoi, ou de se replier sur lui-même à la seule fin de se sortir de l'impasse. L'interviewer trop empressé de connaître les sentiments profonds de son client et incapable de sentir et de respecter le rythme d'expression de son monde émotif se heurtera à ses mécanismes de défense et de protection de son moi intime. Ainsi, lorsqu'un client éclate en sanglots, l'interviewer ne doit pas en profiter pour creuser davantage le sujet, mais il doit plutôt attendre qu'il ait repris son calme et, selon la situation, poursuivre délicatement dans la même voie ou revenir à des propos plus légers.

Les questions ouverte et fermée. Enfin, une bonne question doit inviter à l'élaboration, c'est-à-dire qu'elle doit inciter à développer plus longuement un sujet. On appelle ce type de question question ouverte par opposition à la question fermée ou directe qui amène généralement des réponses telles que: oui, non, rarement, souvent, quelquefois, un peu, etc. Contrairement à la question fermée, la question qui invite à l'élaboration favorise de bons rapports entre les partenaires.

Des questions telles que: «Aimez-vous l'étude?», «Pour mieux vous intégrer dans le groupe, votre éducateur vous a-t-il proposé de pratiquer certains sports?» sont des questions fermées ou directes. Formulées autrement (questions ouvertes): «Quels sont vos sentiments personnels à l'égard de l'étude?», «Quelle sorte de proposition vous a faite votre éducateur pour mieux vous intégrer dans le groupe?», ces mêmes questions inviteraient le client à s'exprimer de façon nuancée, complète et surtout en respectant ses propres schèmes de référence.

On constate que, par opposition aux questions fermées, les questions ouvertes offrent un large champ d'exploration. Elles donnent au client toute latitude pour répondre et ne le restreignent pas à une réponse prévisible. Elles l'invitent à organiser sa pensée et à exprimer ses manières de voir, de penser et de sentir. Elles lui laissent la pleine responsabilité du contenu et de la forme de la réponse; c'est ainsi qu'il choisit les éléments qu'il désire fournir et nuance ses dires. Il sélectionne les aspects d'une situation qu'il considère comme pertinents et révèle ainsi son cadre de référence. Il a donc beaucoup de liberté et se sent en confiance. Au contraire, les questions fermées sont limitatives; elles ne visent en général qu'à recueillir des données factuelles.

En plus des questions ouvertes et fermées, certains auteurs différencient les questions indirectes des questions directes. Pour simplifier notre exposé, nous ne retiendrons que la distinction entre les questions ouvertes et indirectes et considérerons comme synonymes les questions fermées et directes.

Selon les auteurs qui les mentionnent, les questions indirectes sont plus ouvertes que les questions dites ouvertes. Elles sont définies comme une sorte de réflexion ou de reformulation des propos du client dans laquelle l'interviewer indique une interrogation par l'intonation donnée à sa phrase. Par exemple, si le client dit: «Vous savez, je suis une personne qui prend son travail bien à coeur.», l'interviewer peut répondre sur un ton interrogatif: «Vous prenez votre travail bien à coeur?» Il s'agit donc d'une reformulation reflet qui, à cause de l'intonation, devient une question par laquelle l'interviewer invite son client à développer le sujet.

Même si les questions ouvertes donnent plus de responsabilité au client et font davantage progresser l'entrevue que les questions fermées, il ne faut pas en conclure que les secondes sont à proscrire. Dans le domaine de l'entrevue, aucune technique n'est en soi bonne ou mauvaise. Dans certaines situations, certains procédés conviennent mieux, alors que d'autres sont à éviter. C'est l'analyse de divers éléments qui permet à l'interviewer de décider du genre de questions qu'il vaut mieux poser.

L'interviewer considère d'abord les objectifs de l'entrevue. S'il s'agit d'une rencontre portant essentiellement sur le monde intérieur du client, c'est-à-dire sur ce qu'il vit et ressent, l'interviewer optera surtout pour les questions ouvertes. Si, par contre, l'objectif de la rencontre est avant tout de recueillir des faits, des informations, comme à l'occasion de la préparation d'une histoire sociale, l'interviewer pourra se permettre de poser un certain nombre de questions fermées.

Le niveau d'information du client entre aussi en ligne de compte. Si l'interviewer croit que le sujet qu'il s'apprête à aborder dépasse la connaissance acquise ou l'expérience vécue du client, il choisira de commencer par quelques questions ouvertes. Il pourra ainsi évaluer le niveau de connaissance de son client ou encore son attitude face à ce sujet.

Dans cet ordre d'idée, l'interviewer doit évaluer le niveau de réflexion de son client. S'il croit qu'il n'a jamais réfléchi au sujet choisi, il optera pour des questions ouvertes; cela lui permettra d'y réfléchir et de se faire une opinion.

La capacité de développer un sujet et la motivation à collaborer sont également deux facteurs qui dicteront le choix des questions. L'interviewer aura recours aux questions ouvertes avec les clients motivés et capables de s'exprimer. Il réservera les questions fermées à ceux qui ont moins de motivation, puisqu'elles en requièrent moins.

Enfin, la connaissance globale du client guidera l'interviewer. Celui qui connaît bien son client a la possibilité d'adapter ses questions en fonction des différentes étapes du déroulement de l'entrevue et des diverses réactions de son client.

En résumé, nous suggérons d'utiliser les questions ouvertes:

a) quand le but de l'interviewer est d'analyser les sentiments et les émotions de son client;
b) quand l'interviewer ne connaît pas du tout son client;
c) quand le niveau d'information du client est bas ou inconnu de l'interviewer;
d) quand le client ne s'est pas encore fait une opinion sur le sujet de discussion;
e) quand l'interviewer sent des barrières à la communication;
f) au début d'une entrevue et lors des transitions;
g) quand l'interviewer doit aborder un problème complexe;
h) quand le client risque d'être embarrassé par le sujet à aborder.

La progression du général au particulier. Les facteurs qui interviennent en situation d'entrevue sont: les besoins du client, l'objectif de la rencontre et l'état d'esprit des deux partenaires au moment de la rencontre. En fonction de son plan d'entrevue, l'interviewer tente d'organiser la séquence de ses questions selon un certain ordre. Il suit le principe de l'entonnoir, c'est-à-dire qu'il procède du global au particulier; de cette façon, il ne brusque pas le client.

La série de questions qui suit illustre une progression en forme d'entonnoir. Un agent chargé d'évaluer le cas d'un adolescent le rencontre et lui demande:

1. Avant cet incident, quel genre de vie menais-tu?
2. Comment s'est déroulée ton enfance?
3. En vieillissant, comment t'entendais-tu avec les membres de ta famille?
4. Quand tu étais jeune, comment t'entendais-tu avec tes parents?
5. Quand tu étais jeune, comment t'entendais-tu avec ta mère?
6. Quand tu étais jeune et que tu faisais quelque chose de défendu, comment ta mère te punissait-elle?
7. Quand tu étais jeune et que tu te chicanais avec tes frères et sœurs, comment ta mère réagissait-elle?

8. Quand tu étais jeune et que tu te chicanais avec tes frères et sœurs, qu'est-ce que tu pensais des réactions de ta mère face à la situation?

Dans cet exemple, on constate que chaque question réduit le champ d'exploration du client. La première a trait à tous les événements qui ont pu se produire avant l'incident, tandis que la deuxième oriente le client vers une époque précise, son enfance, tout en lui laissant la possibilité d'aborder n'importe quel aspect de cette période de sa vie. Les questions suivantes invitent le client à fixer son attention sur une relation précise (mère —enfant) et un aspect particulier de cette relation, à savoir les formes d'intervention adoptées par la mère en réaction aux conflits entre frères et sœurs. Par l'avant-dernière question, l'interviewer recherche une description objective de la réaction de la mère, tandis que par la dernière, il souhaite obtenir une appréciation subjective de cette réaction. En somme, l'éventail des réponses est beaucoup plus réduit pour les dernières questions que pour les premières: il y a donc progression du général au particulier.

Les questions posées par la personne interviewée. En entrevue, c'est généralement l'interviewer qui pose les questions, mais il arrive quelquefois que les rôles soient renversés et, qu'à son tour, le client se mette à questionner l'interviewer. Les questions que les clients posent sont des moyens d'expression tout aussi significatifs que les réponses qu'ils donnent. On constate cependant que si les interviewers sont prêts à se servir librement des questions, ils ne sont pas préparés à celles qui leur sont adressées, et ils les perçoivent parfois comme une menace à leur autorité ou comme un jugement de leur compétence d'interviewer.

Si l'interviewer a appris à ne pas poser des questions menaçantes, il ne craindra pas celles posées par ses clients, et il ne se sentira pas obligé, si la situation se présente, de faire comprendre, verbalement ou non, à son interlocuteur que lui seul a le droit de poser des questions. Lors d'un revirement de situation, l'interviewer doit écouter son client et répondre à chaque question en la traitant de la même façon qu'il le fait pour tout ce que dit son client. Il est évident que toutes les questions n'appellent pas une réponse, mais chacune exige une écoute respectueuse et compréhensive et, souvent, une réaction personnelle de la part de l'interviewer.

Les questions que les clients posent ont habituellement trait à trois sujets d'intérêt pour lui: les autres, l'interviewer et lui-même. Il existe un quatrième type de questions: la quête d'informations. Elle est généralement un prétexte utilisé pour aborder un des trois sujets mentionnés. En effet, sous le couvert d'une banale demande d'information, le client cache parfois une préoccupation dont il n'ose pas faire part à l'interviewer. Par exemple, le client qui s'informe de l'heure cherche peut-être à exprimer le désir que l'entrevue se prolonge au delà des limites prévues ou, à l'inverse, qu'elle se termine plus tôt. Si une question cache des sentiments de cette nature, et que l'interviewer n'y apporte qu'une réponse factuelle, il prouvera qu'il n'est pas très sensible aux préoccupations de son client. L'interviewer devrait donc apporter l'information demandée, sans oublier que la question cache peut-être quelque chose qui mérite son attention. Il ne s'agit pas de chercher un sens caché à chacune des questions posées par le client, mais d'être conscient que chaque question peut en avoir un.

Les autres. Examinons maintenant les questions posées par le client au sujet des autres et, de façon plus précise, les trois possibilités qui se présentent généralement:

a) L'autre personne est également connue de l'interviewer et du client;
b) L'autre personne n'est connue que du client;
c) L'autre personne est connue de l'interviewer et du client, mais l'interviewer a eu une relation d'aide ou d'évaluation avec elle.

Dans le premier cas, il s'agit par exemple d'un client qui demande: «Maintenant que je vous ai raconté de quelle façon l'éducateur Y m'a traité, dites-moi ce que vous pensez de lui.» Si l'interviewer désire exprimer son opinion, il peut le faire en disant: «Personnellement, j'aime cet éducateur, mais d'après ce que vous venez de me dire, j'ai l'impression que vous l'avez trouvé très sévère. Qu'en pensez-vous?»

S'il s'agit par contre d'une personne que l'interviewer ne connaît pas (deuxième possibilité), il peut alors le signifier à son client et, comme dans l'exemple précédent, lui renvoyer la balle pour qu'il précise son opinion.

Enfin, quand le client sait que la tierce personne a été rencontrée par l'interviewer lors d'une entrevue précédente (troisième possibilité), il peut être curieux de connaître le contenu de la discussion qu'ils ont eue. L'interviewer a plusieurs choix de réponses. Analysons une situation où, par exemple, les deux membres d'un couple ont été rencontrés:

Le client

«Vous avez rencontré ma femme. Elle a dû vous parler beaucoup de moi. Que me reproche-t-elle précisément?»

Commentaires possibles de l'interviewer

1. Vous savez que je ne peux pas vous dire ce qu'elle m'a révélé, pas plus que je ne peux lui relater les propos que nous avons. La conversation que j'ai eue avec votre femme m'a aidé à mieux vous comprendre et à mieux saisir ce que vous vivez ensemble.
2. Votre femme m'a demandé de ne pas parler de notre conversation. Elle préférerait que vous lui demandiez vous-même de vous en parler. Qu'en pensez-vous?
3. Votre femme m'a dit des choses que vous n'approuverez probablement pas. Elle vous reproche d'accorder trop d'importance à votre travail et à vos activités sportives. Elle aimerait que nous en discutions tous ensemble. Qu'en pensez-vous?

Ces trois réponses sont évidemment fort différentes, mais dans chaque cas l'interviewer est loyal; il exprime clairement et sincèrement son opinion tout en demandant au client de lui donner son avis à propos de ce qu'il vient de dire.

L'interviewer. Le deuxième sujet d'intérêt du client est l'interviewer lui-même. Il importe de répondre brièvement et loyalement tout en cherchant à orienter la réponse vers le problème central posé par le client. Par exemple:

Le client
«Tiens! Vous avez encore un nouveau chandail. Vous devez dépenser une fortune pour vous habiller!»

Commentaire possible de l'interviewer
Je ne m'achète pas souvent de vêtements et je les conserve très longtemps. Je constate cependant que vous êtes très observateur. Vous remarquez les vêtements... À ce propos, quel effet cela vous fait-il de ne pas pouvoir porter ce que vous voulez en institution?

Le client. Enfin, le client peut poser des questions qui le touchent directement. L'interviewer devrait apporter une réponse sincère et renvoyer la balle à son client.

Le client
«Trouvez-vous que j'ai l'air fatigué, aujourd'hui?»

Commentaire possible de l'interviewer
Je ne saurais vraiment dire, car je ne vous connais pas encore assez, mais... vous, comment vous sentez-vous?

La personnalité de l'interviewer et du client de même que l'ambiance détermineront comment l'intervenant doit répondre aux questions du client, s'il faut lui répondre et quand il doit le faire. Toutefois, comme l'entrevue est centrée sur le client, il ne faudrait pas qu'elle soit dorénavant centrée exclusivement sur l'interviewer.

Les réponses non pertinentes et les questions complémentaires
Le responsable de l'entrevue a la tâche délicate d'approfondir les sujets qu'il doit traiter avec le client. Lorsque la première réponse donnée à une question est incomplète ou insatisfaisante, que doit faire l'interviewer pour encourager son client à donner plus de détails, sans nuire à la relation déjà établie? Certains interviewers n'osent pas poser de questions supplémentaires de crainte de provoquer une détérioration de la relation avec le client. Or, l'entrevue ne doit pas se limiter au simple fait de poser des questions et de noter des réponses; les questions doivent viser un approfondissement du sujet traité, surtout si les réponses antérieures n'étaient pas pertinentes. L'approfondissement d'un sujet a pour fonction, d'une part, de motiver le client à parler davantage et, d'autre part, de contrôler l'interaction entre les parte-

naires de façon qu'ils s'en tiennent au sujet qui fait l'objet de la rencontre. Il importe de souligner au client ce qui est pertinent et ce qui ne l'est pas et de supprimer les éléments de discussion qui ne touchent pas le sujet de la rencontre.

Les questions complémentaires servent à aider le client à développer ou à clarifier sa pensée suite à une première question à laquelle il n'a pas apporté une réponse satisfaisante; leur but n'est pas de contre-interroger, car une telle attitude risquerait de compromettre la relation.

Les divers types de réponses non pertinentes. Avant de poser une question complémentaire, l'interviewer doit évaluer rapidement en quoi la réponse du client est insatisfaisante. Or, il existe plusieurs sortes de réponses insatisfaisantes ou inadéquates:

a) La réponse partielle: Les données fournies sont pertinentes, mais la réponse est incomplète, c'est-à-dire qu'elle ne fournit pas toutes les informations qui permettent de comprendre la situation.

b) Le silence: Le client ne répond pas; un tel silence peut s'expliquer par un blocage ou un désir de demeurer silencieux. L'interprétation que fera l'interviewer de ce silence orientera évidemment son choix de la question complémentaire.

c) La réponse qui n'a aucun lien avec la question: En formulant un tel type de réponse, le client fournit sans hésitation des informations abondantes qui ont peu ou pas de lien avec ce qui est demandé. Avant de formuler une question complémentaire, l'interviewer doit évaluer si le client s'éloigne délibérément du sujet ou s'il n'a pas compris la question.

d) La réponse qui comporte des imprécisions, des inexactitudes ou même des contradictions: Une telle réponse peut paraître complète et pertinente. Toutefois, à l'analyse, l'interviewer constatera qu'elle ne correspond pas à des faits mentionnés ou aux sentiments véritables du client.

e) La réponse par laquelle le client explique son incapacité ou son impossibilité de répondre à la question de l'interviewer: Le client évoque alors les motifs qui l'incitent à ne pas répondre à la question: soit qu'il n'ait pas compris la question, soit qu'il ne possède pas l'information ou l'expérience nécessaire pour y répondre, ou qu'il n'en voit pas la pertinence.

Les causes des réponses non pertinentes. Suite à une réponse non pertinente, l'interviewer doit songer à formuler une ou plusieurs questions complémentaires qui lui permettront de cerner le problème. Comment choisira-t-il cette question ? D'abord en essayant d'identifier la cause de la réponse non pertinente. Le manque de motivation à l'entrevue est certes une des principales raisons pour lesquelles un client donne une réponse insatisfaisante. C'est pourquoi la tâche de l'interviewer est avant tout de susciter sa motivation; de cette façon, il devrait éliminer un bon nombre de réponses inadéquates.

Il existe de nombreuses autres raisons qui peuvent inciter un client à donner des réponses non pertinentes:

a) Le client ne comprend pas le but de la question ou ce qui lui est demandé;
b) La question est posée en des termes qu'il ne comprend pas;
c) Le client ne possède pas l'information ou l'expérience nécessaire pour répondre;
d) Le client ne se souvient pas de l'information qui lui est demandée;
e) Le client est incapable de verbaliser ses émotions;
f) Le client ne voit pas le lien entre la question posée et l'objectif de la rencontre;
g) Le client ne désire pas s'impliquer plus profondément;
h) Le client ne se sent pas écouté et compris de l'interviewer.

Pour pouvoir identifier une de ces causes, l'interviewer a d'abord intérêt à s'interroger sur la nature du stimulus qu'il a présenté à son client. La question posée était-elle de même nature que les autres questions auxquelles le client a répondu de façon satisfaisante ? Comme nous l'avons mentionné, une réponse insatisfaisante peut être le fait d'une formulation trop abstraite ou d'une demande d'information que le client ne possède pas. Il importe donc que l'interviewer soit conscient de l'influence de la formulation de ses questions et des pressions qu'elles peuvent exercer sur le client. Chaque question doit tenir compte de la personnalité du client (niveau d'instruction, cadre de référence, motivation, attitudes) et du but de l'entrevue.

En analysant le climat général de l'entrevue et la qualité de la relation, l'interviewer peut trouver une autre explication à certaines réponses insatisfaisantes. Si, tout au cours de la rencontre, le client a évité systématiquement de répondre à des questions touchant un sujet précis, il est probable qu'il apportera une réponse insatisfaisante à une question portant sur le même sujet. Plutôt que de persister à l'interroger, l'interviewer aurait avantage à analyser avec lui le problème et à le rassurer sur ses intentions; il sera ainsi plus confiant et plus motivé.

L'observation des indices non verbaux peut également aider l'interviewer à comprendre les causes d'une réponse insatisfaisante. Le ton de la voix, un sourire énigmatique, un raidissement du corps sont autant de signes qui peuvent indiquer à l'interviewer que la question embarrasse le client ou lui déplaît.

L'interviewer ne peut ignorer une réponse inadéquate, car elle est toujours le symptôme d'un malaise ou d'un problème plus ou moins profond. Ainsi, pour diagnostiquer la cause d'une réponse inadéquate, l'interviewer fera, d'une part, un examen de sa question et, d'autre part, un examen de la personnalité du client et des indices non verbaux que celui-ci a pu lui fournir. Suite à cette analyse, s'il ne comprend pas les motifs qui ont incité le client à donner une réponse insatisfaisante, il en demandera l'explication au client.

Les types de questions complémentaires. Après avoir analysé, à partir des indices que nous avons mentionnés, les causes des réponses non pertinentes, l'interviewer doit réagir en posant une ou des questions complémentaires. Elles sont de divers types. Les pauses bien calculées ou les remarques du genre «oui, oui», «hum, hum» sont souvent très utiles. Ces expressions ainsi que les reformulations reflets indiquent la compréhension et l'intérêt et signifient au client que l'interviewer est disposé à en entendre davantage ou même qu'il le souhaite. Lorsque ce genre d'intervention ne suffit pas, l'interviewer peut toujours formuler des phrases neutres du genre: «J'aimerais que vous m'en disiez un peu plus long...» ou «Pouvez-vous me parler davantage de...». Les expressions d'intérêt et les phrases neutres réussissent habituellement à faire comprendre à un client que sa réponse est incomplète et que l'interviewer désire plus d'informations. Il n'est donc pas nécessaire qu'il verbalise son insatisfaction.

Dans les cas où l'interviewer s'aperçoit que son client a des difficultés à verbaliser ses émotions ou à les analyser en profondeur, il peut avoir recours à des techniques comme celle de l'encouragement explicite et celle de l'explication de l'émotion (ces techniques sont décrites au chapitre précédent). Toutefois, lorsque le client n'est vraiment pas prêt à exprimer ses sentiments, il est préférable de changer de sujet ou d'aborder un sujet plus superficiel.

À l'occasion, la technique du résumé peut aider le client à donner une réponse complète. Par ses propos, le responsable de l'entrevue «réfléchit» alors les sentiments et émotions exprimés par son client, et celui-ci, se sentant compris, est encouragé à donner plus d'informations. Cette technique permet en outre au client d'éclaircir certains points lorsqu'il juge le résumé insatisfaisant. Toutefois, un usage excessif de cette technique, qui mettrait l'accent sur les imprécisions de ses réponses, risquerait d'effrayer le client; il pourrait alors se replier sur lui-même ou, à l'inverse, farcir son discours de détails inutiles.

Il est indispensable que l'interviewer soit tolérant envers un client qui ne répond pas correctement, même s'il soupçonne chez lui une volonté d'opposition. Il formulera les questions complémentaires pour motiver le client à verbaliser ses émotions et à développer ou maintenir un climat de confiance entre les partenaires. En tout temps, elles doivent stimuler le client et non le bloquer.

Le feed-back

Définition

Le terme feed-back emprunté au vocabulaire de la cybernétique est composé de deux mots anglais: *feed* qui signifie «nourrir», et *back* qui signifie «en retour». Le feed-back est en fait toute forme de renseignement, signal ou réponse qui, partant du récepteur, est envoyé vers l'émetteur ou le début de la chaîne de communication, et qui vise à développer la compréhension entre l'émetteur et le récepteur.

Les types de feed-back

Les méthodes d'information pure (télévision, journaux) ne comportent pas de feed-back. Un message est envoyé, mais l'émetteur ne connaît ni la personne qui reçoit le message, ni l'interprétation qu'elle en fait. Par opposition, l'entrevue est rarement une séance d'information; elle est plutôt un rapport, un échange entre deux ou plusieurs partenaires. Dans un tel contexte, le feed-back (ou la réciprocité) existe. En entrevue, il est un instrument de communication avec une autre personne (ou avec un groupe), c'est-à-dire qu'il lui donne des renseignements sur la manière dont elle est perçue par les autres. Par le feed-back, on peut donc aider une personne à envisager de modifier son comportement.

Les formes de feed-back sont multiples. Dans certains cas, le plus typique étant celui des communications militaires, le feed-back est obligatoire. Il comporte habituellement deux éléments, le premier portant sur la qualité de la transmission («Je vous reçois cinq sur cinq») et le second portant sur la compréhension du contenu («Je me dirige vers l'intersection des routes X et Y, et j'entre en contact avec vous dès mon arrivée.»).

Le genre de feed-back où le récepteur répète systématiquement l'ensemble du message reçu n'est évidemment guère utilisé en dehors de certains types précis de communication. En situation d'entrevue, il n'a pas sa place.

Un autre type de feed-back a été développé pour répondre plus particulièrement aux demandes du domaine de l'enseignement. Il consiste à vérifier l'adéquation entre ce que l'enseignant a dit et ce que les étudiants en ont retenu ou assimilé. En termes plus simples, ce type de feed-back est constitué des divers modes d'évaluation (dissertations, examens, contrôles) de ce qu'ont enregistré les récepteurs d'un message pédagogique. Il permet à l'enseignant de se rendre compte du degré d'adaptation de l'émission aux objectifs et aux récepteurs.

En sollicitant des questions ou des commentaires de la part de ses auditeurs, le conférencier et le professeur recherchent une certaine forme de rétroaction (réaction) qui leur permettra de vérifier jusqu'à quel point ils ont été compris et, par conséquent, de clarifier les points obscurs, de dissiper les malentendus et de développer plus longuement leur pensée s'il y a lieu. Ce type de feed-back est utilisé couramment en situation d'entrevue: l'interviewer qui a enregistré les confidences de son client reformule une partie de ses propos pour s'assurer qu'il a bien saisi le sens du message. Les techniques de reformulation sont en fait une forme raffinée de rétroaction, mais l'interviewer n'est évidemment pas le seul à réagir en situation d'entrevue. Le client, par ses questions, ses commentaires et des signes non verbaux fournit un feed-back essentiel au responsable de l'entrevue. En fait, chacun réagit aux propos de l'autre: l'interviewer utilise des techniques précises pour démontrer à son client la compréhension qu'il a de son problème; le client répond spontanément ou de façon étudiée aux propos de l'interviewer. C'est d'ailleurs le feed-back systématique fourni par l'interviewer qui, avec le temps, aide vraiment le client à avoir une meilleure compréhension de son comportement.

Il est un autre type de feed-back qui nous intéresse: les messages non verbaux. Ils ont une influence immédiate sur l'émetteur d'un message et constituent pour lui une source importante de feed-back. Les mouvements et les mimiques d'un groupe d'étudiants en salle de cours traduisent rapidement la nature de l'intérêt qu'ils portent à l'enseignement du professeur. En entrevue, l'interviewer et le client perçoivent ces signes non verbaux émis par l'autre, et chacun ajuste son comportement et ses propos en fonction du sens donné à ce type de feed-back. Par exemple, si, pendant la formulation d'une question, l'intervenant observe des gestes particuliers chez son client, il analysera ces signes et modifiera sa question en fonction de ce qu'il a perçu.

Les caractéristiques du feed-back

Des divers types de feed-back analysés, seuls les deux derniers s'appliquent en situation d'entrevue. Pour être efficace, le feed-back doit être bien fait. Examinons quelques caractéristiques d'un bon feed-back.

Un bon feed-back devrait être:

a) descriptif, car en décrivant sa propre réaction, l'interviewer permet à son client d'utiliser le feed-back de la façon dont il l'entend. En ne portant pas de jugement, il évite que l'autre ne soit sur la défensive;

b) spécifique, car en décrivant un comportement ou un geste particulier et en utilisant des exemples précis, l'interviewer a plus de chance d'être compris que s'il a recours à des concepts vastes frôlant l'interprétation pure;

c) approprié autant aux besoins de l'émetteur qu'à ceux du récepteur. L'interviewer qui donne du feed-back doit être sensible aux besoins de son client. Il ne s'agit donc pas de donner du feed-back pour le simple plaisir de prendre la parole ou de transformer en d'autres termes des propos parfaitement clairs;

d) orienté vers des comportements qui peuvent se changer. Il est en effet inutile que l'intervenant donne et répète un feed-back sur des comportements difficiles ou impossibles à changer ou en dehors de tout contrôle. Cela risque de frustrer encore davantage le récepteur;

e) fait au bon moment; de façon générale, pour être efficace, il doit être fait le plus tôt possible ou immédiatement après le commentaire ou le comportement du client auquel l'interviewer veut réagir;

f) évalué, c'est-à-dire que l'interviewer devrait s'assurer qu'il a été bien compris et qu'il n'a pas été déformé. Ainsi, l'interviewer qui reformule un ensemble de propos émis par son client cherchera toujours à recevoir de lui une appréciation de la reformulation qu'il lui a présentée.

Les effets du feed-back

En situation d'entrevue, chacun réagit aux propos et aux gestes de l'autre. Le feed-back que se donnent mutuellement les partenaires est partie intégrante de leur communication. Il a des effets sur chacun d'eux et sur la relation qui existe entre eux.

Si les interlocuteurs font un effort sincère pour établir une bonne communication, le feed-back leur permettra de percevoir les obstacles à la communication, d'adapter leurs messages (et donc de les rendre plus efficaces) et de se sensibiliser aux signes verbaux et non verbaux.

Si l'interviewer donne régulièrement un bon feed-back à son client, le degré de confiance de ce dernier à son égard s'en trouvera intensifié, sa sécurité et sa motivation à communiquer augmenteront et, par conséquent, les communications ultérieures en seront facilitées. Réciproquement, lorsque le client réagit aussi aux propos et aux questions de l'intervenant, ce dernier en retire les mêmes bénéfices. C'est ainsi que l'apprentissage des codes et des normes de relation enrichiront la relation entre les partenaires.

En entrevue, la communication se définit par un échange de significations qui ne doit pas se réduire à une transmission unilatérale d'informations. Le feed-back est donc une composante essentielle de cet échange que l'intervenant n'a pas le droit de négliger.

Les transitions

L'un des rôles les plus importants de l'interviewer est de contrôler et de diriger le processus d'interaction entre lui et son client de façon que les objectifs de l'entrevue soient atteints. Par contrôle, nous ne voulons pas dire ici que l'interviewer doive toujours diriger l'entrevue de façon stricte, c'est-à-dire lui imprimer les mouvements qu'il désire et aborder les sujets et les points de vue qu'il juge préférables. L'interviewer a plutôt la tâche de veiller au bon déroulement de l'entrevue, c'est-à-dire qu'il doit orienter ses interventions de façon que le client ne s'écarte pas du sujet qui fait l'objet de la rencontre. Pour garder le contrôle de l'interaction, l'interviewer doit donc effectuer des transitions à différents moments de la rencontre. Plusieurs raisons peuvent motiver l'interviewer à faire une transition. Il est possible qu'un certain sujet ait été épuisé et que la poursuite de la discussion devienne répétitive pour les deux partenaires. L'intervenant peut se rendre compte qu'il a introduit prématurément un thème ou encore que le client est incapable de supporter plus longuement la discussion sur un sujet qui le touche trop profondément; une transition effectuée habilement lui permettra alors de passer à un sujet moins embarrassant. En effectuant des transitions lorsque cela s'avère nécessaire, on diminue les risques que le client se ferme complètement ou mette tout simplement fin à une relation qu'il juge menaçante.

En entrevue, la limite de temps prévue doit être respectée. Aussi, faut-il éviter les pertes de temps et d'énergie aux deux partenaires de la rencontre. C'est à ces fins qu'on a recours aux transitions: elles permettent de couper court lorsque le sujet abordé par le client est sans importance, et il est ainsi possible de consacrer la totalité de l'entrevue au problème soulevé.

Quelques principes

L'interviewer doit savoir reconnaître une communication sans importance; en effet, l'interviewer a recours trop souvent à une transition pour servir ses propres besoins. En principe, toute transition devrait servir les buts de la rencontre ainsi que les besoins du client.

Il existe d'autres principes qui devraient guider l'interviewer dans le choix des moments pertinents pour faire une transition. D'abord, l'interviewer ne doit interrompre son client pour changer de sujet que s'il est certain qu'il aura assez de temps pour travailler le nouveau sujet. À chaque fois qu'une transition a lieu, les deux partenaires ont besoin d'un instant de répit pour s'ajuster à la nouvelle situation; avant de faire une transition, l'interviewer devrait tenir compte de cette période d'adaptation, de même que de l'importance du nouveau sujet.

Des transitions qui seraient trop fréquentes et mal préparées pourraient porter le client à croire que l'interviewer est mal préparé ou incompétent. Une telle façon de diriger l'entrevue est non seulement insécurisante pour le client, mais elle est aussi fort peu productive. Par conséquent, avant d'effectuer une transition, l'interviewer devrait d'abord revoir mentalement l'ensemble des aspects abordés afin de s'assurer que rien n'a été oublié; par la suite, il pourra demander à son client s'il a des éléments à ajouter avant de passer à autre chose.

Les transitions trop brusques sont également à déconseiller, car le client n'y est pas préparé; elles risquent alors de lui apparaître comme illogiques ou de l'inquiéter franchement. Si, au contraire, le lien entre le nouveau sujet et les objectifs de la rencontre lui est clairement exposé, il craindra beaucoup moins de s'engager dans une nouvelle voie.

Enfin, une fois qu'il a obtenu l'accord, du moins apparent, de son client, l'interviewer doit être sensible à tous ses gestes et toutes ses expressions qui suivent immédiatement la transition. En effet, si le client revient subtilement à un thème antérieur, s'il commence à manifester une certaine réticence à se confier, s'il émet des signes non verbaux de nervosité ou d'anxiété, l'interviewer devra considérer à nouveau la pertinence de la transition effectuée. Pour maintenir une bonne relation entre les partenaires, il est plus utile que l'interviewer se montre flexible et suive les indications de son client. Il serait vain d'essayer de le diriger dans une certaine voie.

Quelques types de transitions

Quand on parle de transitions, on pense d'abord à des changements de sujet durant l'entrevue. C'est ainsi que dans les entrevues biographiques, les changements de sujets peuvent être nombreux; par contre, dans les rencontres thérapeutiques, ils sont beaucoup moins fréquents (au cours d'une même rencontre, il va sans dire).

Les variations d'intensité et d'intimité dans le cadre d'un sujet donné constituent un autre type de transition. Elles sont fréquentes dans les entrevues thématiques et thérapeutiques. Ainsi, après avoir orienté son client vers une analyse superficielle de la situation, l'interviewer essaiera de l'amener vers une réflexion plus profonde où les émotions et les sentiments, par opposition aux faits ou événements reliés à la situation, deviendront les éléments importants de l'échange.

Au cours d'une même entrevue, les références temporelles sont également variables. Ainsi, une relation entre parents et enfants peut être analysée selon différents angles: telle que le client la vit présentement, telle qu'il se la représentait durant son enfance ou encore telle qu'il imagine qu'elle se présenterait dans le futur. Une transition qui se fait en termes de référence temporelle fait donc passer le client d'une époque à une autre, mais toujours en se reportant à un thème précis de discussion.

Quelques techniques

Pour effectuer ces divers types de transitions, l'interviewer possède un certain nombre de techniques. Les auteurs en présentent généralement trois types: les méthodes subtiles ou implicites, les méthodes accentuées ou dites de retours en arrière et les méthodes brusques.

La transition subtile consiste à adapter une remarque que le client vient juste de faire pour le relancer sur une piste nouvelle. Il y a donc peu ou pas de coupures dans la conversation; l'échange est plutôt orienté: l'interviewer fait des associations d'idées à l'occasion d'un commentaire du client et il les utilise pour faire dévier le sens de la discussion. Cette technique a l'avantage de laisser croire au client qu'il a lui-même provoqué le changement.

La transition accentuée consiste à utiliser les propos du client qui n'ont pas été approfondis. L'interviewer reprend alors un élément donné antérieurement par le client et lui demande de le développer. Si, à cette occasion, l'interviewer est capable de se souvenir des mots et des expressions mêmes du client, il pourra non seulement effectuer une bonne transition, mais en même temps lui démontrer clairement qu'il écoute ce qu'il dit.

Les transitions brusques consistent à couper tout lien avec les propos du client pour orienter la conversation vers un sujet complètement différent. Dans ce type de transition, il n'y a donc aucune association d'idées avec ce qui a précédé, ni aucune relation avec un sujet mentionné antérieurement. Pour que le client ne se sente pas trop insécure à l'occasion de telles transitions, l'interviewer peut le préparer en faisant par exemple un bref résumé de ce qui a été abordé jusqu'à maintenant ou en expliquant certaines des raisons qui le poussent à effectuer la transition; le client acceptera plus facilement le changement s'il en connaît et comprend le motif.

Les transitions effectuées par le client

Nous n'avons parlé que des transitions effectuées par l'interviewer. Cependant, le client provoque parfois une transition soit parce qu'il est fatigué de discuter sur un certain sujet, soit parce qu'il désire aborder un thème qui le préoccupe davantage, soit parce qu'il cherche à éviter de s'impliquer plus profondément, ou encore parce qu'il veut avoir le contrôle de l'entrevue.

Lorsque le client fait lui-même une transition, l'interviewer doit d'abord décider s'il désire le suivre ou non dans cette voie et, par conséquent, s'il accepte de modifier son plan d'entrevue. Il doit en même temps tenter de comprendre les raisons qui l'ont poussé à provoquer un tel changement. Les raisons sont parfois évidentes, mais dans d'autres occasions elles ne le sont pas; lorsque cela se produit et que l'interviewer ne comprend pas les raisons qui peuvent motiver une telle orientation, il est mieux de poser simplement la question. S'il constate que la nouvelle voie n'est pas prometteuse, il peut indiquer à son client qu'il garde à l'esprit le sujet qu'il a proposé, mais que, pour atteindre l'objectif de l'entrevue, il y aurait lieu d'en remettre la discussion à plus tard. Cependant, lorsque la transition a été effectuée afin d'éviter un sujet ou une implication plus profonde de la part du client, l'interviewer devrait alors supporter la digression temporaire et profiter d'une autre occasion pour revenir au sujet original. Cette technique permet au client de se reposer un peu et éventuellement de rassembler ses forces pour aborder un sujet plus difficile.

Il arrive que le client fasse une transition pour tenter de prendre le contrôle de l'entrevue. Cette situation est toujours embarrassante pour l'interviewer, car les motifs d'une telle action sont rarement clairs. Dans un tel contexte, l'interviewer doit, dans un premier temps, accepter de suivre l'orientation choisie par le client et, dans un deuxième temps, essayer de reprendre son rôle de meneur; il devra user de subtilité et de tact, sinon le client pourrait se montrer encore plus récalcitrant face à l'entrevue.

Les communications verbale et non verbale

Le verbal

On dit de quelqu'un qu'il verbalise bien s'il exprime sa pensée ou ses sentiments sans difficultés et sans inhibitions anormales, c'est-à-dire s'il trouve facilement les mots qui conviennent et s'il démontre une habileté à construire et à enchaîner spontanément des phrases. On parlera, au contraire, de mauvaise ou de pauvre verbalisation chez une personne qui est peu loquace ou qui s'exprime péniblement.

Ce facteur de verbalisation joue évidemment un rôle important dans une situation d'entrevue où les deux partenaires doivent précisément communiquer entre eux au moyen de la parole. Lorsque nous parlons de techniques de verbalisation, c'est surtout à l'intention de l'interviewer que nous le faisons, car le client verbalise comme il le peut et, cela va sans dire, sans se soucier de la technique.

Pour l'interviewer, l'habileté à bien verbaliser signifie, d'une part, qu'il soit capable de s'exprimer conformément aux exigences d'une entrevue finalisée et en respectant certains principes méthodologiques et, d'autre part, qu'il soit capable d'aider le client à s'exprimer.

Nous savons que le but de l'entrevue est d'amener le client à exposer son problème, ses sentiments et ses réactions, et à discuter avec le responsable des solutions à envisager; il doit régner un climat de confiance qui lui permette de s'exprimer en toute liberté. Cependant, au début, le client est rarement à son aise et l'interviewer doit l'aider à s'exprimer. Pour l'encourager, l'interviewer essaiera de respecter un certain nombre de règles. Dans un premier temps, il s'efforcera de déterminer clairement les objectifs de la rencontre et d'établir des cadres de référence (objectifs généraux, étapes principales, etc.) suffisamment précis pour que l'on ne demeure pas dans le vague et l'ambiguïté de part et d'autre. Il est important que les deux partenaires parlent le même langage, c'est-à-dire que tous deux abordent un sujet selon le même angle.

Si le client verbalise facilement, l'interviewer ne devrait pas l'interrompre au cours d'un énoncé ou d'une explication. S'il s'exprime difficilement, il est encore plus impératif que l'interviewer évite de l'interrompre, car non seulement couperait-il court à ses propos, mais il pourrait le blesser; il n'est pas non plus indiqué de venir à son secours en lui soufflant des mots ou des bouts de phrases.

L'interviewer doit parler relativement peu. Les longues tirades, les explications magistrales et les discours, même s'ils ne sont pas moralisateurs, ne sont pas appropriés. L'interviewer doit axer sa part de verbalisation sur les besoins particuliers de l'échange en cours, et, en principe, il devrait parler moins que son client.

Il n'y a évidemment pas de règles fixes qui déterminent la quantité de paroles qui doivent être prononcées respectivement par l'interviewer et par le client. Le débit verbal est appelé à varier selon le genre d'entrevue et selon le genre de personnes en présence. Cependant, on considère en général qu'une entrevue est moins efficace si c'est le responsable, plutôt que le client, qui parle plus de la moitié du temps. Ainsi, le fait de questionner abondamment le client afin de le faire parler davantage n'apporte pas nécessairement les résultats désirés: le client n'apprend pas à fournir les détails qui manquent, à prendre l'initiative de la confidence, il ne fait qu'attendre les questions et y répondre. Lorsqu'un interviewer pose beaucoup de questions, on peut y voir le signe de son incapacité à faire parler le client de façon plus naturelle.

Quand on parle de verbalisation, on renvoie aussi au problème du vocabulaire et de la syntaxe. Ceux-ci doivent être de qualité pour que la communication entre les partenaires soit claire et précise.

L'interviewer doit employer les mots justes, appropriés, en construisant des phrases complètes et bien équilibrées. S'il utilise des termes techniques ou quelque peu recherchés, il est possible que le client ne les comprenne pas. Ses propos doivent être à la portée du client; un vocabulaire abstrait ou sophistiqué n'est donc pas indiqué. Il est plutôt recommandé d'user de périphrases et de comparaisons concrètes, de mots simples et ordinaires qui rendent avec une exactitude suffisante les idées qu'on veut transmettre. Il n'est pas nécessaire que l'interviewer utilise les mêmes mots que son client: si ses mots sont justes, il n'y a pas d'inconvénients à les utiliser, mais s'ils sont familiers ou incorrects, il serait de mauvais ton que l'interviewer se les approprie sous prétexte de se mettre au niveau de son interlocuteur. Le client qui constaterait que l'interviewer utilise des expressions familières qui ne sont pas les siennes pourrait même en être blessé, car il pourrait l'interpréter comme une certaine forme de mépris ou de condescendance. Inversement, si l'interviewer utilise un vocabulaire trop hermétique, le client se sentira en état d'infériorité. L'important est d'être bien compris et de comprendre le langage de l'autre; il suffit pour cela de rester fidèle à soi-même, à son niveau d'éducation et de culture, d'utiliser un vocabulaire simple et précis et de faire preuve de tact et de respect.

L'interviewer doit aussi surveiller constamment son élocution, sa diction et son articulation, s'appliquer à faire des pauses aux bons endroits et ménager adroitement des gestes expressifs pour appuyer ses paroles. En somme, il doit parler avec naturel et sobriété en ne craignant pas d'adopter un débit aussi lent que possible. L'une des erreurs des interviewers débutants est justement d'adopter un débit rapide dès le début de l'entrevue: inévitablement le client s'empresse de le suivre, et, à la longue, la concentration et la compréhension mutuelles des partenaires s'en trouvent perturbées. L'interviewer ne parle jamais trop lentement; s'il désire que son client réfléchisse à ce qu'il dit, il doit lui donner l'exemple en établissant le rythme de la conversation.

Le non-verbal

Les échanges sociaux ne sont pas nécessairement verbaux. La communication non verbale est aussi un moyen d'expression très riche. Il n'y a qu'à observer les échanges entre sourds-muets pour constater jusqu'à quel point tout notre corps est capable de transmettre des messages parfaitement compréhensibles pour celui qui sait regarder. Lorsque nous parlons à quelqu'un ou à un groupe, nos propos s'accompagnent de tout un ensemble de signes qu'on dit non verbaux: mimiques, signes de tête, expressions du visage, regards, ton de la voix, posture, etc. Ces signes jouent un rôle particulier, distinct de la communication verbale et ils signifient au partenaire un certain nombre de choses non exprimées dans le contenu verbal. On appelle paralangage l'ensemble de ces signes non verbaux qui apportent une signification supplémentaire au message verbal.

Les canaux auditifs et visuels sont certainement ceux qui fournissent à l'interviewer le plus grand nombre d'informations non verbales. Lorsqu'on observe un client avec ses yeux et ses oreilles, on s'observe aussi soi-même, c'est-à-dire qu'on est conscient de ses propres réactions et interprétations immédiates. L'interviewer qui, en remarquant les ongles sales du client qui entre dans son bureau, en conclut qu'il a affaire à une personne peu soignée, peut faire une grave erreur et risque de commencer l'entretien en ayant un préjugé défavorable à l'égard de son interlocuteur. Un tel jugement peut l'amener à adopter certains comportements qui ne sont pas nécessairement en accord avec la réalité, c'est-à-dire avec la personnalité véritable du client. L'interviewer doit donc s'interdire de tirer des conclusions trop hâtives des observations qu'il fait en début d'entrevue pour avoir l'esprit ouvert à l'observation objective de son client.

Il n'est évidemment pas interdit que l'interviewer note sa première impression, mais elle est souvent fausse et correspond rarement aux caractéristiques fondamentales de la personnalité.

Au cours d'une entrevue, il arrive qu'il y ait peu à observer. Il faut donc éviter de considérer chaque client comme un type à décrire avec brio.

Que doit-on observer en entrevue ? C'est une question que posent toujours les apprentis interviewers. Malgré son souci de tout voir et de tout entendre, l'interviewer inexpérimenté a de la difficulté à retenir ce qui est significatif. Il lui manque des cadres de référence précis. Voyons quels indices il peut observer.

Le paralangage associé au corps. Durant l'entrevue, le client bouge non seulement la tête, les mains et les jambes, mais le corps tout entier. Dès le début de la rencontre, l'interviewer peut se rendre compte s'il est à l'aise ou particulièrement nerveux en observant simplement la posture corporelle qu'il adopte. L'habillement et la présentation générale identifient non seulement le sexe, l'âge, le statut socio-économique et le genre d'éducation reçue, mais ils indiquent aussi l'état d'esprit habituel ou actuel du client ainsi que ses intentions générales. Le port de tête et l'ensemble des mouvements corporels qui accompagnent le message ajoutent d'autres éléments à ce tableau.

Les mains peuvent être aussi expressives que le visage et parfois même plus, car elles révèlent souvent les activités professionnelles antérieures ou actuelles du client. En entrevue, les mains et les doigts bougent presque constamment, sans que le client s'en rende nécessairement compte. Ainsi, un poing qui se ferme brusquement, des doigts qui s'entrelacent fermement, des mains qui tremblent, un doigt pointé ou porté à la bouche ou à la tempe, une main passée dans les cheveux ou sur le front, sont autant de signes non verbaux qui, mis en relation avec le contenu verbal du message, peuvent révéler différentes émotions. L'interviewer doit cependant être discret quand il observe ces mouvements, parce qu'en entrevue, les gens ne savent généralement pas quoi faire de leurs mains et s'en trouvent souvent gênés.

Les bras et les jambes fournissent moins d'indices que les mains. Toutefois, la façon de les bouger, de les croiser ou de les décroiser, indique parfois un état de tension ou au contraire de détente.

Le paralangage associé au visage. Nous sommes tous sensibles aux différents aspects des visages que nous regardons, surtout lorsque leurs traits sont particulièrement accentués. Ainsi, la grosseur de la tête peut étonner, les traits peuvent être empâtés ou très fins, la chevelure peut être remarquable, la bouche peut sembler trop grande ou trop petite, enfin l'ensemble peut surprendre tant par sa laideur que par sa beauté. L'effet d'un visage sur chacun d'entre nous est indéniable.

Il est parfois tentant d'imaginer certaines caractéristiques de la personnalité d'un client à partir de l'anatomie de son visage. L'interviewer doit cependant se méfier de telles déductions psychologiques. Même s'il existe une relation indéniable entre la constitution du visage et l'ensemble des caractéristiques de la personnalité, il est bien difficile de déterminer à quels comportements correspondent ces traits.

Les muscles du visage sont extrêmement mobiles, et ils sont capables de mouvements rapides. Ce sont les contractions de ces muscles qui produisent les mimiques et donnent l'expression de la physionomie. On dit généralement que les émotions peuvent être observées grâce aux mimiques du visage. Un front qui se plisse indiquera la réflexion ou le doute, des yeux qui s'ouvrent bien grand marqueront l'étonnement, des sourcils qui s'arquent signifieront la colère, etc. Cependant, ce genre de considérations ne s'applique pas à tous. Certaines personnes gardent très souvent un visage tout à fait impassible qui ne trahit aucune émotion, alors que d'autres déforment et exagèrent les émotions qu'elles ressentent comme si elles se croyaient sur une scène de théâtre. Même si une personne est peu expressive, le paralangage du visage transmet une grande quantité d'informations; il module le contenu du message et même se substitue complètement à lui dans certains cas. C'est ainsi que si l'interviewer aborde des points qui touchent particulièrement le client, il pourra remarquer des mimiques d'ignorance, de doute, de crainte, de surprise, d'approbation, d'indifférence, qui se manifesteront par des contractions des traits du visage. C'est en analysant ces signes en rapport avec le message verbal que l'interviewer en percevra le mieux toute la valeur.

Le paralangage associé au regard. Il existe un véritable langage des yeux. Plusieurs auteurs soulignent l'abondance des signes reliés au regard au cours des conversations. Ils ajoutent que le contact visuel est un aspect très important de l'interaction entre les partenaires d'une entrevue, car il affecte la nature même de la relation et indique la façon dont chacun se sent face à l'autre. Il semble que les clients qui ont confiance dans l'interviewer acceptent mieux le contact visuel que ceux qui sont méfiants ou inquiets.

Les auteurs mentionnent également que les femmes utilisent plus et mieux les signes reliés au regard que les hommes et que, de façon générale, les gens recherchent plus le contact visuel lorsqu'ils écoutent et moins lorsqu'ils parlent.

La recherche du contact visuel constant avec le client peut devenir embarrassante pour ce dernier. Elle marque parfois une certaine forme de lutte pour le pouvoir, chacun se demandant lequel des deux baissera les yeux le premier. Cette recherche signifie aussi, dans certains cas, un trop grand désir d'intimité avec le client et marque un certain manque de respect. Par contre, on pourra déduire qu'un client qui évite les contacts visuels est soit désintéressé, soit gêné, ou malhonnête.

En cours d'entrevue, le client peut, à certains moments, détourner son regard ou se cacher les yeux derrière les mains ou des verres fumés. Ces gestes se produisent surtout lorsqu'on touche un sujet embarrassant et que le client souhaite garder une distance psychologique avec l'interviewer pendant qu'il recompose son image; il est aussi possible que le client désire se couper de toute distraction extérieure (regard et mimiques de l'interviewer) pour mieux réfléchir, particulièrement s'il s'agit d'une question délicate pour lui.

Enfin, comme les autres formes de communication non verbales, le paralangage lié au regard a pour fonction non seulement d'exprimer des émotions mais aussi de régulariser le mouvement des échanges entre les partenaires. Ainsi, lorsque l'un des partenaires pose une question, il a tendance à regarder son interlocuteur directement au moment où il termine sa question, comme pour lui dire: «À votre tour maintenant».

Les paralangages associés à la parole. Le langage est un moyen de communication qui reflète souvent plus le niveau d'instruction et le milieu social du client que sa personnalité. Les mots et les concepts qu'il utilise ne sont cependant pas définis d'une façon absolue, car ils ont selon les personnes des significations différentes qu'il faut élucider si on ne veut pas se méprendre. C'est ainsi, par exemple, que le mot «nerveux» dans l'expression «Je me sens très nerveux en ce moment» peut se rapporter, selon les clients, à des sensations très différentes: colère et emportement, impatience et agitation, rumination, tension, irritabilité, etc. S'ajoutent à cela les régionalismes, les expressions populaires ou à la mode et les termes propres à certains groupes de personnes (jargon des prisonniers par exemple) dont l'interviewer doit chercher la signification précise. Pour y parvenir, le procédé le plus simple consiste à en demander le sens au client lui-même.

Il peut être aussi intéressant d'observer la syntaxe, car elle dénote un certain acquis culturel plus ou moins bien assimilé.

Le rythme, le débit, la mise en valeur des mots, les qualités et défauts de l'articulation présentent des aspects également remarquables: Le débit est-il lent? La réponse paraît-elle arrachée au client? Le débit est-il précipité et l'articulation des mots presque indistincte? Il est intéressant de noter ces changements de débit et de rythme au cours de l'entrevue. Ainsi, selon que les questions touchent intimement le client ou lui sont indifférentes, le débit change, le ton de la voix monte ou descend, les mots viennent aisément ou plus difficilement. L'interviewer attentif reconnaîtra dans ces diverses manifestations l'expression des sentiments et attitudes de son client.

Les relations entre le verbal et le non-verbal

L'observation du comportement non verbal est importante, mais encore faut-il que l'interviewer lui donne un sens. Les gestes ayant une signification reconnue dans notre société (comme les hochements de tête pour signifier «oui» ou «non») ne sont pas très nombreux, et il n'existe malheureusement aucun dictionnaire du langage non verbal qui nous permette de traduire de façon précise et sûre chacun des comportements des clients.

Il est important de considérer la fréquence des mêmes comportements. Par exemple, lors d'une session de thérapie familiale, le fait que le père tourne le dos aux autres membres de la famille pendant un bref instant n'a pas la même signification que s'il répète ce geste continuellement. Dans ce second cas, la façon d'accomplir le mouvement a aussi sa signification.

Quels liens existe-t-il entre les langages verbal et non verbal ? De façon générale, les individus réussissent spontanément à accorder le contenu contextuel du message et les signes non verbaux qui l'accompagnent. Par contre, les malades mentaux, surtout lorsqu'ils ont perdu le contact avec la réalité, ne peuvent pas le faire. Les recherches consacrées à l'influence réciproque des deux systèmes démontrent que le jugement général que portent les auditeurs sur le contenu d'un message est nettement influencé par les signes non verbaux qui l'accompagnent; selon la personnalité de chacun, l'influence des signes non verbaux sera plus ou moins grande.

La concordance des deux systèmes a un effet d'éclaircissement et de renforcement. Le comportement non verbal clarifie et renforce le contenu verbal du message. Il augmente son intelligibilité et l'impact du message.

À l'opposé, la discordance entre les systèmes produit des effets désagréables pour l'auditeur et brouille les significations du message. Si elle persiste, elle peut même désorienter l'auditeur et engendrer chez lui des troubles de l'affectivité.

La perception des signes non verbaux est plus instinctive et plus immédiate que la compréhension du contenu verbal. La psychologie de l'enfant a en effet démontré que, bien avant l'apparition du langage, l'enfant comprend les expressions physionomiques de ses parents et se fie à elles pour connaître la ligne de conduite qu'il doit adopter.

En conclusion, tout message, quel qu'il soit, comporte, en plus de son contenu textuel, des signes non verbaux. L'ensemble de ces signes non verbaux a pour fonction essentielle de colorer ou de préciser le contenu du message en se superposant à lui. En situation d'entrevue, les partenaires reçoivent donc à tour de rôle un alliage harmonieux de ces deux types de communication; la valeur de la communication est grandement diminuée si l'un des deux aspects vient à disparaître.

Les silences

La plupart des interviewers débutants supportent mal les silences. Ils les attribuent à une erreur de leur part qu'ils doivent s'empresser de corriger.

Avec le temps, ils apprennent à distinguer les différents types de silences, à les évaluer et à y réagir en conséquence.

Les silences sont toujours chargés de sens; ils font partie intégrante de la dynamique de la situation d'entrevue. Ils doivent donc faire l'objet d'une attention spéciale même si, en général, ils augmentent inévitablement l'anxiété de l'interviewer et de son interlocuteur. Lorsqu'un silence se produit, le responsable de l'entrevue devrait se demander sur-le-champ ce qu'il signifie et pouvoir répondre lui-même à la question avant de se lancer dans des demandes supplémentaires, des digressions personnelles ou des pressions pour l'interrompre. Il est déconseillé de demander tout de suite au client ce que ce silence signifie pour lui. Selon la signification du silence, cette forme d'intervention serait perturbatrice ou inutile.

Avant d'examiner les différentes techniques utilisées pour mettre fin à un silence, voyons d'abord les principaux motifs pour lesquels un client décide de s'interrompre.

Le client peut s'arrêter pendant quelques instants simplement parce que rien ne lui vient immédiatement à l'esprit. Il peut aussi profiter du silence pour réfléchir, organiser sa pensée et préparer une réponse cohérente; le silence reflète alors l'indécision du client quant aux éléments d'information qu'il désire fournir pour répondre à la question. Si le sujet abordé était très chargé émotivement, le silence pourra donner l'occasion au client de faire une synthèse de ce qui a été discuté, de regarder les émotions exprimées et de faire diminuer la tension engendrée par ses confidences; la pause permet ainsi, sur le plan émotif, de se reprendre en mains et de regagner son calme.

Il arrive que le client provoque les pauses pour donner la parole à l'interviewer. S'il lui a demandé d'émettre une opinion, de faire une suggestion ou de fournir une information par exemple, le fait de faire une pause indique alors précisément son désir d'obtenir une réponse à sa demande. Par ailleurs, certains des silences provoqués par les clients sont une forme de provocation à l'égard de l'intervenant; lorsqu'un client désire retenir des informations afin de garder un certain contrôle de l'entrevue, il se taira. Le problème se situe ici au plan de la motivation: un client qui subit une rencontre est plus enclin à garder le silence. Les silences provocateurs sont parfois aussi le fait de clients qui supportent difficilement l'autorité de l'interviewer qui est seul à diriger l'échange. Certaines personnes s'imaginent en effet qu'une entrevue se déroule un peu à la manière d'une conversation où chacun, à tour de rôle, oriente le dialogue. Il est évident qu'un contrôle rigide de l'entrevue par l'interviewer éveillera plus facilement les sentiments d'infériorité et de frustration du client et, par conséquent, son désir de prendre la relève. Il est recommandé d'opter pour une direction souple qui laisse place aux initiatives (questions, commentaires) du client.

L'interviewer utilise aussi les silences de façon délibérée pour encourager, par exemple, un client à poursuivre son explication, à pousser plus à fond ses confidences. Un silence bien placé devient, comme une bonne question, un stimulus pour le client. Il est toutefois évident qu'une pause trop longue aura l'effet contraire et augmentera son niveau d'anxiété. Il n'est pas possible de fixer les limites de la durée idéale d'un silence; l'interviewer doit tenir compte de la nature de la question abordée, de l'état nerveux de son client, de sa motivation à collaborer à l'entrevue et de sa tolérance au silence.

Quel qu'en soit l'initiateur, tout silence doit être interrompu à un moment donné. Plusieurs techniques peuvent alors être utilisées pour faire reprendre la conversation. Si la pause est de courte durée, un simple «hum, hum» suffit souvent à relancer le client. La répétition du ou des derniers mots de sa réponse est une autre façon de le stimuler. Si cette technique ne réussit pas, la reformulation sous forme de question de sa dernière réponse ou le résumé d'une partie de ses propos antérieurs pourra peut-être lui faire rompre le silence.

Dans les situations où le silence s'éternise malgré l'utilisation des techniques que nous venons de décrire, l'interviewer essaiera d'encourager le client à poursuivre ses confidences en lui disant, par exemple: «Il vous semble difficile d'expliquer cette situation... prenez votre temps...». Si le silence se poursuit, l'interviewer pourra alors en demander la raison au client: «Je me demande pourquoi vous être silencieux... il y a peut-être certaines explications à votre silence». Dans cette recherche d'une explication, l'interviewer ne doit pas oublier qu'il peut être la cause d'un tel silence, et, s'il le juge opportun, il peut s'en enquérir auprès de son client.

Si ces techniques ne réussissent toujours pas à faire parler le client, l'interviewer doit respecter son silence; il ne doit jamais manifester ouvertement sa colère en réprimandant ou en rejetant son client. Une telle attitude ne ferait qu'augmenter ses craintes face à la situation d'entrevue. L'interviewer pourrait alors envisager de remettre la rencontre à plus tard ou, s'il se sent incapable de comprendre son client ou son problème, de transférer son dossier à un autre intervenant. L'interviewer qui doit recourir à de telles solutions ne doit pas l'interpréter comme un signe d'incompétence, mais plutôt comme l'indice que la relation n'est pas facile à établir, soit à cause de l'incompatibilité des personnalités du client et de l'interviewer, soit à cause de la motivation du client face à l'entrevue, soit à cause de la nature du sujet de discussion, ou à cause d'ennuis personnels qu'a l'interviewer et qui nuisent à son travail.

Il arrive que le client et l'interviewer parlent en même temps et battent en retraite ensemble en s'excusant, chacun encourageant l'autre à continuer. Le silence qui s'installe alors est souvent gênant, et une remarque humoristique ou un commentaire approprié sont utiles dans ces situations. L'interviewer peut par exemple intervenir de la façon suivante: «Excusez-moi de vous avoir interrompu. Continuez, je vous dirai plus tard ce qui m'était venu à l'esprit». Le but de l'entrevue est de répondre aux besoins du client et c'est donc à lui que revient d'abord la parole, à moins que le commentaire que s'apprêtait à faire l'interviewer soit vraiment indispensable à la poursuite de l'échange.

Comme dans toute conversation où la réflexion et l'assimilation jouent un rôle important, il est normal que des silences s'établissent à certains moments dans l'entrevue. Habituellement, ces silences ne sont pas à redouter. Ils constituent souvent un temps d'activité intense pour le client qui poursuit sa recherche à l'intérieur de lui-même. Ils peuvent donc être pour lui une occasion privilégiée de maturation. En somme, s'ils ne comportent pas de risques d'embarras mutuels, s'ils ne sont pas une manifestation d'opposition et s'ils ne durent pas trop longtemps, les silences sont fructueux pour les deux partenaires.

Les notes

Les notes écrites

Puisque la plupart des entrevues s'inscrivent dans un processus global d'aide, il est essentiel que l'interviewer en fasse un résumé substantiel qui sera consigné au dossier du client. En effet, aucun dossier ne peut être significatif et utilisable s'il ne rend pas compte avec exactitude des conversations entre l'intervenant et son client à l'occasion de leurs diverses rencontres.

Même si un interviewer pouvait se souvenir précisément et pour un temps indéfini du contenu de toutes ses entrevues, la nécessité de faire un résumé écrit de chaque rencontre s'imposerait quand même. Le dossier des clients a normalement un caractère permanent; si la relation entre un intervenant et son client est étroite et confidentielle, le contenu des entrevues n'est que très rarement tout à fait secret. En fait, la relation se réalise habituellement au sein d'un organisme quelconque qui a ses conditions propres de fonctionnement et qui, advenant le départ d'un de ses intervenants, doit continuer d'assurer ses services à la clientèle. Il existe souvent des liens étroits entre plusieurs services qui interviennent au sujet d'un même client. La consignation par écrit des sujets traités au cours des entrevues est donc indispensable et fait partie intégrante de la tâche de l'interviewer.

Les notes d'entrevues sont aussi fort utiles pour les discussions de cas et la préparation des rencontres subséquentes avec les mêmes clients. Elles servent à rafraîchir la mémoire, à dégager les principaux modes d'intervention utilisés dans le passé et à planifier les grandes lignes de l'action future. Aucune mémoire, aussi fidèle soit-elle, ne peut suppléer de façon satisfaisante aux notes d'entrevue.

Une question importante nous vient à l'esprit lorsqu'on parle de notes: Quoi noter et comment le faire? Carl Rogers est d'avis que l'intervenant devrait prendre des notes exhaustives durant l'entrevue. Cela nous semble toutefois laborieux et de nature à paralyser l'entrevue, du moins avec bon nombre de clients; cette technique suppose en tout cas que l'intervenant ait acquis une grande habileté à écrire dans un style rapide et abréviatif, tout en participant activement à l'échange.

Nous croyons qu'il vaut mieux prendre quelques notes sur les points importants au cours de l'entretien de façon que le déroulement naturel de la conversation ne soit pas interrompu; on les complétera immédiatement après l'entrevue, c'est-à-dire au moment où les propos sont encore présents à la mémoire. Plus l'intervenant retarde à consigner par écrit les informations tirées de l'entrevue, plus le nombre d'erreurs, les omissions et les imprécisions augmentent.

Les notes prises au cours de l'entrevue doivent porter le plus possible sur ce qui est dit; un intervenant qui note ses impressions ou ses interprétations risque de fausser plus ou moins le sens des propos de son client. En prenant des notes, il faut donc distinguer les réponses des clients des interprétations qu'on peut en donner.

Si le geste est discret, il sera rarement mal interprété; au contraire, si l'intervenant ne prend pas de notes, le client pourra croire à une négligence ou à un manque d'intérêt de sa part. Dès la première rencontre, l'intervenant peut informer son client des procédés qu'il emploie en lui disant par exemple: «Si vous n'y voyez pas d'inconvénients, j'aimerais prendre quelques notes durant l'entrevue»; il lui indiquera également la raison pour laquelle il désire le faire.

Certains peuvent prétendre que l'intervenant qui est occupé à prendre des notes observera mal le sujet ou que le rythme de l'entretien sera perturbé par des silences «vides», alors que le client attendra pour poursuivre que l'interviewer relève la tête. Ces problèmes peuvent être facilement résolus: il suffit de développer une méthode discrète et d'apprendre à écrire vite et dans un style abréviatif. On pourrait, par exemple, subdiviser une fiche ou une feuille en parties correspondant chacune à la catégorie de faits et de données qui seront recueillis. Si l'on établit l'histoire sociale d'un client, on pourra y inscrire les points essentiels dans un ordre chronologique; il ne restera plus qu'à y consigner les faits ayant trait aux différentes périodes de sa vie.

En général, un interviewer qui travaille depuis un certain temps, dans un milieu déterminé, a en tête le schéma d'entrevue adapté aux divers types de problèmes qu'il traite le plus souvent. Par conséquent, il a développé une méthode personnelle de notation.

Quelle que soit la méthode adoptée, il est important qu'elle soit discrète; en aucun cas, le client ne devrait se sentir soumis à un interrogatoire ou ignoré pendant de longs moments. Il ne conviendrait pas non plus de dissimuler la feuille de notes à la vue de son client. S'il croit nécessaire de noter des commentaires destinés à son seul usage, l'intervenant pourra le faire une fois l'entrevue terminée.

Enfin, comme l'expérience fait évoluer l'interviewer, tout porte à croire qu'il raffinera sa façon de mener l'entrevue et d'enregistrer les données pertinentes en fonction de ses besoins personnels; c'est ainsi que la quantité de notes diminuera sensiblement avec le temps.

Les enregistrements sur magnétophones et magnétoscopes

Notre époque connaît un essor technologique remarquable; aussi, on ne saurait passer sous silence la question des enregistrements d'entrevues sur magnétophones ou magnétoscopes. Il est certain que l'utilisation de l'un ou l'autre de ces appareils facilite grandement le travail de l'intervenant: l'entrevue est enregistrée entièrement et le libère alors tout à fait de l'obligation de prendre des notes.

Faut-il utiliser ces appareils? La question est délicate. Chose certaine, les enregistrements ainsi obtenus servent de nombreux buts. Ils sont particulièrement commodes pour les études de cas en profondeur, la recherche et, bien sûr, la formation des futurs intervenants. C'est d'ailleurs pour répondre à ce dernier objectif qu'ils sont particulièrement utilisés. Étant donné que ces appareils sont coûteux, volumineux et que leur utilisation engendre des pertes de temps également onéreuses (transcription des enregistrements, consultations des documents conservés), dans de nombreux milieux de travail, ils servent rarement à des fins autres que la formation ou le recyclage du personnel. Ces équipements ont évidemment une valeur inestimable lorsqu'ils sont utilisés à des fins pédagogiques. Ils permettent de montrer objectivement à l'apprenti interviewer ce qu'il fait de bien et de mal et comment il le fait. Cependant, mis à part les maisons d'enseignement et les centres spécialisés dans la formation des thérapeutes, on utilise rarement les magnétoscopes, mais plutôt les magnétophones qui sont moins coûteux et plus faciles à manipuler.

S'ils libèrent l'intervenant de l'obligation de prendre des notes, les divers procédés d'enregistrement risquent, du moins avec certains clients, de modifier leurs attitudes psychologiques et même parfois de soulever des réticences importantes, malgré l'assurance qui leur est donnée que le contenu demeurera confidentiel. Nous sommes toutefois portés à croire que la plupart des clients oublient très vite que leurs propos sont enregistrés. Cette technique ne paraît donc pas constituer un facteur majeur de perturbation émotive pour le client, surtout si l'interviewer a pris la précaution non seulement de lui demander son consentement, mais aussi de lui en expliquer les motifs. Dans les cas d'enregistrements faits à des fins d'enseignement, les clients sont habituellement heureux de collaborer, et ils se montrent souvent curieux de connaître le type d'utilisation qui sera faite du matériel recueilli et d'évaluer la qualité de leur propre performance. Après un certain laps de temps, ils oublient l'appareil, d'autant que l'interviewer a pris soin de le dissimuler après avoir fourni les explications d'usage quant à son emploi.

Malgré les précautions prises par l'intervenant, certaines personnes demeurent craintives et méfiantes face à un enregistrement. Le fait d'insister peut alors nuire au déroulement de l'entrevue. Dans une telle situation, la sagesse indique de chercher à comprendre les raisons de cette méfiance et d'oublier momentanément l'appareil. La relation est plus importante que l'enregistrement.

L'enregistrement sur magnétophone, lorsque les clients s'y prêtent de bonne grâce, comporte néanmoins un inconvénient pour l'intervenant: après la rencontre, il devra consacrer un temps considérable à l'écoute de l'enregistrement et à la rédaction d'un résumé pour les fins du dossier. Seule une utilisation à des fins de formation ou de perfectionnement à l'entrevue nous paraît justifier un tel emploi du temps.

La confidentialité

Nous abordons ici une question particulièrement épineuse, qui suscite de nombreuses controverses. Malgré l'intensité du débat, elle est loin d'être résolue.

La règle de la confidentialité d'une consultation d'un médecin ou d'un avocat est bien établie. Dans le secteur des sciences humaines, la confidentialité de l'entretien professionnel est moins admise. Toutefois, lorsqu'il est possible de l'assurer, les résultats sont nettement meilleurs. En effet, le client qui reçoit l'assurance que le contenu de l'entrevue demeurera strictement confidentiel ou qu'il ne sera transmis qu'à certains services ou individus bien identifiés se sent libre de parler plus ouvertement de ses ennuis personnels; cela est vrai même dans le cas où les révélations qu'il fait risquent d'avoir des conséquences pénibles pour lui. Quand le client en est informé, la transmission d'informations à un service connexe ou à une autorité quelconque ne constitue évidemment pas une transgression de la règle de la confidentialité, car ce n'est pas pour leur propre édification, ou leur propre plaisir que des interviewers procèdent à des études de cas, entreprennent des thérapies ou conseillent leurs clients. Ce type de situation est vécue régulièrement par les techniciens en intervention criminologique. En effet, les clients délinquants sont pris en charge par diverses catégories d'agences ou de services qui doivent, pour effectuer convenablement leur travail, se transmettre les informations pertinentes qui ont trait aux cas qui leur sont confiés. Le gouvernement et de nombreux organismes ont d'ailleurs émis des règles strictes au sujet de la transmission et de la consultation des dossiers des clients. Selon les milieux de travail, des formulaires et des mécanismes particuliers facilitent la transmission des informations et, en même temps, protègent les clients de la divulgation publique de leur vie privée.

À cause de la qualité des relations qui s'établissent entre les deux partenaires, le client est souvent amené à se confier davantage qu'il ne le ferait avec d'autres personnes. Aussi incombe-t-il au responsable de l'entrevue de ne pas abuser de cette confiance. Il peut parfois être tentant de raconter à des amis un épisode tiré d'un entretien comme s'il s'agissait d'une anecdote. Ce geste peut sembler inoffensif puisqu'il ne touche pas directement le client, mais il devrait absolument être évité, car il donne aux autres l'impression que l'intervenant prend les confidences qu'il a reçues à la légère. Aussi, l'identification du client est parfois facile à faire pour un auditeur qui connaît son histoire. Par conséquent, pour éviter que des tiers ne soient mis au courant du contenu d'un dossier, il est recommandé de ne jamais discuter du cas d'un client, ni de consulter son dossier dans les endroits publics. On ne doit jamais oublier que le client qui fait des confidences à un interviewer s'attend non seulement à être écouté, compris et aidé, mais également à être respecté. Il fait confiance à l'intervenant qui doit se montrer digne de cette confiance en ne divulguant pas à la légère les informations reçues. C'est une question de respect et de discrétion élémentaires.

7.4 La clôture de l'entrevue

Il n'est pas toujours facile de clore une entrevue et les interviewers se demandent souvent comment signifier à leur client que le temps prévu est presque écoulé. D'une part, s'ils sont trop brusques, ils craignent de donner l'impression de mettre leur client à la porte; d'autre part, s'ils ne préparent pas leur conclusion, ils ont peur que le client ne s'éternise dans leur bureau.

La dernière étape de l'entrevue, la conclusion, est assez semblable à la première, mais elle se déroule en sens inverse. Pour bien clore une entrevue, il faut d'abord que les deux partenaires soient conscients que la fin approche. Dès le début de la rencontre, le client est avisé non seulement de la durée de l'entrevue, mais aussi du fait que celle-ci ne peut se poursuivre au-delà de la limite de temps prévue, à moins de circonstances exceptionnelles. Lorsque l'interviewer constate que le temps alloué est presque écoulé, il n'aborde aucun nouveau sujet et s'efforce plutôt de résumer brièvement les principaux points de la discussion, ou mieux, il demande au client de le faire s'il en est capable. Ces dispositions doivent être prises, car, à moins que le client ne soit particulièrement entraîné ou sensible, il est rarement capable d'évaluer le temps dont il dispose encore.

Il y a de bonnes raisons de ne pas introduire de nouvelles données au moment de la conclusion. L'introduction de nouvelles données risque d'amener le client à discuter de nouvelles émotions intimes ou intenses; il pourrait sortir de l'entrevue complètement bouleversé, et cela n'est pas souhaitable. Les clients devraient toujours (du moins dans la mesure du possible) quitter le bureau dans un certain état de calme et de bien-être, car c'est ainsi qu'ils y sont entrés. Aussi, l'interviewer qui introduit un sujet nouveau qu'il ne pourra qu'effleurer fait preuve d'un manque flagrant de respect à l'égard de son client: il sollicite ses confidences et, à peine entamées, lui demande de les interrompre. L'interviewer qui respecte son client a avantage à remettre la discussion du thème qui le préoccupe à une entrevue ultérieure tout en lui indiquant son intention dans ce sens.

Il peut arriver que pour conclure, l'interviewer souhaite faire référence à l'objectif de la rencontre et résumer l'ensemble de la discussion pour s'assurer que lui-même et son client se comprennent bien. Cette récapitulation des points principaux et parfois de décisions prises en cours d'entrevue doit évidemment être brève. Lorsqu'il est clair qu'une autre rencontre est souhaitable, sinon impérieuse, elle peut aussi amener à déterminer le thème de la prochaine rencontre; l'interviewer devrait alors convenir avec son client de la date et de l'heure de cette nouvelle rencontre. Quand il n'est pas opportun de décider sur-le-champ de la date, il suffit de laisser au client le soin d'entrer en communication pour qu'une entente soit faite.

La clôture d'une entrevue exige du tact, du doigté, de la finesse et parfois un grain de fermeté. Le client devenu, avec le temps, plus expansif, peut chercher à prolonger l'entrevue ou à la faire dégénérer en conversation sociale; cela risquerait de ruiner la valeur du travail objectif, et jusqu'à un certain point scientifique, qui a déjà été fait. Vers la fin de l'entrevue, l'interviewer ne doit donc pas craindre d'interrompre poliment un client particulièrement volubile en lui disant par exemple: «Y a-t-il autre chose dont vous aimeriez parler aujourd'hui, car il ne nous reste que quelques minutes ?».

Tout comme au début de l'entrevue, on peut consacrer les dernières minutes de la rencontre à parler de choses et d'autres pour permettre au client de vraiment se sortir du contexte de l'entrevue.

La conclusion de l'entrevue est vraiment une étape cruciale, car ce qui se passe à ce moment détermine souvent l'impression globale que le client gardera de la rencontre. L'interviewer doit donc s'assurer qu'il lui a vraiment donné l'occasion de s'exprimer en toute liberté ou encore qu'il lui a offert la possibilité d'une autre rencontre pour qu'il puisse le faire. Si l'interviewer ne veut pas donner au client l'impression qu'il veut se débarrasser de lui, il devrait donc prévoir une période suffisamment longue pour la conclusion de l'entrevue. Tout ce qui est fait en fin d'entrevue doit l'être sans hâte et, de préférence, en commun.

Le facteur temps est une variable importante dans la relation entre l'interviewer et le client et particulièrement dans le cas d'une série d'entretiens. Il indique que la situation d'entrevue en est une temporaire et que chacun des partenaires existe et vit en dehors d'elle. Cependant, à aucun moment, l'interviewer ne devrait démontrer des signes de rigidité ou d'impatience en gardant l'œil rivé à sa montre par exemple.

Dans certaines situations comme l'entretien unique, la conclusion est plus difficile à amener. Toutefois, patience et entraînement guideront l'interviewer et l'amèneront à développer diverses façons satisfaisantes, pour les deux partenaires, de mettre fin à une entrevue.

7.5 Le rapport

Une fois l'entrevue terminée, l'interviewer a la responsabilité d'en consigner les principaux points dans un rapport. Dans tous les milieux de travail, on consacre beaucoup de temps et d'énergie à cette phase indispensable de l'entrevue.

La rédaction d'un rapport est une tâche ardue, car l'auteur doit communiquer à autrui, de façon concise, l'essentiel de ce qu'il a perçu durant la rencontre. Elle peut aussi devenir une tâche ennuyeuse et fastidieuse, car elle est dépourvue de cet élément de suspense inhérent aux contacts humains. C'est un travail solitaire; personne n'est aux côtés de l'intervenant pour lui donner la réplique, l'aider à formuler une idée ou à trouver le mot juste.

Le rôle d'un tel rapport est de communiquer à quelqu'un d'autre (individu ou organisme) les éléments qu'il estime nécessaires de connaître. À quoi servirait-il qu'un interviewer soit chaleureux et perspicace s'il est incapable d'exprimer ce qu'il a perçu et compris ? Quelle serait l'utilité d'une entrevue biographique dont le contenu serait incommunicable ?

La rédaction consciencieuse d'un rapport impose un travail minutieux de classification, de sélection et de réflexion, ainsi qu'un contrôle rigoureux de toutes les données à transmettre. C'est à ce moment que peuvent se révéler les lacunes et les faiblesses d'une étude de cas et les incohérences des informations recueillies. C'est aussi le moment où se dissipent parfois les illusions d'un intervenant qui croyait avoir presque terminé son travail.

Les interviewers, débutants ou expérimentés, sont souvent rebutés par ce travail de rédaction qu'ils considèrent comme une corvée. Autant le travail concret et pratique d'interviewer peut leur être agréable, autant le fait de relater les informations qu'ils ont reçues à l'intérieur du cadre rigide d'un rapport peut leur être fastidieux. Ils préféreraient pouvoir «raconter» l'entrevue plutôt que de la consigner par écrit. Or, les rapports sont indispensables, et ils doivent être bien conçus et bien présentés. Un intervenant qui s'astreint à rédiger un bon rapport multiplie ses chances qu'il soit lu avec attention; il sera apprécié et pris en considération. S'il présente des recommandations précises qui s'appuient sur des arguments clairs et solides, il aura plus de chance qu'elles soient endossées.

Un programme de formation aux techniques d'entrevue est à notre avis incomplet s'il n'intègre pas certains exercices visant l'apprentissage des diverses méthodes de rédaction de rapports. Même si l'étudiant a à s'adapter aux formules précises de rédaction utilisées par le service qui l'emploie, l'expérience acquise durant sa formation lui facilitera grandement la tâche.

Bien qu'une certaine élégance de style rende la lecture d'un rapport d'entrevue plus agréable et plus facile, elle n'est pas essentielle; en outre, le don de l'écriture n'est pas donné à tous les interviewers. Leurs textes devraient toutefois être objectifs, ordonnés, clairs, complets et rédigés en bon français. De plus, les rapports ne devraient contenir aucun élément faisant référence au sensationnel, à la curiosité déplacée, aux attitudes sentimentales, aux plaidoyers, aux jugements moraux; on ne devrait y trouver ni commentaires ni appréciations de certains faits et gestes du client ni détails inutiles, ni opinions personnelles, ni conseils au service auquel est adressé le rapport.

Examinons maintenant à quelles exigences le rapport doit répondre; nous constaterons à quel point les qualités de forme sont liées aux qualités de fond.

Les qualités de fond

L'exactitude

Le rapport est un document; il doit être conçu et rédigé avec rigueur, prudence et sincérité absolue. Chaque élément doit être présenté de façon à en faire ressortir la valeur exacte. Ainsi, on distinguera les données objectives des données subjectives (hypothèses, opinions). Il convient toujours d'indiquer si un fait a été contrôlé et de quelle manière il l'a été (dossier scolaire ou médical, par exemple); s'il est invérifiable, il est suggéré de le noter; s'il ne repose que sur des allégations, il faut alors noter de qui elles émanent.

Si l'interviewer désire rapporter des hypothèses personnelles, des opinions et des interprétations subjectives, des rumeurs qui peuvent être révélatrices d'une situation (ou des sentiments de celui qui les évoque) ou des réactions du milieu, il peut le faire à condition d'en signaler la source de façon précise.

Des notions vagues comme «le père est autoritaire», «ce couple dépense beaucoup» doivent être précisées et, si possible, étayées de faits.

Si l'interviewer recueille des faits contradictoires, il est important de le signaler, de dégager les points saillants des informations recueillies et de formuler une opinion sur les conclusions qu'il est raisonnable d'en tirer.

Si, au moment de la rédaction de son rapport, l'interviewer constate certaines lacunes, il ne doit pas tenter de les dissimuler ou de les passer sous silence. Il convient plutôt de les expliquer (par exemple: absence de collaboration du client, oubli de l'interviewer) et d'indiquer s'il est possible de combler ce manque.

Enfin, il est inutile, sous prétexte d'exactitude, de relater de façon détaillée tous les efforts que l'interviewer a déployés pour rencontrer un client, à moins que cette énumération ne fasse ressortir certaines caractéristiques du cas.

La pertinence

Tout rapport doit être conçu en fonction d'un objectif. Par exemple, un juge attend d'un rapport présententiel qu'il retrace l'évolution d'une personnalité et fasse le bilan d'une situation. Compte tenu du but visé, de ses notes et de ses souvenirs, l'interviewer devra donc retrancher bien des éléments qu'il lui aurait été utile d'étudier pour comprendre son client, mais qu'il n'est pas pertinent de faire apparaître dans le rapport. Par exemple, dans le cas d'un jeune délinquant appartenant à une famille de dix enfants, il n'est pas nécessaire de décrire chacun d'eux s'ils n'ont pas exercé d'influence sur l'intéressé. L'interviewer s'attardera alors plutôt à ceux d'entre eux avec qui son client a des liens affectifs particuliers.

Le choix des éléments à retenir requiert un travail mental important et exige une discipline de pensée que l'interviewer doit pouvoir s'imposer. Comme il n'existe pas de critères pour choisir les informations à consigner dans un rapport, l'interviewer débutant a souvent tendance à opter pour la solution la plus facile, c'est-à-dire à livrer «en vrac» toutes les informations recueillies et à laisser à ceux qui reçoivent le rapport la tâche de dégager les éléments pertinents pour l'accomplissement de leur travail; un tel rapport perd son caractère scientifique et s'apparente alors plus au commérage; il va sans dire que la lecture en est plutôt fastidieuse.

L'objectivité

Même s'il est rédigé soigneusement, un rapport reflète toujours, dans une certaine mesure, la personnalité de son auteur. Aucun être humain ne peut échapper à cette subjectivité, car toute narration, même lorsqu'elle se borne à restituer les propos du client, est déjà une interprétation de pensée, une traduction de langage. Son caractère en est d'autant accentué qu'elle comporte des déductions, des analyses, des liens et des recherches d'explications.

Pour demeurer dans les limites raisonnables de la subjectivité, l'interviewer doit veiller à ne pas se laisser influencer par la situation particulière ou les attitudes de son client. Il peut découvrir, par exemple, sous le personnage du délinquant, la malheureuse victime d'un milieu familial dépravé et être ainsi amené à se transformer en ardent défenseur de ce client; son rapport prendra alors l'allure d'un plaidoyer en sa faveur, et certains juges pourront être influencés par une telle attitude. Les intérêts immédiats du client seront certes servis, mais il n'est pas certain qu'on lui imposera le traitement qui, à long terme, lui serait le plus profitable. Qu'il fasse un rapport favorable ou défavorable, l'interviewer doit s'assurer qu'il a été impartial. Il est parfois difficile de faire abstraction d'impressions qui éveillent la sympathie ou l'antipathie qu'inspirent certaines personnes ou certaines situations; c'est pourquoi il est important de reconnaître en soi une disposition à prendre parti pour ou contre son client.

L'interviewer confronté à un client dont le comportement est différent du sien se heurte à un autre écueil: celui de se laisser influencer par ses conceptions personnelles: préjugés, émotions, normes culturelles. Nous sommes tous enclins à qualifier de normales les réactions qui sont conformes aux nôtres et d'anormales celles qui s'en écartent. Par exemple, un interviewer peut être porté au cours de l'analyse d'une situation de conflit conjugal, à ne voir que le point de vue de l'un des conjoints; un autre peut être enclin, s'il est fondamentalement opposé aux placements institutionnels, à refuser d'envisager une telle solution dans des circonstances où cette décision serait indiquée.

Inversement, il serait inacceptable qu'un intervenant, qui craint toute infraction à la règle de l'objectivité, se borne à énumérer des faits et s'abstienne systématiquement de les interpréter ou d'émettre une opinion. Un rapport ainsi rédigé serait sans vie et ne rendrait par vraiment compte de la réalité.

S'il présente des interprétations et des opinions, l'interviewer doit les justifier en indiquant les faits sur lesquels elles sont basées; cela permet de les contrôler et de juger si elles sont rationnelles, acceptables et bien fondées.

Enfin, des éléments inconscients entrent souvent en jeu lors de la rédaction d'un rapport. Certains interviewers sont, par exemple, influencés par des reportages faisant état des conditions de vie réservées aux prisonniers et, sans s'en rendre compte, évitent de suggérer des peines d'emprisonnement; d'autres, qui ont une formation purement théorique ou qui ont une conception très personnelle du bien de la société, sont tentés de faire passer systématiquement l'intérêt du délinquant avant celui de la société (ou l'inverse); d'autres encore, parce qu'ils sont sensibles à l'opinion publique, se rangent facilement du côté des solutions qu'elle accepte ou tolère. Tous ces éléments interviennent de façon insidieuse et subtile, et l'interviewer doit en tout temps être conscient de leur influence.

Les qualités de forme

L'ordre

La première qualité d'un rapport est l'ordre logique dans lequel sont exposés les faits. Le désordre en rend la lecture fastidieuse, car il oblige le lecteur à réorganiser mentalement les éléments qui le constituent. Le lecteur a alors la double tâche de réorganiser le matériel et de le comprendre.

Avant de rédiger son rapport, l'interviewer doit en élaborer le plan, c'est-à-dire qu'il doit décider des informations à présenter et de l'ordre qui s'impose. Une fois ce plan établi, il doit évidemment s'astreindre à le suivre rigoureusement.

Il existe différentes sortes de plans. Examinons les trois principales catégories:

a) Le plan établi selon l'ordre analytique par sujet: Le rapport peut être structuré en fonction des diverses catégories de données que l'interviewer juge nécessaire de faire connaître: c'est ce qu'on appelle un plan établi selon un ordre analytique par sujet. Le rapport est présenté de façon à mettre en évidence ce qui est essentiel pour bien dépeindre un individu et sa situation; un tel type de rapport amène le lecteur à se représenter rapidement la personne concernée. L'ordre des divers thèmes n'est donc pas fixé définitivement: il dépend de l'importance relative des divers éléments qui décrivent le cas. Un rapport d'événement (rédigé par un éducateur en institution pour jeunes délinquants, par exemple) pourrait se présenter comme suit:
— L'événement;
— Les circonstances ayant causé l'incident;
— L'état psychique et la personnalité des individus impliqués;
— Les conséquences immédiates de l'événement;
— Les mesures à prendre.

b) Le plan établi selon l'ordre chronologique: Un plan établi selon l'ordre chronologique est souvent plus simple à suivre que le précédent. Les événements marquants de la vie de l'intéressé sont donc racontés dans l'ordre où ils se sont déroulés, et des subdivisions logiques correspondant aux différentes périodes de sa vie sont établies. Dans le récit se rapportant à chaque période, les observations sont regroupées par matière; par exemple, lorsqu'il aborde la petite enfance du client, l'interviewer aborde des thèmes comme la santé, les placements en institutions ou ailleurs, les relations et habitudes familiales, les souvenirs marquants, etc.

Ainsi conçu, le rapport présente un aspect très dynamique: il retrace l'évolution d'une personnalité dans les situations successives où elle s'est trouvée et donne une vision globale d'elle à chaque étape de son développement. Le lecteur peut donc suivre aisément le déroulement de l'histoire du client et n'est pas obligé de se référer fréquemment à une rubrique ou à une autre pour établir des concordances dans le temps. La présentation de l'histoire sociale ou de la biographie d'un client dans les services qui s'occupent de cas de délinquance par exemple est habituellement faite selon cet ordre chronologique. Au fil des années et des divers intervenants, des rapports supplémentaires s'ajoutent au dossier du client; un même ordre de présentation adopté par les différents rédacteurs en facilite la lecture.

c) Le plan établi selon les sources: On peut enfin concevoir un rapport dans lequel les données sont classées selon la source dont elles émanent; un tel rapport ressemble beaucoup à un procès-verbal où sont consignés l'un à la suite de l'autre les différents témoignages recueillis. Ce genre de classement est toutefois peu pratique (et peu utilisé), car il ne permet pas de présenter une image claire et cohérente de l'histoire d'un client.

Une fois le plan du rapport établi, l'interviewer doit veiller à en équilibrer les parties selon leur importance respective. S'il constate que certaines sections sont trop longues, il créera d'autres rubriques. Il vérifiera aussi si les sujets traités s'insèrent bien dans les rubriques correspondantes et si les titres donnés aux sections identifient clairement l'ensemble des informations présentées. Enfin, la présentation matérielle du document doit être claire, aérée et uniforme.

Un rapport bien ordonné gagne en valeur et en clarté, et il facilite la tâche du lecteur.

La coordination

Le rédacteur doit faire ressortir les liens entre les faits relatés dans différentes rubriques, qui pourraient passer inaperçus s'ils n'étaient pas signalés. Imaginons un rapport qui donne les renseignements suivants:

— «L'histoire familiale nous apprend que le père du client a été appelé à plusieurs reprises à travailler à l'extérieur de la ville pour des périodes plus ou moins longues (notées avec précision au dossier);
— «Le tableau scolaire du client présente des épisodes importants où le client a fait l'école buissonnière;
— «Dans la description de ses délits récents, on constate de longues périodes de conduite irréprochable.»

Dans ce rapport, les données mentionnées sont éparses; ainsi présentées, elles ne frappent pas. En faisant un rapprochement entre elles, on se rend compte que le client a toujours eu des écarts de comportement (fugues et délits) pendant les absences de son père. Des questions ou même des hypothèses peuvent naître de la corrélation établie: Quel lien existe-t-il entre les absences du père et les incartades du client? Le client cherche-t-il par son comportement à ramener son père à la maison?

Les événements décrits ou mentionnés dans un rapport doivent également l'être en rapport avec le client même qui est le centre d'intérêt. Ainsi, plutôt que d'écrire: «Les parents du client divorcent en 1975», il vaut mieux indiquer: «Les parents divorcent alors que le client est âgé de huit ans (1975)».

La relation établie entre divers éléments est très importante, car elle permet au lecteur de se faire une image précise du client.

La clarté

La clarté est un indice de la rigueur du raisonnement et de la pensée du rédacteur: forme et fond sont indissociables. La recherche du terme juste oblige à clarifier l'idée qu'on veut exprimer. Un rapport confus, obscur révèle l'absence d'un travail mental préalable à la rédaction. L'intervenant doit s'imposer la discipline d'écrire clairement.

Pour être clair, un rapport doit être rédigé dans un style modéré et simple. Le jargon professionnel doit être réduit au minimum. Il agace les non-initiés, car il leur semble prétentieux; de plus, il donne parfois l'impression de camoufler l'ignorance ou l'incertitude de l'interviewer. Ainsi, les termes techniques ne seront utilisés que lorsqu'ils sont assez courants pour être généralement compris.

L'argot et les termes familiers n'apparaîtront dans un rapport que lorsqu'ils sont irremplaçables; en aucun temps, le rapport ne devrait verser dans le pittoresque. Si les mots employés par le client sont particulièrement éloquents, il convient alors de les noter entre guillemets.

S'il est souhaitable qu'un rapport ait assez de couleur pour faire vivre une personnalité ou évoquer une ambiance, il ne doit toutefois pas dégénérer en œuvre littéraire ni en roman-feuilleton. Il faut donc éviter le lyrisme, le style sentimental ou larmoyant, les outrances de langage et les descriptions qui fourmillent d'adjectifs. À ce sujet, notons qu'il est toujours préférable de décrire que d'étiqueter. Ainsi, au lieu d'écrire: «X adore s'absenter de l'école pour aller flâner dans les magasins», mieux vaut préciser: «Depuis le mois dernier, X s'est absenté dix fois de l'école sans motif valable».

L'écriture doit témoigner d'une bonne connaissance des règles de la grammaire et de la syntaxe. Ainsi, l'interviewer doit non seulement surveiller son orthographe pour qu'elle soit impeccable, mais aussi la construction de ses phrases, le respect des règles de concordance des temps et la propriété des termes. Les phrases courtes sont habituellement les meilleures; le présent de l'indicatif est le temps qui donne le plus de vie à un récit; seul le terme juste rend exactement l'idée à exprimer. La recherche du terme propre est aussi le gage d'un rapport «vivant», car elle élimine les répétitions ennuyeuses causées par l'insuffisance de vocabulaire.

La concision

Le meilleur rapport est, sans aucun doute, celui qui donne le maximum d'informations en un minimum de mots. Même s'il retranche une grande partie des informations accumulées avant de procéder à la rédaction, l'interviewer est amené à faire de nouvelles coupures quand il examine la forme de son rapport. Il est certes parfois obligatoire de faire des répétitions, mais on ne doit pas le faire par négligence ou par paresse. Par exemple, il n'est pas nécessaire de reproduire tous les renseignements concordants issus de diverses sources; il suffit d'en donner un et de préciser qu'il existe d'autres renseignements qui appuient le premier.

Avant d'être transmis à un autre intervenant ou service, un rapport doit être soigneusement relu et éventuellement corrigé. L'incompétence d'une secrétaire ne peut être continuellement évoquée comme excuse aux erreurs contenues dans un rapport. C'est l'intervenant qui a écrit le rapport et qui le signe; c'est à lui d'en endosser l'entière responsabilité tant de son contenu que de sa présentation.

Conclusion

Dans le présent chapitre, nous avons examiné l'entrevue presque exclusivement sous son aspect technique. Cet aspect, bien qu'on ne puisse le dissocier de l'aspect relationnel (attitudes), a une grande importance. En effet, pour mener à bien une entrevue, il faut se préoccuper autant de bien préparer la rencontre que de créer une atmosphère propice aux confidences. Après l'entrevue, il faut savoir rédiger un compte rendu qui permette la continuité et l'efficacité du travail.

Les interviewers en période de formation sont toujours avides d'informations techniques: ils ont d'ailleurs tendance à accorder aux techniques des vertus qu'elles ne possèdent pas réellement. L'interviewer qui connaît parfaitement bien tous les détails pratiques du déroulement de l'entrevue augmentera certes son assurance et sa confiance en lui-même, mais, pour être un bon interviewer, il lui faudra apprendre à transmettre à son interlocuteur non pas l'essentiel de ses acquis techniques, mais bien plutôt un ensemble de qualités relationnelles.

La connaissance de certaines techniques est utile et même indispensable: en situation d'entrevue, même si l'interviewer est bien préparé, il ne sait pas comment réagira son client, et c'est peut-être un détail purement technique qui choquera celui-ci et l'empêchera de s'ouvrir. L'interviewer ne doit donc négliger aucun aspect de l'entrevue.

Chapitre 8

L'entrevue biographique

Introduction

Dans la majorité des milieux où les techniciens en intervention criminologique sont appelés à travailler, l'entrevue biographique et le rapport qui en est fait constituent des instruments de travail presque quotidiennement utilisés.

Selon l'organisme ou le service concerné, l'entrevue biographique porte différents noms: on parle d'histoire de cas, d'histoire sociale, d'enquête communautaire, d'entrevue menant à la rédaction d'un rapport présententiel, etc. Tous ces termes désignent essentiellement le même type d'entretien ou de rapport dont le but est de dresser le portrait de la vie et de la personnalité d'un client.

Le technicien en intervention criminologique n'a pas toujours à dresser lui-même le tableau biographique complet de ses clients. En effet, il lui est souvent demandé de ne traiter que d'un domaine particulier concernant la vie passée et présente de son client. Par exemple, afin de préparer un ex-détenu à retourner sur le marché du travail, l'intervenant cherchera à connaître de façon aussi précise que possible le détail de la formation académique et technique de son client, de même que les étapes de son cheminement sur le marché du travail avant son incarcération; dans une telle situation, il n'aura pas à refaire l'histoire complète du cas si celle-ci a déjà été faite par d'autres intervenants concernés antérieurement dans le dossier. À d'autres moments, par contre, le technicien en intervention criminologique aura à utiliser des informations contenues dans un rapport biographique déjà produit. C'est ainsi que, par exemple, les éducateurs dans les institutions pour délinquants juvéniles appliquent ou élaborent des plans de traitement particuliers à partir de rapports biographiques qui leur proviennent de services qui ont déjà procédé à l'évaluation et à l'orientation des cas. Ainsi, que le technicien en intervention criminologique construise lui-même entièrement ou en partie le rapport d'histoire sociale ou qu'il en utilise un pour intervenir auprès de clients, on retrouve toujours l'entrevue et le rapport d'entrevue biographique au cœur de ses activités professionnelles.

L'entrevue biographique consiste, comme son nom l'indique, à faire la biographie d'un client, c'est-à-dire à dresser le tableau complet de sa vie. Pour y arriver, il faut aborder non seulement les étapes marquantes de son évolution, mais aussi l'ensemble des personnes qui ont marqué particulièrement cette évolution, et ce, afin de comprendre la personnalité actuelle du client. La plupart du temps, l'intervenant aura besoin d'une série de rencontres pour mener à bien cette tâche, car le rapport d'entrevue biographique ne consiste pas simplement en une simple énumération de faits et de personnes. Il est nécessaire, en effet, que l'intervenant aille au-delà des données factuelles et qu'il fasse ressortir les liens existant entre les faits et les personnes concernées et qu'il décrive les sentiments vécus par son client afin d'en arriver à un diagnostic et, éventuellement, à un pronostic et à un plan de traitement.

8.1 Définition de l'entrevue biographique

Diverses conceptions et définitions

L'entrevue biographique consiste à recueillir des informations sur la vie passée d'un individu afin de mieux le comprendre dans la situation présente. Il faut alors un compte rendu aussi complet et précis que possible de ce qu'a été et de ce qu'est la vie du client. L'étude de biographie vise donc à identifier un problème ou une personnalité (diagnostic), ce qui permettra d'établir un pronostic et un plan de traitement appropriés.

Comme nous l'avons déjà mentionné, toute entrevue vise un double but: recueillir des informations et comprendre la personnalité du client. Une question nous vient alors à l'esprit: «Pour bien comprendre la personnalité ou le problème d'un client, faut-il vraiment connaître son passé pour mieux comprendre sa situation actuelle?»

Les auteurs répondent à cette question en adoptant deux points de vue opposés. Le premier pourrait se formuler de la façon suivante: ce qui compte dans l'étude d'un cas, ce n'est pas le passé, mais la situation actuelle de l'individu. Dans la mesure où le passé agit, c'est-à-dire où il a une signification actuelle, il fait partie de la situation présente. Il s'agit donc ici d'amener le client à exposer sa situation présente et inévitablement à parler de son passé. Par exemple, lorsque le client, tout en parlant de ses loisirs, fait part de son manque de culture et d'instruction, l'intervenant peut alors le diriger vers l'analyse de cette période scolaire. Il est donc inutile, si l'on adopte ce point de vue, de revenir systématiquement sur le passé du client, puisque celui-ci le fera naturellement selon le thème abordé.

Du point de vue de l'intervenant, ce type d'étude biographique risque toutefois d'être partielle: certaines périodes seront très bien couvertes, tandis que d'autres seront complètement ignorées. De plus, il risque d'être difficile d'établir une suite logique dans l'ensemble des éléments d'information fournis au cours des diverses entrevues et d'en arriver alors à une vision globale, unifiée du cas. Si l'on se place, par contre, du point de vue du client, celui-ci peut décider de ne donner que l'information qu'il juge pertinente pour expliquer et éventuellement résoudre son problème. Il reste donc, tout au long du cheminement, maître de la direction des entrevues en même temps que de ses projets. Pour le client, l'étude biographique apporte des satisfactions évidentes, mais pour l'interviewer, elle soulève des interrogations nombreuses. En effet, il ne peut jamais être certain d'avoir fait le tour de la question et, par conséquent, d'avoir véritablement compris le problème de son client. Il se sent ainsi mal armé pour suggérer des éléments de solution.

Cette position nous paraît un peu dangereuse. En effet, qu'il connaisse ou non la nature exacte de son problème, le client peut choisir d'ignorer certains aspects de son passé, lesquels pourraient éventuellement, parce qu'analysés par un observateur objectif et compétent, jeter un éclairage nouveau sur la situation présentée. Dans un tel cas, il y a risque que le problème soit incompris ou mal compris et que l'intervenant ne puisse pas véritablement aider son client.

Le deuxième point de vue consiste à dire que l'étude systématique du passé d'un individu est d'une importance capitale. Le passé d'une personne est une source d'information extrêmement riche qui permet à l'intervenant de mieux comprendre l'ensemble des modes d'adaptation auxquels son client a eu recours durant sa vie, ses capacités d'interprétation et d'analyse de la réalité, les principales valeurs auxquelles il tient, ses diverses formes de comportement dans les différentes situations de la vie (stress, échec, succès), et ainsi de mieux apprécier sa situation présente et, par conséquent, de l'aider à trouver les solutions les plus adéquates.

L'étude systématique du passé d'un client oblige souvent l'intervenant à rencontrer d'autres personnes que le client lui-même (famille, professeurs, employeurs). L'objectif visé lors de telles rencontres est évidemment d'arriver à une meilleure compréhension du client et non pas de satisfaire à une curiosité malsaine qui consisterait à obtenir des informations qui permettraient éventuellement à l'intervenant de manipuler son client.

L'entrevue biographique, dans cette approche, peut évidemment se dérouler selon un ordre chronologique très strict, de la naissance du client à sa situation actuelle. Elle peut aussi suivre un ordre inverse ou encore se développer selon la direction que le client lui-même donne à l'entrevue, dans la mesure où cette direction permet de créer une certaine logique dans l'ensemble des propos de ce dernier. Un bon interviewer optera habituellement pour la méthode qui laisse le plus d'initiative possible au client, surtout si ce dernier est prêt à collaborer.

Entre les deux points de vue, une solution intermédiaire est toujours possible, et elle est même parfois imposée par les conditions pratiques de travail. En effet, il peut arriver dans un service, par exemple où les intervenants sont en contact quotidien avec les clients (milieu institutionnel), qu'une documentation abondante ou une histoire sociale bien étayée existe déjà sur chacun des clients. L'intervenant peut alors, pendant l'entrevue, ignorer complètement les événements qui entourent le passé de son client et simplement le laisser aller, sachant qu'il aura la possibilité de consulter son dossier après la rencontre. Par contre, lorsque l'intervenant ne connaît rien sur son client, il a alors avantage à être plus systématique, bien qu'il puisse choisir, lors du premier contact surtout, de ne pas diriger son client afin de pouvoir identifier ses grands centres d'intérêt et ses préoccupations. Cette façon de procéder n'est toutefois possible qu'avec des clients motivés et capables d'exprimer avec une certaine logique leurs pensées et leurs sentiments. Mais, par la suite, l'intervenant devra quand même indiquer quelques thèmes d'échange pour parvenir à son objectif.

Il ne s'agit pas ici de dire qu'un point de vue est meilleur que l'autre. Chaque situation d'entrevue est différente. L'intervenant doit donc choisir une méthode de travail qui tienne compte de la motivation et de la facilité de communication de son client, des informations qu'il possède déjà ou non sur celui-ci, de la nature du problème qu'il présente et des objectifs visés pour l'entrevue.

Établir l'histoire sociale d'un client ne se fait pas en une seule entrevue: plusieurs rencontres sont habituellement nécessaires pour bien comprendre le client et rédiger un rapport complet sur son cas. Pour obtenir une meilleure collaboration de la part du client, il est souvent préférable, lors du premier échange, d'aborder des sujets courants; cela diminue habituellement les barrières de la communication.

L'histoire sociale d'un client est la base de la connaissance et de la compréhension de l'individu et, par conséquent, l'élément qui devrait permettre de mettre au point les outils nécessaires pour l'aider à résoudre les problèmes qui l'ont amené là.

Diverses possibilités d'utilisation

De nos jours, dès qu'une personne va en consultation (médecin, avocat) ou entre dans un quelconque système (école, travail, système judiciaire), on établit un dossier à son nom. Par exemple, le médecin dresse l'histoire médicale de ses patients et l'école monte des dossiers scolaires sur chacun des élèves. Dans le domaine de la consultation sociale, des dossiers existent aussi. Évidemment, dans le cas des intervenants en milieu judiciaire ou parajudiciaire, l'accent est placé sur les facteurs criminogènes, c'est-à-dire sur les aspects du milieu de vie ou de la personnalité qui ont amené un individu donné à poser un geste criminel. Cependant, selon les milieux de travail, les dossiers portent différents noms. Parfois ces diverses appellations ne reflètent aucune distinction de fond, mais, dans d'autres cas, elles indiquent une fonction précise du rapport. Ainsi, les rapports biographiques produits par les agents de probation œuvrant dans le secteur adulte portent le nom de «rapports présententiels». Ces dossiers, comme leur nom l'indique, sont montés avant que la sentence ne soit rendue par le juge et ils visent à éclairer celui-ci sur la personnalité et le mode de vie de l'accusé. Dans le système judiciaire juvénile, les rapports dits «présententiels» n'existent pas, bien que les juges du Tribunal de la Jeunesse aient à leur disposition des dossiers complets sur les jeunes qu'ils reçoivent. En somme, tant au niveau adulte que juvénile, différents intervenants rédigent des rapports biographiques utilisés par les juges pour déterminer une sentence ou une mesure et aussi utilisés par d'autres intervenants reliés au système judiciaire (éducateurs en centre d'accueil pour jeunes, agents de libération conditionnelle, agents de classement dans les institutions carcérales). Les noms attribués à ces rapports n'ont donc finalement qu'une importance mineure. En fait, les dossiers sur les clients «délinquants» contiennent toujours les mêmes catégories d'information touchant, entre autres, les forces et les faiblesses de la personnalité du client, les mécanismes qui l'amènent à passer à l'acte, sa dangerosité, ses possibilités de resocialisation et de réinsertion sociale, le type d'aide dont il devrait bénéficier, etc.

Les techniciens en intervention criminologique ne seront pas nécessairement appelés à produire eux-mêmes toute une histoire sociale. Cependant, étant donné que plusieurs seront appelés à travailler dans des institutions pour juvéniles ou pour adultes (prisons, centres d'accueil, pénitenciers, maisons de transition), ils auront régulièrement à contribuer à la construction d'une histoire sociale. De plus, ils pourront, à différentes occasions, avoir recours à des rapports biographiques déjà établis afin de mieux comprendre une situation présente. Par conséquent, même si le technicien en intervention criminologique ne crée pas lui-même toute l'histoire sociale, il doit connaître les principaux éléments d'un tel rapport, de façon à pouvoir l'utiliser et contribuer à sa construction.

8.2 Objectifs

Comme pour toutes les autres catégories d'entretien, les principaux objectifs d'une entrevue biographique sont de recueillir des données factuelles et de comprendre la personnalité du client afin d'être en mesure de l'aider à résoudre le problème pour lequel il se présente en consultation. Au cours de ses diverses rencontres avec le client, l'intervenant accumule donc un ensemble de faits et d'impressions qu'il devra assembler de façon à se former une image globale et cohérente de la réalité. Puis, il tentera de répondre à une double interrogation: «Quel est véritablement le problème du client et comment peut-on l'aider à le résoudre?». En d'autres termes, l'intervenant veut arriver à établir un diagnostic (identification aussi précise que possible du problème du client) à partir duquel seront établis un plan de traitement (identification des moyens à prendre pour aider le client à résoudre son problème) et un pronostic (évaluation des chances de résolution du problème).

Même s'il sait que de nombreux facteurs (sociaux, psychologiques, matériels) entrent en ligne de compte, l'intervenant doit s'efforcer de déterminer avec autant de précision que possible la véritable nature du problème présenté et de comprendre les motifs conscients et inconscients qui ont poussé son client à recourir à des solutions dites délinquantes ou anti-sociales. Après avoir clarifié ces aspects, il doit étudier avec son client les solutions possibles, dont celles que ce dernier envisage lui-même, et cela, tout en considérant les difficultés que ces solutions sous-tendent.

8.3 Caractéristiques de la situation d'entrevue biographique

Pour l'interviewer

L'intervenant social est comme le médecin, qui, tôt ou tard, doit établir un diagnostic. Souvent d'ailleurs, il se laisse entraîner par ce modèle médical et se laisse aller à poser des questions nombreuses en fonction de certaines hypothèses qui surgissent à son esprit dès le début de l'entrevue ou l'exposé sommaire du problème. Cette tendance à vouloir établir un diagnostic rapidement et à donner des conseils dès que le client a fourni un certain matériel provient du fait que trop souvent il s'attend à ce que le client expose clairement, précisément et succinctement son problème, mais cela est rare. En effet, les clients dits délinquants ont rarement identifé un problème chez eux. S'ils ont un problème, affirment-ils, c'est la société qui l'a créé pour eux. À cause de cette conviction, ils s'attendent (et souhaitent) à ce que l'intervenant les renvoie à des solutions simples et rapides, qui ne demandent pas trop d'obligation de leur part. Ils s'attendent, en fait, à ce que ce dernier nomme les choses et prescrive un remède facile à avaler. L'interviewer qui joue ce jeu, tout en croyant véritablement aider son client, se trompe évidemment. Il peut parfois avoir l'impression d'avoir effectué du bon travail, si son client sort satisfait de l'entrevue ou si, mieux encore, il est guéri (dans le cas où la solution suggérée donne de bons résultats). Il constatera hélas souvent que le problème n'a pas été vraiment résolu et qu'il ressurgit avec une nouvelle vigueur (récidive délinquante). Le travail est alors complètement à refaire.

Pour le client

Le client qui se présente à une consultation où il sait que l'on va chercher à établir son histoire sociale a tendance habituellement à modeler ses attitudes et ses attentes sur le scénario qu'il connaît de la consultation médicale. Il sait que l'interviewer a besoin de comprendre tous les aspects de son problème pour pouvoir l'aider à le résoudre, mais il souhaite que celui-ci prenne toutes les initiatives en posant les questions, en formulant un diagnostic et en proposant un remède. Il s'attend donc de sa part à une participation minimale.

Il faut aussi considérer que, du point de vue du client, le problème est toujours très clair, même s'il n'arrive pas à «l'exprimer clairement». Prenons, par exemple, le cas de parents qui viennent en consultation pour des troubles de comportement présentés par un de leurs enfants. Trop absorbés par ce problème précis, ils verront difficilement le lien qui pourrait exister entre, par exemple, une certaine tension conjugale et les troubles de comportement de leur enfant. Pour ces parents, le problème est clair: un de leurs enfants ne fonctionne pas comme ils le souhaiteraient, par conséquent une incursion dans leur vie de couple leur paraîtra tout à fait déplacée.

Également, même si de nombreux clients perçoivent la nécessité de déborder le cadre du problème immédiat, ils auront souvent tendance à aborder les nouveaux thèmes proposés sous un angle particulier, c'est-à-dire celui qui leur convient le mieux ou qui ne les oblige pas à s'exprimer sur les aspects pénibles de leur vie (par pudeur, amour propre ou crainte du jugement de l'autre). Ces clients vivent alors un dilemme: d'une part, il y a un réel désir de collaborer ou de répondre aux demandes de l'interviewer afin de réellement trouver une solution à leur problème et, d'autre part, un désir tout aussi réel de ne pas révéler toutes les informations qu'ils détiennent parce qu'ils se considèrent mieux placés que l'intervenant pour juger de la pertinence (par rapport au problème) de ces données.

Enfin, il ne faut pas oublier que l'idée que se fait le client de l'intervenant (compétence, autorité, attitudes) l'amène à se comporter en entrevue en fonction de cette idée et, s'il fait confiance aux personnes qui lui ont fourni des informations sur le déroulement de la rencontre et la personnalité de son responsable, il y a fort à craindre qu'il se présente avec un ensemble d'attitudes complètement subjectives et rigides (et probablement plutôt négatives).

En somme, tant pour l'interviewer que pour le client, entreprendre une série d'entrevues pour dresser une histoire sociale demande une grande ouverture d'esprit, de même que la capacité et la volonté d'oublier les modèles de fonctionnement et de comportement auxquels chacun se réfère naturellement.

8.4 Les sources d'information

Les sources d'information que l'intervenant décide de consulter sont particulières à chaque cas. En effet, selon les circonstances, il peut entrer en contact avec des membres du groupe familial, des employeurs, des professeurs, des autorités policières et judiciaires, des intervenants en milieu de resocialisation ou, encore, prendre connaissance du contenu de dossiers divers (médical, social, scolaire, etc.). Pour faire l'histoire sociale d'un client, l'intervenant est donc appelé à rencontrer des personnes qui connaissent bien ce dernier (ou qui l'ont bien connu) et qui sont en mesure de fournir des informations pertinentes à son sujet. Il est évidemment indispensable de prévenir le client que des personnes de son entourage seront rencontrées et de regarder avec lui certaines des dispositions qui lui permettront d'obtenir des rapports ou des dossiers le concernant. À ce sujet, il existe, compte tenu des dispositions légales concernant la confidentialité des informations versées au dossier d'un client, des formulaires que l'intervenant lui fera signer afin d'obtenir l'autorisation de prendre connaissance de ces données. Cette procédure est courante dans la plupart des milieux de travail et constitue une marque de respect pour les clients. L'important pour l'intervenant est de ne pas agir à l'insu de son client (de lui montrer que sa collaboration est indispensable) et de lui souligner la nécessité de tenir compte d'un ensemble de données pour en arriver à trouver des solutions adéquates. En procédant ainsi, l'intervenant peut certes se voir refuser la collaboration de son client. L'analyse de ce refus est intéressante, car elle révèle habituellement des réactions affectives caractéristiques du client. Cependant, l'intervenant n'aura généralement aucune difficulté majeure à convaincre son client que la consultation de diverses sources ne vise qu'à mieux l'éclairer sur son cas, qu'à lui permettre une appréciation plus sûre et objective de sa personnalité et de ses problèmes.

Il arrive que les clients redoutent, à juste titre peut-être, le témoignage de certaines personnes. Si l'intervenant juge indispensable de consulter quand même ces personnes, il devrait alors en exposer très clairement les raisons. Ces dernières, exposées simplement, devraient suffire à convaincre un client méfiant.

À chaque fois qu'un intervenant est appelé à faire des démarches pour obtenir des informations, il doit prendre soin de ne pas faire à un tiers des révélations qui pourraient léser son client de quelque manière. Ainsi, l'intervenant veillera, en consultant des personnes non informées des procédures judiciaires intentées contre son client, à ne révéler aucun des faits qui pourraient nuire à celui-ci. De plus, dans ces rencontres, l'intervenant cherchera à créer avec ses informateurs un climat de collaboration et à montrer qu'il cherche avant tout à comprendre et à expliquer le comportement de son client plutôt qu'à satisfaire sa propre curiosité.

Le client

Le client est, dans la majorité des cas, la principale source d'information de l'intervenant; c'est d'abord lui qui vit le problème et qui, dans un premier temps, est le mieux placé pour l'exposer et pour donner les informations pertinentes à son sujet.

Quand il rencontre un client, l'intervenant, après avoir expliqué le but de son entrevue, doit décider par où commencer. On peut penser, à première vue, qu'il est plus facile tant pour le client que pour l'intervenant de partir de la situation actuelle et de remonter ensuite dans le temps. En effet, pour plusieurs intervenants, le passé n'est pas important en soi, c'est la situation actuelle qui compte. Cela est vrai seulement si l'on ajoute que ce qui compte du passé est nécessairement présent dans la situation actuelle. De plus, le fait de commencer avec le présent n'oblige pas l'intervenant à indiquer les motifs qui guident son incursion dans le passé du client dès le début de la rencontre.

Du point de vue du client, il est souvent plus facile de parler d'abord de la situation actuelle; après tout, il est venu en consultation pour un problème précis «actuel» et, quelle que soit sa motivation, il souhaite y trouver une solution aussi rapidement que possible.

Bien que pour l'intervenant et le client, aborder la situation actuelle dès le premier contact présente des avantages certains, il paraît utile de reporter cet exposé à un peu plus tard. D'ailleurs, si l'entrevue biographique est bien présentée et paraît justifiée, le client ne devrait pas opposer de réticences majeures à parler d'événements lointains. Ce retour en arrière permet également au client de prendre des distances par rapport à la situation actuelle et, en même temps, de se sensibiliser au fait qu'il construit une sorte de récapitulation de sa vie dont la situation présente en est l'aboutissement.

Enfin, en commençant une entrevue avec la narration d'événements reliés à la petite enfance, le client peut aborder des souvenirs relativement agréables. Il est donc amené sur un terrain où il est assez facile de s'exprimer. En même temps, il est possible pour l'intervenant d'orienter son client vers des aspects particuliers de ce passé. Si le client s'y oppose, il est évident qu'il devra respecter ce choix et le laisser suivre son propre cheminement, car il sera toujours possible, ultérieurement, de revenir sur des points précis concernant cette période de sa vie.

La famille

Lorsqu'il s'agit d'un client mineur (jeune délinquant, enfant problème) ou d'un client qui a atteint l'âge légal de la maturité, mais pour qui la relation avec ses parents revêt une importance tout à fait particulière, la rencontre avec les parents est alors indispensable.

Le père et la mère (naturels et/ou substituts) sont des personnes bien placées pour décrire l'évolution de la personnalité du client depuis sa petite enfance, les méthodes d'éducation et les mesures disciplinaires adoptées (de même que les réactions du client face à celles-ci), les relations entre les divers membres de la famille, ainsi que les principaux types de problèmes vécus au sein du groupe familial. L'intervenant pourra alors apprécier dans quelle mesure les parents constituent éventuellement une ressource au problème du client ou, au contraire, en sont une des causes importantes.

Certains membres de la fratrie, surtout s'ils ont entretenu ou entretiennent encore une relation significative avec le client, présentent une autre source pertinente d'information. Les frères et les sœurs, parce que moins directement concernés que les parents et le client, évaluent souvent plus objectivement la dynamique familiale et son impact sur la situation actuelle du client. Ils sont parfois aussi mieux informés sur les activités sociales (ou antisociales) du client et sur les amis que ce dernier fréquente. Ils peuvent aussi aider l'intervenant à enrichir ses informations sur la vie sociale de son client et sur son mode de fonctionnement dans un groupe de pairs (ou de complices).

Dans le cas d'un client adulte, le conjoint (ou la conjointe) constitue une personne-ressource indispensable, car ce conjoint (ou cette conjointe) a partagé la vie du client et est donc en mesure de mieux faire connaître des faits qui s'y rapportent.

Donc, quel que soit l'âge du client, une rencontre avec ses proches (parents, conjoint (ou conjointe), frères, sœurs) est nécessaire. Même si l'opinion de ces personnes est souvent subjective et parfois délibérément faussée, leur témoignage contribue à éclairer l'intervenant sur les relations que chacun entretient ou a entretenues avec le client, sur l'influence que ces personnes exercent sur lui et sur leur éventuel appui moral ou physique.

L'école

Lorsqu'il s'agit d'un enfant ou d'un adolescent d'âge scolaire, l'intervenant essaiera d'obtenir un tableau aussi complet que possible sur ses performances académiques et sur son comportement à l'école afin d'établir son degré d'intégration et d'engagement.

Concrètement, il n'est pas toujours facile de rencontrer la personne capable de donner des renseignements précis sur la vie scolaire d'un client. Cependant, les enfants qui connaissent des difficultés d'adaptation scolaire sont parfois dirigés vers des services d'aide spécialisés; il est alors plus aisé d'obtenir des informations très pertinentes en discutant avec les personnes qui ont travaillé auprès du client ou en consultant son dossier. Ces spécialistes peuvent non seulement contribuer à étoffer l'histoire sociale, mais également collaborer avec l'intervenant à la mise en pratique d'un plan de traitement en milieu ouvert.

Comme les jeunes délinquants ont, dans la grande majorité des cas, des problèmes d'adaptation scolaire, il est primordial que l'intervenant ne s'intéresse pas qu'à leurs résultats académiques, mais aussi à toutes les difficultés qu'ils ont rencontrées durant cette période.

Le travail

L'intervenant peut aller chercher ses informations auprès de l'employeur actuel du client et auprès des employeurs antérieurs. Évidemment, lorsque le client a actuellement un emploi, les démarches de l'intervenant ne devraient en aucun cas lui nuire; il est donc préférable de s'abstenir de consulter un employeur, si celui-ci ne connaît pas les démêlés judiciaires de son employé ou, à tout le moins, de le faire avec beaucoup de tact. L'intervenant tentera ainsi de connaître le comportement général de son client tant face au travail que face aux gens qu'il côtoie.

Ces informations permettront aussi à l'intervenant de comptabiliser les périodes de chômage et d'analyser par la suite ce qu'elles ont signifié pour son client.

Les autorités judiciaires, policières, correctionnelles

Pour connaître le passé criminel de son client, l'intervenant orientera ses recherches vers tous les organismes avec lesquels le client est entré en contact à cause de ses activités antisociales. Notons cependant qu'à cause de la confidentialité des dossiers touchant les délinquants mineurs, certaines informations seront interdites. Toutefois, si un adulte fait des confidences sur cette période de sa vie, l'intervenant essaiera d'en confirmer l'authenticité auprès des personnes concernées.

Ce sont les institutions ou agences sociales qui ont déjà traité un client qui sont souvent les mieux placées pour fournir une contribution significative à l'étude biographique d'un client. La discussion du cas avec d'autres intervenants qui le connaissent bien peut aussi apporter un éclairage nouveau et aider à expliquer certaines des réactions actuelles du client. Ce type de consultation peut également donner des indications précieuses sur les modes d'intervention à éliminer ou à retenir.

Enfin, les autorités policières constituent souvent une source d'information intéressante pour mieux connaître les circonstances entourant le ou les derniers délits du client, son *modus operandi*, ainsi que son type d'intégration et d'implication dans le milieu criminel.

Un entretien personnel est toujours préférable à une consultation écrite ou téléphonique, car il permet un échange beaucoup plus nuancé. De plus, il donne la possibilité à l'intervenant d'approfondir différents points obscurs et de discuter certains aspects qui, au départ, paraissaient accessoires, mais qui, au fil de la discussion, se sont avérés fort intéressants. Enfin, l'entretien personnel donne l'occasion à l'intervenant de saisir certains des mobiles qui dictent l'opinion de son interlocuteur et, par conséquent, d'apprécier la valeur réelle des informations fournies.

Au moment de la rédaction de son rapport, l'intervenant rapportera l'essentiel des renseignements obtenus auprès des diverses sources consultées en évitant tout bavardage superflu. De plus, il pourra noter certaines observations utiles, comme le crédit que ces données semblent mériter ou les mobiles de ceux qui les ont fournies.

Enfin, de façon générale, les indications recueillies ne seront communiquées ou discutées avec le client que pour l'amener à apporter des informations supplémentaires ou à commenter certaines des données qui y sont contenues.

8.5 Contenu de l'étude biographique

Quelles sont les données historiques pertinentes pour la compréhension d'un cas? À cette question, on peut bien sûr répondre qu'il faut tout connaître, mais cette réponse n'est pas sérieuse. Concrètement, il vaut mieux essayer de trouver une voie de solution en énonçant un principe général, comme: «L'étendue des données biographiques est essentiellement fonction du problème à traiter, et dans une certaine mesure, de l'âge du client.» Ce problème doit être évidemment envisagé sous un double aspect: il s'agit d'abord du problème que l'intervenant, de son point de vue, est censé étudier (l'agir délinquant et tous les thèmes qui y sont reliés) et, également, du problème intérieur que vit le client et pour lequel il est en consultation. Parfois, ces deux facettes seront tout à fait congruentes, mais, à d'autres occasions, elles le seront beaucoup moins, d'où l'importance d'une approche qui tienne compte de la version du client.

Quant à la variable âge, elle influence également le contenu de l'histoire sociale. Le rapport biographique d'un client mineur est différent de celui d'un client adulte. En effet, le premier mettra beaucoup d'emphase sur des aspects tels la petite enfance, les relations et les conflits intrafamiliaux, l'adaptation au milieu scolaire, etc., tandis que le second s'attardera plutôt sur les aspects tels que l'intégration au marché du travail, la vie sociale, la vie familiale, la carrière criminelle, pour ne mentionner que ces exemples. Ainsi, selon l'âge du client, l'accent sera mis sur des aspects différents de son passé.

Il est impossible de donner des directives précises quant à l'importance que l'on doit accorder aux divers thèmes à traiter lors d'une entrevue ou dans un rapport biographique. C'est le vécu particulier du client et l'expérience de l'intervenant qui dicteront la meilleure façon de procéder dans chaque situation. Dans le présent chapitre (tout comme dans le schéma pour la rédaction d'un rapport biographique que nous y avons inclus), nous développerons donc de la même manière les thèmes de l'enfance et de l'adolescence et les thèmes relatifs à un cas adulte.

Biographie: contenu

Identification du client

La première étape dans l'élaboration d'une étude biographique consiste en l'identification précise du client. Celui-ci doit alors évidemment faire connaître ses noms et prénoms, les surnoms (alias) qu'il utilise, sa date de naissance, ainsi que toutes autres données (comme le prénom du père) qui feront en sorte que le dossier ne soit éventuellement confondu avec un autre. Souvent, on retrouvera aussi sous cette rubrique une brève description physique du client où seront notées certaines caractéristiques particulières, par exemple, un handicap physique ou des tatouages.

Histoire familiale et sociale

Selon que l'on s'adresse à un adulte ou à un juvénile, ce thème sera développé différemment. Pour un client mineur, il va sans dire que l'histoire familiale sera particulièrement fouillée.

L'intervenant présentera tout d'abord une description physique de chacun des deux parents (naturels et/ou substituts) en incluant des données comme l'âge, la scolarité, l'occupation, les loisirs, pour ensuite tracer le portrait psychologique de ceux-ci. Là, il abordera la perception des rôles joués par chacun (père-époux, mère-épouse), les relations de couple, les attitudes de chacun à l'égard du client (rejet, surprotection, favoritisme, désintéressement...), les problèmes particuliers reliés à leur personnalité (alcoolisme, brutalité, inceste...), les méthodes éducatives et disciplinaires favorisées, ainsi que tout autre élément susceptible d'ajouter à la compréhension de la dynamique familiale (milieu physique, situation économique...).

Les frères et les soeurs du client seront aussi l'objet d'une attention particulière. Après avoir donné les détails physiques concernant chacun d'eux (âge, sexe, occupation...), l'intervenant étudiera le type d'intégration du client au sein du groupe, le système de communication existant entre lui et les autres membres de la fratrie (entente, querelles, rivalité, rejet), pour s'attarder finalement aux relations significatives qu'il a établies avec certains d'entre eux.

Dans le cas d'un client adulte, le tableau du milieu familial pourra être brossé plus rapidement. En plus des données touchant la situation économique, l'intégration sociale et le niveau culturel de la famille, l'intervenant regardera la nature des liens qui unissaient le client à chacun des membres de sa famille et l'influence que cette dernière a eue sur lui. C'est à la famille que le client a lui-même créée (si tel est le cas) ou aux relations qu'il entretient avec les membres de l'autre sexe que l'intervenant accordera surtout son attention. Tous les éléments d'analyse de l'histoire familiale et sociale seront donc ici repris, mais en ayant cette fois le client lui-même au centre ou à l'origine de la dynamique conjugale et familiale.

Histoire personnelle du client

Dans le cas d'un client juvénile, la petite *enfance* et les données s'y rapportant sont d'une grande importance. Des événements qui ont marqué la vie d'un client en très bas âge laissent parfois des traces indélébiles qui peuvent expliquer facilement des comportements actuels. Par exemple, une hospitalisation de longue durée peut faire vivre à un enfant une expérience particulièrement douloureuse, qui peut éventuellement entraîner chez lui un sentiment de rejet et l'amener, plus tard, à poser certains gestes (dont des actes délinquants) pour regagner l'attention et l'affection parentales. Il s'agit donc, pour l'intervenant, de retracer, avec le client lui-même ou avec ses parents, les informations, les détails qui ont entouré sa naissance (du début de la grossesse jusqu'à l'accouchement proprement dit), puis les caractéristiques durant le développement psychomoteur (acquisition du langage, de la marche, des habitudes de propreté) et, enfin, les principales maladies et accidents majeurs qui ont marqué les premières années de la vie de l'enfant. L'intervenant notera également tous les placements qu'a connus le client durant cette période, ainsi que l'ensemble des données s'y rapportant (durée, motifs, réactions, lieux de séjour).

L'entrée à l'*école* est un événement très important dans la vie d'un enfant et les renseignements s'y rapportant le sont tout autant. L'intervenant considérera le nombre d'années de scolarité, les aptitudes démontrées, les relations entretenues avec les compagnons ou les compagnes de classe (bataille, entente, amitiés), la perception qu'il a de l'école, les problèmes disciplinaires présentés (école buissonnière, suspensions, renvois) et les actes délinquants connus (vols, vandalisme). Cette analyse du dossier scolaire devrait amener l'intervenant à évaluer le niveau d'adaptation ou d'inadaptation présenté par son client face à l'école, de même que les raisons susceptibles d'expliquer cette situation. Précisons encore une fois qu'avec un client adulte, l'intervenant pourra se contenter de recueillir des informations sur le degré de scolarité atteint, l'intérêt général pour les études, les ambitions au moment de la fréquentation scolaire et les raisons qui ont motivé l'arrêt des études. Cette analyse sera faite afin de cerner les problèmes vécus à l'école et d'évaluer, de façon globale, l'ensemble de son fonctionnement sur les plans académiques et relationnels durant cette période de sa vie.

Le thème de l'*emploi* touche habituellement surtout les clients adultes, mais il concerne aussi les jeunes. Dans le cas de ces derniers, l'intervenant s'informera de l'âge du client lors du premier emploi, de la nature de cet emploi, des motifs qui ont engendré la recherche de cet emploi, de la durée moyenne des emplois connus jusqu'à maintenant et, finalement, de l'utilisation des salaires gagnés.

Avec un client adulte, le tableau de l'évolution sur le marché du travail est beaucoup plus élaboré. Même s'il n'est pas nécessaire que le client présente la liste complète des employeurs et des types d'emploi occupés jusqu'à ce jour, l'intervenant devrait décrire la nature des emplois généralement choisis, évaluer le pourquoi et le nombre des changements horizontaux et verticaux qui se sont effectués, établir le degré de stabilité ou de constance manifesté par l'individu en déterminant la persévérance et la motivation dont il a fait preuve à ce niveau, faire connaître l'utilisation des salaires et leur ampleur, la nature de ses dettes, la durée et la fréquence des périodes de chômage, ainsi que les activités auxquelles le client s'est adonné durant ces périodes. Il est utile que l'intervenant puisse déterminer la plus longue durée d'emploi, ainsi que le type d'emploi privilégié par son client. L'intervenant devrait pouvoir aussi obtenir un tableau sur la façon dont son client se comporte sur le marché du travail, sur ses capacités d'adaptation et d'intégration dans les différents milieux connus, et ce, tant par rapport à ses compagnons de travail que par rapport à ses patrons.

Les *loisirs* sont un autre domaine que l'intervenant touchera afin de mieux connaître son client. Il cherchera ainsi à identifier les activités auxquelles son client s'adonne durant ses moments libres (sports, activités culturelles, rencontres sociales), à analyser les intérêts qu'il manifeste à ce niveau et à évaluer son degré de socialisation et sa capacité d'établir des relations personnelles avec autrui. Qu'il s'agisse d'un client juvénile ou adulte, l'intervenant s'intéressera aussi tout spécialement aux types de fréquentation favorisés par son client afin de préciser l'influence que celles-ci peuvent avoir sur son agir délinquant.

Si, en abordant le domaine des loisirs, l'intervenant découvre des problèmes relatifs à l'usage d'*alcool* ou de *drogues*, il pourra alors s'intéresser, entre autres, à l'âge du client au moment de sa première expérience, aux sensations recherchées, au type de consommation privilégié actuellement (produits, fréquence, lieu, seul ou en groupe) et aux quantités consommées. L'intervenant devrait ainsi être amené à conclure soit à une accoutumance face à une drogue ou à l'alcool soit à une consommation normale. Les habitudes de consommation seront mises en relation avec les délits connus et, plus particulièrement, avec ce qui caractérise le passage à l'acte.

La question de la *sexualité* mérite également l'attention de l'intervenant, qui s'informera alors de l'âge du client lors de sa première expérience sexuelle, des circonstances qui l'ont entourée et de ses réactions face à celle-ci. Pour rendre compte de la situation actuelle du client face à la sexualité, il pourra s'informer sur la fréquence des expériences sexuelles, s'interroger sur son attitude face à la sexualité en général et, s'il y a lieu, analyser les problèmes particuliers reliés aux expériences sexuelles (viol, inceste, prostitution, homosexualité). Dans le cas d'un client marié, l'intervenant s'attardera aussi aux aventures extra-conjugales (nature, fréquence, durée), ainsi qu'à son attitude générale à l'égard de son conjoint.

Les *maladies* ou *accidents* importants seront traités dans certaines histoires sociales selon les effets qu'ils ont eus sur la vie du client. Dans le cas des enfants, par exemple, l'intervenant s'intéressera plus particulièrement aux effets d'une hospitalisation prolongée sur la personnalité du sujet et, selon le cas, sur son évolution scolaire. Avec un adulte, cette problématique sera envisagée plutôt en fonction de sa performance sur le marché du travail et des conséquences au niveau de sa vie personnelle (et familiale, s'il y a lieu). Notons enfin que l'intervenant accordera une attention toute spéciale aux pathologies mentales et aux effets de celles-ci sur la personnalité et le comportement de son client.

D'autres rubriques pourront, selon les circonstances, être développées dans l'histoire sociale. Avec certains clients, il sera nécessaire, par exemple, d'aborder le thème de la fugue (ou de l'évasion) ou encore certaines expériences particulièrement traumatisantes (mort d'un proche, handicap physique).

Enfin, pour compléter l'histoire personnelle de son client, l'intervenant touchera à sa carrière criminelle et au(x) délit(s) qui l'a (ont) amené en consultation. Pour cette analyse, nous vous renvoyons à la partie de ce présent chapitre intitulé «Diagnostic», où elle sera traitée en profondeur. Rappelons simplement ici que l'intervenant, au sujet de la carrière délinquante de son client, ne doit pas s'en tenir uniquement aux données contenues dans les rapports officiels, mais qu'il lui faut aussi aller chercher sa version et, s'il y a lieu, analyser avec lui les contradictions qui s'en dégagent.

Avant d'aborder la question du diagnostic, nous vous suggérons de regarder le schéma qui suit. Il ne s'agit pas d'un plan d'entrevue, mais plutôt d'un cadre d'analyse et de présentation des informations recueillies au cours de diverses rencontres avec un client. Les rubriques contenues dans ce schéma se retrouvent habituellement, quoique dans un ordre différent, dans la plupart des guides de rédaction que les milieux de travail fournissent à leurs praticiens.

Schéma pour la rédaction d'un rapport d'entrevue biographique

Plusieurs milieux de travail ont élaboré à l'intention de leurs praticiens, et compte tenu de la clientèle desservie, un ou des modèles de rédaction de rapport. Le schéma que nous présentons ici est donc purement fictif. De plus, il n'est pas présenté en fonction d'un groupe d'âge particulier (juvénile-adulte).

1. Identification du client
    - nom — prénoms — surnoms (alias)
    - date de naissance — âge
    - prénom du père
    - brève description physique

2. Sources de renseignements
    - personnes, documents consultés

3. Nombre et genre de contacts avec le client
    - lieu
    - durée

4. Constellation familiale
    - père (naturel ou substitut)
        - identification
        - date — endroit de naissance
        - scolarité
        - occupation
        - santé (maladies ou handicaps majeurs)

- activités sociales
- problèmes particuliers (alcoolisme — brutalité)
- rôle de mari et de père
- relations avec le client
- personnalité

• mère
  - idem

• dynamique conjugale et intrafamiliale
  - relations entre époux
  - atmosphère au foyer
  - valeurs prônées

• milieu socio-économique
  - revenus
  - logement
  - environnement social et culturel

• fratrie
  - énumération
  - état civil
  - âge, sexe, situation (école — travail)
  - système de communication entre les membres (entente, querelles, rejet, identification du sujet à un ou plusieurs membres)
  - attachement du client à l'égard des membres de la fratrie

5. Histoire personnelle
   • date, lieu de naissance, rang dans la famille
   • naissance et petite enfance
     - grossesse — accouchement
     - développement psychomoteur
     - maladies infantiles
     - hospitalisations et accidents majeurs
     - placements (type — raisons — durée — réactions du client)
   • école
     - âge à l'entrée et adaptation
     - nombre d'années d'étude (diplômes)
     - perception de l'école (acceptation — rejet — souvenirs marquants)
     - aptitudes à l'école (réussites — échecs — matières préférées)
     - relations avec autres élèves (conflits — bonne entente — collaboration)
     - discipline (école buissonnière — décrochage — acceptation ou rejet de l'autorité — problèmes de comportement)
     - ambitions
   • emploi
     - âge au 1er emploi

- secteur d'emploi habituellement privilégié
- recyclage en cours d'emploi
- durée moyenne des emplois
- raisons des cessations d'emploi (renvoi — fermeture d'usine — abandon volontaire)
- fréquence et durée des périodes de chômage
- relations avec collègues et patrons
- perception du client face au travail
- ambitions

- vie sociale
  - occupations privilégiées durant les temps libres (sports — activités culturelles)
  - relations amicales

- situation maritale (statut actuel)
  - célibataire: relations avec l'autre sexe
  - «marié»: nature de l'union
    âge au moment de l'union
    durée des fréquentations
    vie sexuelle
    relations conjugales — parentales
    aventures extra-conjugales
  - séparation—divorce: nature (séparation légale — de fait — divorce)
    âge
    réactions
    garde d'enfants
    problèmes économiques
    réorganisations de vie

- vie sexuelle
  - âge à la 1re expérience, circonstances entourant cette expérience
  - fréquence des expériences sexuelles
  - expériences homosexuelles
  - attitudes à l'égard de la sexualité
  - problèmes particuliers (viol — prostitution)

- religion
  - pratique religieuse

- drogue et alcool
  - âge aux premières expériences
  - sensations recherchées
  - consommation actuelle (quantité — fréquence — circonstances)
  - problèmes particuliers (dépendance à une drogue — trafic)

- maladie
  - physique ou mentale
- carrière délinquante
  - cf. diagnostic

6. Diagnostic
   A. Difficultés d'adaptation sociale
      - dynamique des relations familiales et sociales
   B. Antécédents judiciaires et délit actuel
      Délits antérieurs
      - feuille de route
      - âge au 1er délit, nature de celui-ci
      - constance délictuelle
      - homogénéité ou non des délits (*modus operandi*)
      - aggravation ou non des délits dans le temps
      - complicités ou non (rôle dans le groupe criminel)
      - utilisation de stimulants
      - causes pendantes
      - périodes d'institutionnalisation
      - réinsertion sociale

      Délit actuel
      - circonstances de vie précédant l'acte
      - cause(s) objective(s) incitant le client à passer à l'acte
      - *modus operandi* (complicités — stimulants)
      - après l'acte (considération pour la victime — réaction face à l'arrestation, aux mesures judiciaires ou extra-judiciaires)
   C. Personnalité du client
      Indices de criminalisation
      - traits de personnalité criminelle

      Indices d'intégration criminelle
      - mode de vie et genre de milieu de vie
      - types de fréquentations
      - relations avec complices

      Intelligence
      - niveau apparent de fonctionnement

      Niveau de maturité
      Équilibre émotif
      Sens des valeurs
      Résumé des forces et des faiblesses de la personnalité

7. Pronostic et plan de traitement
   - indices de dangerosité
   - facteurs personnels
   - problèmes matériels

Diagnostic

Définition

L'étude biographique et l'examen de la situation actuelle d'un client fournissent à l'intervenant des informations sans lesquelles il serait impossible de «nommer» un problème et de proposer des solutions réalistes. La cueillette de données entreprise par le client et l'intervenant est envisagée dans un esprit différent par les deux interlocuteurs. Le client présente une rétrospective de sa vie afin de se faire bien comprendre et de trouver une solution à son problème. L'intervenant, de son côté, doit en plus dégager une certaine cohérence dans l'ensemble des informations fournies par son client, puis leur donner une signification en fonction de concepts précis. Il lui appartient donc tout au long des rencontres d'analyser tous les aspects qui l'aideront à décrire de manière aussi précise que possible les problèmes de son client et à tirer certaines conclusions qui formeront le diagnostic.

Le diagnostic peut ainsi être défini comme l'exposé concis du problème du client. Il ne s'agit donc pas d'une simple étiquette dont l'intervenant affuble son client et qui permet de le classifier facilement à l'intérieur d'une quelconque typologie criminelle (ou autre). Le diagnostic n'est pas non plus un jugement moral ou social porté sur la vie, le comportement ou la personnalité du client. En fait, le diagnostic découle des événements et des situations analysés, c'est-à-dire qu'ils ne sont pas simplement assemblés ou juxtaposés, mais reliés les uns aux autres et interprétés professionnellement par l'intervenant grâce à son expérience et à ses connaissances. Ce n'est donc pas simplement un inventaire de facteurs favorables ou défavorables. Le diagnostic est basé à la fois sur des renseignements objectifs tels que l'âge, la formation professionnelle, et sur des données subjectives comme l'analyse des réactions habituelles et des attitudes à l'égard de la justice ou de l'autorité. Il doit tendre à expliquer les forces qui ont poussé le client à adopter une certaine conduite délictueuse (puisqu'il s'agit de clients délinquants la plupart du temps); il constitue donc une tentative pour comprendre la dynamique d'un cas précis dans une situation actuelle.

Dans le domaine des sciences humaines, le diagnostic a rarement un caractère définitif; il est appelé à être modifié, chaque fois que des éléments nouveaux interviennent. Un diagnostic en sciences humaines est donc essentiellement provisoire; il est la meilleure hypothèse de travail que l'on puisse adopter à un moment donné.

Pour établir un diagnostic, l'intervenant doit rechercher les forces et les faiblesses de son client. Il essaie d'en faire ressortir les traits marquants, de dégager les principales caractéristiques de la personnalité, les déviations non acceptées par la société et les causes de ces déviations. Dans le cas de clients délinquants, l'étude biographique a habituellement pour point de départ un délit et, pour éviter de ne retenir que ce qu'il y a d'anormal, d'asocial ou de négatif dans la situation ou les réactions de son client, l'intervenant doit rechercher avec autant de soin les aspects sains, normaux et équilibrés de sa personnalité que les aspects malsains, anormaux et non équilibrés. En effet, le plan de traitement qui sera élaboré à la suite du diagnostic doit pouvoir s'appuyer aussi sur des éléments positifs afin de les développer.

On peut dire que les éléments de la vie d'un sujet s'organisent et s'ordonnent de manière significative pour lui. L'intervenant qui voudrait à chaque événement appliquer ses propres concepts (identifier de l'instabilité dès que le client parle d'un changement d'emploi, par exemple) risque de s'emprisonner dans un tableau qu'il aura tracé à l'avance. Par contre, s'il considère ces divers concepts psychologiques ou criminologiques comme des hypothèses de travail et, surtout, s'il est suffisamment objectif pour se rendre compte de la valeur relative de ces concepts, il orientera les entretiens de façon à pouvoir vérifier, rectifier ou, encore, rejeter ces concepts. Ainsi, avant d'interpréter les données de la biographie d'un client en fonction de certains concepts théoriques et de poser un diagnostic, l'intervenant fera des données qu'il a recueillies une sorte de critique interne et externe: Y a-t-il cohérence dans les événements rapportés? Les contradictions sont-elles expliquées? Les connaissances techniques et l'expérience pratique aideront certainement l'intervenant lors de ce travail, mais la confrontation avec d'autres sources d'information pourra s'avérer un élément important supplémentaire pour mener à bien cette critique.

Enfin, il ne faut pas oublier que le rapport biographique reflète en partie les réactions affectives de l'intervenant à qui on demande un avis, favorable ou défavorable, sur un certain client. Si l'intervenant a un réel souci d'objectivité, l'influence de ces réactions se fera moins sentir et n'affectera pas outre mesure l'évaluation faite.

Contenu

a) **Difficultés d'adaptation sociale**

Dans ce présent chapitre, une analyse de la dynamique familiale pour évaluer la nature des interactions entre les divers membres du groupe familial et ses conséquences sur l'éducation ou la vie du sujet, ainsi que sur le problème qui le préoccupe actuellement s'impose. En plus, en présence d'un client mineur, il est indispensable de cerner les zones de conflit entre les parents et d'analyser l'attitude de ceux-ci à l'égard du client mineur. Il est également important de connaître la perception qu'a le sujet de ses parents (de son conjoint et de ses propres enfants, dans le cas d'un client adulte) et de ses frères et soeurs afin d'apprécier la qualité de l'influence (positive ou négative) que ces personnes exercent sur lui et d'identifier les façons habituellement utilisées par le client pour interagir avec ces différentes personnes.

Au niveau de la dynamique sociale, l'intervenant regardera plus particulièrement la qualité du fonctionnement et de l'intégration du client au sein des différents groupes d'appartenance ou milieux de vie (école, travail, amis). Il analysera alors l'importance accordée aux activités accomplies et le degré d'influence qu'exerce l'entourage sur son comportement et ses modes de pensée. Enfin, l'intervenant s'attardera à l'étude des relations d'amitié que le client entretient, en s'intéressant, par exemple, au type et au nombre de personnes fréquentées, à ses capacités d'engagement par rapport à autrui, etc.

Si l'histoire familiale et sociale est avant tout une énumération de points relatifs à la vie concrète du client, il importe aussi de faire ressortir le vécu intérieur de ce dernier face à ces diverses réalités. À ce stade-ci de l'étude biographique, l'intervenant cherchera surtout à mettre en évidence la dynamique particulière des relations interparentales, intrafamiliales et sociales vécues par le client et à en déterminer les zones d'influence prépondérantes. Les relations familiales et sociales en milieu défavorisé étant souvent différentes de celles vécues en milieu plus favorisé, il en résulte que la dynamique des loisirs et du vécu à l'école ou sur le marché du travail est elle-même différente, reflétant justement le milieu de socialisation primaire. Comme beaucoup de délinquants proviennent de couches sociales plus défavorisées, le praticien devra être très prudent dans son interprétation des données et veillera à les replacer dans le contexte socio-économique et culturel qu'elles reflètent.

b) **Antécédents judiciaires et délit actuel**

L'intervenant doit mentionner l'absence d'antécédent judiciaire et indiquer comment il lui est possible d'affirmer une telle chose. Avec un client qui n'a que quelques antécédents, il pourra les énumérer, par ordre chronologique, en mentionnant aussi les sentences rendues (on peut éliminer les causes pour lesquelles le client aurait pu être acquitté). Dans le cas d'un client avec un passé très chargé, un condensé des différents types de délits commis, de leur fréquence et des condamnations encourues sera suffisant. De la même façon, on évitera de mentionner tous les nombreux placements qu'aura pu vivre un délinquant juvénile. Encore là, un résumé de la situation suffira. En somme, en présentant les antécédents judiciaires de son client, l'intervenant doit aller à l'essentiel et éviter de donner tous les détails, surtout pour des délits qui ont peu d'importance ou qui ont été commis il y a de nombreuses années (et qui sont, de surcroît, mineurs).

Pour présenter un profil complet des antécédents judiciaires d'un client, l'intervenant s'attardera tout d'abord à l'âge de ce dernier lors du premier délit et à la nature de celui-ci. Quelques explications ou interprétations criminologiques pourront accompagner ces données afin d'en démontrer la pertinence ou l'importance face à l'ensemble de la carrière criminelle du client.

La constance criminelle est un autre aspect à considérer. L'intervenant regardera le laps de temps écoulé entre chaque délit et précisera s'il y a eu augmentation ou diminution de la fréquence délictuelle. Cette analyse sera complétée avec une énumération des périodes d'incarcération ou d'institutionnalisation, de même que des périodes où l'on a observé des absences «réelles» d'actes criminels.

L'homogénéité (ou l'hétérogénéité) des délits est une autre variable intéressante à analyser. Il s'agit ici de déterminer si cette caractéristique décrit la carrière criminelle de son client de façon relative ou absolue, en précisant s'il est question d'actes contre les biens ou contre la personne. En outre, l'intervenant pourra préciser si cette homogénéité (ou cette hétérogénéité) se retrouve au niveau du *modus operandi* et si lors du passage à l'acte le client a agi ou non sous l'effet d'un quelconque stimulant (drogue, alcool).

Le praticien analysera aussi l'aggravation ou non des délits. Plus précisément, il cherchera à découvrir si cette caractéristique s'applique à la feuille de route du client, de quelle façon elle s'y applique et si elle en est un indice d'intégration graduelle au monde criminel.

L'intervenant soulignera également si les délits ont été généralement commis seul ou en groupe et de quelle façon le client a évolué. Dans les cas d'actes commis avec des complices, il tentera d'identifier le rôle précis joué par son client (leader, planificateur, simple exécutant) et la nature des liens qui l'unissaient aux membres du groupe.

Enfin, pour les clients adultes, la question des causes pendantes doit être analysée. Il s'agit d'indiquer le numéro de la cause, la date prévue des procédures (comparution, enquête, procès, sentence). S'il n'y a pas eu de plaidoyer de culpabilité d'enregistré, le praticien devra éviter tout commentaire ou jugement sur l'affaire. Dans le cas contraire, il pourra faire éventuellement un résumé sommaire des circonstances délictuelles et indiquer les liens possibles avec la ou les présentes accusations.

Quant au délit actuel, il faut le traiter comme un élément qui permet à l'intervenant d'établir un diagnostic sur le comportement antisocial de son client et sur sa dangerosité. Cette rubrique ne devrait donc contenir que des éléments pertinents et non une série de détails sur le délit ou le client. L'intervenant s'abstiendra de remettre en question la culpabilité de son client. Son rôle ne consiste qu'à entendre la version des faits que lui en donne son client, à prendre connaissance de la version officielle (acte d'accusation) et de toute autre version (police, avocat) et non de porter un jugement sur ceux-ci.

Il s'agit donc tout d'abord de présenter la version judiciaire pour ensuite aborder celle de l'accusé lui-même. L'intervenant essaiera de connaître la situation économique, familiale et sociale qui prévalait avant le délit et qui, selon le client, aurait joué un rôle prépondérant.

Il est bon aussi de préciser si l'appartenance à un groupe criminel a influencé le client et, si tel est le cas, de voir dans quelle mesure celui-ci était intégré au groupe (rôle).

Au niveau de l'acte lui-même, l'intervenant décrira les étapes préparatoires au délit, les armes utilisées et les moyens de locomotion choisis. De plus, il cherchera à quantifier l'espace de temps écoulé entre l'élaboration du projet et son exécution tout en examinant les circonstances particulières susceptibles d'avoir facilité le passage à l'acte. Il essaiera également de découvrir l'état dans lequel se trouvait le client au moment de l'agir (ébriété, nervosité, ...), les raisons du choix d'un jour et d'une heure donnés et, finalement, le rôle exact de celui-ci lors du délit. Il tentera de voir aussi si les modalités d'action proposées au moment de la planification du projet ont été exécutées ou s'il y a eu improvisation au dernier moment. L'intervenant cherchera aussi à savoir s'il y a eu violence et, si tel est le cas, d'en étudier la nature (gratuite, prévue) et les effets sur son client. Enfin, dans certains cas, il analysera le rôle des victimes (cas de viol, inceste, meurtre lors d'un vol, ...).

La situation postdélictuelle doit aussi être examinée. L'intervenant regardera alors, par exemple, les moyens de transport utilisés pour fuir le lieu du délit ou transporter les biens volés, la façon dont les biens ont été partagés, les réactions du client après l'acte, ainsi que le type de relations qu'il a continué d'entretenir avec ses complices après le délit. L'intervenant s'attardera enfin aux circonstances entourant l'arrestation et aux réactions du sujet face à celle-ci.

Lorsque d'autres versions du délit existent, il est bon que l'intervenant signale en quoi elles sont ou non conformes à celle du client. Dans le cas de contradiction flagrante, il doit fournir l'information reçue en insistant avant tout sur les données factuelles, en évitant tout jugement et en identifiant de façon précise l'origine des affirmations présentées.

c) Personnalité du client

Au cours des diverses entrevues qu'il a avec son client, l'intervenant relève des indications quant aux attitudes de l'intéressé à l'égard, par exemple, de son milieu familial et social, de sa délinquance, de la loi, etc., il analyse ses habitudes de vie, ses distractions, ses projets d'avenir et il recueille différents indices touchant les caractéristiques de sa personnalité. Du passé de son client, l'intervenant ne retient surtout que les éléments qui clarifient ou expliquent la situation présente. Ainsi, il soulignera les périodes de bon fonctionnement sur le marché du travail comme indice favorable qui témoigne d'une certaine capacité d'adaptation sociale chez le client. Par contre, les problèmes affectifs et les comportements antisociaux constitueront des indices défavorables. Tous ces éléments, positifs et négatifs, seront pris en considération au moment de l'élaboration du diagnostic et du plan de traitement, car les caractéristiques de la dynamique personnelle sont aussi importantes que les données physiques.

La partie du rapport ou de l'entrevue biographique qui traite de la personnalité du client met l'accent sur les divers aspects du fonctionnement subjectif de ce dernier. Pour bien comprendre les forces et les faiblesses de cette personnalité, l'intervenant utilisera l'ensemble des informations fournies par son client, ainsi que certaines données précisément recueillies à cette fin. Et, compte tenu de la nature du diagnostic à établir, les traits criminels seront spécialement scrutés afin de découvrir ceux que le client possède et d'évaluer dans quelle proportion ils déterminent son comportement. Ainsi, le degré de criminalisation et le degré d'intégration criminelle sont deux aspects particulièrement importants à analyser quand un intervenant travaille auprès d'une clientèle délinquante.

Le degré de criminalisation est évalué à partir de deux grandes catégories d'indices: les indices longitudinaux et les indices actifs de criminalité. Les premiers sont constitués par l'ensemble des traits criminels classiques: l'égocentrisme, l'agressivité, l'indifférence affective, l'instabilité émotive, l'intolérance à la frustration, la pauvreté des relations interpersonnelles et la valorisation des moyens illégaux. À ces traits s'ajoutent les éléments que l'on peut dégager du ou des présents délits: S'agit-il d'un délit professionnel ou amateur?; Le motif est-il ludique ou utilitaire?; Quelle est la nature des réactions du client face aux victimes?; Comment se perçoit-il (délinquant ou non)? Dans la deuxième catégorie d'indices, on retrouve, d'une part, les éléments criminels venant des antécédents judiciaires, comme la continuité et l'homogénéité délictuelle, l'aggravation et la professionnalisation des activités délinquantes et, d'autre part, certains traits découlant des incarcérations précédentes, comme les réactions face à l'emprisonnement, l'intégration aux pairs délinquants et les rôles joués durant l'incarcération.

L'évaluation du degré d'intégration criminelle présentée par le client peut se faire à partir du mode de vie que ce dernier a adopté, du type de fréquentations qu'il favorise et du genre de milieu dans lequel il évolue habituellement. L'intervenant doit, en outre, analyser son mode de relations avec ses complices, en indiquant de quel type d'individus il s'agit et en précisant si ces personnes ont été rencontrées par hasard ou si, au contraire, elles constituent des fréquentations régulières. Il est aussi important d'indiquer si le client a commis d'autres actes délictueux avec ces mêmes complices et s'il a poursuivi ses relations avec eux après le délit ou les délits qui sont l'objet de la présente analyse.

En plus de ces caractéristiques qui touchent plus particulièrement la personnalité dite criminelle, l'intervenant regardera divers aspects du fonctionnement subjectif de son client. Par exemple, en se basant sur la cohérence des réponses fournies par celui-ci, sa capacité de réflexion et son aptitude à faire des liens entre les informations qu'il donne et, enfin, la perception qu'ont de lui les personnes-ressources, l'intervenant devrait être en mesure d'apprécier le niveau d'intelligence apparent du client.

Le niveau de maturité du client sera aussi évalué. C'est à partir de sa capacité d'entrer en relation avec autrui, de sa capacité d'introspection et, finalement, du degré de stabilité et d'engagement qu'il démontre sur les plans familial, de travail et des loisirs (compte tenu de son milieu de vie) que l'intervenant l'appréciera.

Il tentera aussi d'évaluer l'équilibre émotif de son client en analysant, par exemple, la qualité de son contact avec la réalité, son type d'agressivité, ses réactions face aux contrariétés de la vie, l'interprétation qu'il fait des situations stressantes, la peur qu'il a d'être pris en défaut, son degré de contrôle des pulsions, ses mécanismes de défense, son degré d'introversion ou d'extraversion (timidité, solitude, excitation), son égocentrisme et l'esprit de discipline dont il peut faire preuve.

Enfin, l'intervenant analysera le sens des valeurs du client, c'est-à-dire l'ensemble des règles que celui-ci a intériorisées, ses réactions face aux transgressions de ces règles (culpabilité ou non) et les sentiments d'injustice qu'il éprouve.

Tout au long de ce processus d'élaboration du diagnostic, le praticien doit éviter de s'improviser psychologue ou psychiatre et d'avoir recours à des jugements globaux, des étiquettes faciles ou des catégorisations arbitraires. Et, pour s'assurer qu'il ne commet pas d'erreurs de compréhension ou d'interprétation, l'intervenant aura avantage à discuter avec son client des hypothèses qui lui semblent découler de ce que ce dernier lui a révélé. Il ne s'agit pas ici que l'intervenant prévoit une période de temps précise pour la discussion du diagnostic, mais que, de façon occasionnelle, il prenne en considération l'avis de son client. D'ailleurs, la qualité des verbalisations et de la collaboration générale du client peut faire l'objet d'un commentaire et constituer un autre élément descriptif de sa personnalité.

Pronostic et plan de traitement

L'étude biographique, quand une clientèle délinquante est concernée, est habituellement effectuée afin d'établir aussi clairement que possible le degré de dangerosité présenté par le sujet et de permettre à l'intervenant de dégager un diagnostic adéquat et précis. Pour atteindre cette précision, l'intervenant doit donc justifier ses conclusions à l'aide de l'ensemble des informations recueillies auprès de son client et des autres ressources consultées. Comme ces conclusions sont très dépendantes de ces données, l'analyse devrait être d'autant plus prudente que l'intervenant possède peu d'informations ou qu'il s'est trouvé devant un client peu collaborateur.

Si le diagnostic, que l'on peut qualifier de psychosocial ou de criminologique, présente le bilan d'une situation, le pronostic qui en dérive devra alors prévoir comment cette situation risque d'évoluer dans l'avenir et à quels moyens il faudra recourir pour l'orienter favorablement. Le pronostic est ainsi une évaluation du potentiel présenté par le client et de ses chances de réhabilitation ou de resocialisation. Comme le diagnostic, le pronostic conduit ou guide l'intervenant dans le choix des mesures à prendre pour chaque cas étudié.

Un pronostic social basé uniquement sur l'intuition étant peu sûr, plusieurs ont cherché à déceler les circonstances de la vie et les caractéristiques de la personnalité jugées les plus pertinentes pour évaluer les risques de récidive d'un client. En criminologie, divers chercheurs (comme S. et E. Glueck dans le domaine de la délinquance juvénile) ont élaboré des tables de prédiction sur la récidive délinquante en reprenant un certain nombre de circonstances de la vie d'un individu, qui permettent de mettre en évidence les probabilités de succès ou d'échec de différentes mesures correctionnelles. Cependant, ces tables de prédiction, aussi bien faites soient-elles, pas plus que les tests d'ailleurs, ne remplacent l'observation individuelle, bien que ces instruments puissent parfois en constituer un contrôle efficace. En effet, on a souvent constaté que les pronostics faits par des professionnels d'expérience à partir des méthodes traditionnelles d'évaluation (entrevue, observation) coïncidaient souvent avec ceux que l'on peut déduire à partir de l'application de certaines tables de prédiction du comportement.

Même si l'intervenant connaît les principales recherches faites dans le domaine de la prédiction et sait s'en inspirer pour élaborer son pronostic, il n'en demeure pas moins que, pour évaluer les chances de réhabilitation (ou les risques de récidive) d'un client, il doit d'abord s'appuyer sur une analyse de la personnalité de ce dernier, de sa situation familiale et sociale ou, en d'autres termes, de ses possibilités effectives et virtuelles de surmonter ses problèmes actuels.

À cause de ses rencontres avec son client, des connaissances qu'il a acquises sur ses motivations et difficultés, l'intervenant peut parfois être tenté de plaider, dans son rapport, en sa faveur et, par conséquent, de suggérer un plan de traitement plus souple ou de se montrer particulièrement optimiste quant à ses chances de réhabilitation. Une telle conduite est évidemment inconvenable; elle démontre un manque total d'objectivité. Pour être objectif, le pronostic et le plan de traitement qui en découle doivent se baser essentiellement sur les ordres suivants de considération: les indices de dangerosité du client (la dangerosité étant définie par la capacité criminelle et la capacité sociale du client), les facteurs propres au client et, enfin, la possibilité de résoudre certains de ses problèmes matériels.

Les indices de dangerosité

Capacité sociale. C'est à partir des informations dégagées de l'histoire sociale et familiale de son client que l'intervenant peut établir son degré d'intégration, ses points d'attache et d'engagement, les types d'influence qu'il a subis, bref, la dynamique générale de fonctionnement en société et conclure s'il s'agit d'un client qui est capable de s'adapter très bien, moyennement ou faiblement à la société.

Capacité criminelle. C'est à partir des informations contenues au niveau des antécédents judiciaires du client, de son dernier délit et des circonstances qui l'ont entouré, de même que de l'analyse de son degré de criminalisation et d'intégration criminelle que l'intervenant peut établir la capacité criminelle de son client.

Après avoir analysé la capacité sociale et criminelle de son client, l'intervenant est amené à présenter son point de vue sur la nature et sur la gravité du danger que celui-ci représente pour la collectivité. Ainsi, les habitudes de comportements antisociaux contractées dès le jeune âge, même si elles n'ont entraîné que peu d'interventions de la part des autorités judiciaires, constituent des facteurs défavorables. En revanche, des périodes de bonne adaptation (par exemple, intégration sur le marché du travail) autorisent des déductions favorables.

Les facteurs propres au client

C'est l'ensemble des facteurs mis en évidence au niveau du diagnostic que l'intervenant reprend, et ce, pour apprécier la valeur et les contre-indications qu'ils représentent en termes de pronostic et de plan de traitement. Par exemple, une bonne santé, une solide formation académique, un emploi stable, des relations familiales et sociales saines et chaleureuses sont autant d'atouts qui facilitent la réinsertion sociale. Également, le désir d'évoluer positivement, ainsi que la capacité de maturation du client sont des éléments qui peuvent peser lourd dans la balance. C'est de leur force et de leur qualité que dépendra en grande partie le succès du plan de traitement.

Les problèmes matériels

Avant de présenter un pronostic et un plan de traitement, l'intervenant doit envisager la possibilité de résoudre certains problèmes d'ordre matériel qui risqueraient de nuire à l'application des mesures suggérées. En effet, certains éléments extérieurs au client entrent parfois en ligne de compte quand il s'agit de définir un programme d'action qui, d'un autre côté, convient totalement aux besoins et aux aspirations de ce dernier. Ainsi, il peut être nécessaire de prévoir (ou demander) une aide monétaire particulière ou de recourir aux services de certains spécialistes (psychologie, médecine) pour faciliter la mise en œuvre d'un plan de traitement.

C'est donc à partir du diagnostic et de l'analyse des diverses variables que nous venons de présenter que l'intervenant élabore un plan de traitement. Très souvent, cependant, ce plan sera appliqué par une autre personne que lui, voire même un autre service ou un autre organisme que celui auquel il appartient. Par conséquent, l'intervenant, en préparant son plan, devra conserver à l'esprit cette éventualité et se garder de donner des directives trop catégoriques ou trop vagues et d'en rester à l'essentiel.

8.6 Le rapport

Nous avons abordé dans un chapitre précédent la question de la rédaction du rapport qui, pour plusieurs intervenants, constitue l'une des tâches les moins agréables du travail. Nous ne reprendrons pas ici les éléments que nous avons déjà discutés, mais nous aimerions toutefois souligner à nouveau que la façon dont est rédigé un rapport est au moins tout aussi importante, sinon plus, que la qualité des entrevues qui ont servi à le constituer.

Dans plusieurs milieux de travail, les intervenants peuvent utiliser des formules-types de présentation de rapports. Dans un tel cas, il est plus facile pour l'intervenant d'organiser le matériel recueilli et de réaliser une présentation claire, précise et uniforme des données. À ces caractéristiques de clarté et de précision s'en ajoutent quelques autres qui visent aussi à améliorer la qualité du rapport. Mentionnons tout d'abord l'exactitude. En effet, chaque élément doit être présenté de façon à faire apparaître sa valeur exacte. Ainsi, les données subjectives, les hypothèses et les opinions ne seront mentionnées que dans la mesure où elles pourront être justifiées. Il est également essentiel que l'intervenant ne s'en tienne qu'aux informations pertinentes par rapport au problème du client et qu'il ignore tous les détails qui n'apportent aucun élément supplémentaire à la compréhension du cas étudié. L'objectivité est aussi, il va sans dire, une autre qualité primordiale. L'intervenant, pour être objectif, doit veiller à ne pas se laisser influencer par ses préjugés ou les sentiments (positifs ou négatifs) que son client fait naître en lui. Enfin, pour qu'un rapport soit clair et précis, le praticien doit trouver, pour s'exprimer, des expressions simples et des termes précis, éviter les répétitions et les détails superflus, bref, être concis.

Conclusion

Pour comprendre vraiment un client, c'est-à-dire pour identifier avec précision son problème, il faut plus qu'une bonne capacité d'écoute et une attitude empathique durant les échanges. Certes, ces qualités sont indispensables, mais on doit leur ajouter une préparation adéquate aux entrevues ou un plan de travail soigneusement pensé. Nous avons, dans ce chapitre-ci, longuement analysé les différents aspects qui constituent ce plan de travail et nous croyons utile de répéter que chacun de ces aspects a son importance. Il arrive que l'intervenant, pour diverses raisons, soit tenté d'escamoter certains éléments ou qu'il oublie simplement de les aborder. Ce genre d'omission ne porte pas toujours à conséquence, mais, parfois, ce sont les clients qui en sont victimes. En effet, un client mal orienté, parce que l'intervenant ne s'est pas donné la peine de fouiller à fond son histoire pour comprendre la nature exacte de son problème, peut avoir à supporter longtemps les séquelles de ce manque de professionnalisme.

Également, un intervenant qui se préoccupe plus ou moins de la qualité de son rapport peut rendre de fort mauvais services aux clients qu'il désire aider.

Tous les aspects de l'étude biographique sont importants et, afin de développer ses compétences sur chacun d'eux, l'intervenant débutant a toujours avantage à demander l'aide et les conseils de ses collègues plus expérimentés et à profiter des discussions de cas. En effet, ces échanges sont une excellente façon de voir sous un angle nouveau (celui des collègues, entre autres) les informations recueillies (et celles à recueillir) et de faire le point sur l'ensemble du dossier d'un client.

Chapitre 9

Les divers autres types d'entrevue

Nous avons démontré, au cours des chapitres précédents, qu'il était impossible de considérer l'entrevue comme une simple technique s'appliquant uniformément quelles que soient les circonstances. L'entrevue est d'abord un art qui utilise certaines techniques. Les différentes données de contrôle des entretiens, les nombreuses façons de questionner un sujet, les attitudes positives et négatives de l'intervenant sont autant de techniques qui permettent certes de décrire les divers aspects de l'entrevue, mais qui ne réussissent pas à en rendre toute la complexité. D'ailleurs, tous ces moyens n'ont pas la même signification dans toutes les circonstances. Ainsi, c'est souvent le but de l'entrevue et son thème qui vont suggérer à l'intervenant l'utilisation de certaines techniques plutôt que d'autres.

Dans ce dernier chapitre, nous allons décrire brièvement trois types d'entrevue dont les objectifs sont tout à fait précis. Cependant, bien que le rôle de l'interviewer varie légèrement dans ces divers types d'entretien, l'ensemble des attitudes et techniques que nous avons décrites dans le présent volume s'y appliquent, en tenant compte évidemment des circonstances particulières.

9.1 Entrevue de recherche et d'enquête

Le terme enquête, tel qu'utilisé ici, sera entendu dans le sens de recherche d'informations. Or, depuis que les hommes parlent et écrivent, il y a toujours eu des récits et des comptes rendus sur les mœurs, les coutumes, les opinions de certains groupes. Et les informations ainsi colligées ont souvent eu une incidence particulière sur les décisions des dirigeants politiques.

Au cours de l'histoire de l'homme, les enquêtes sociales ont pris de nombreuses formes et elles ont été utilisées à diverses fins. Mais, c'est surtout depuis le début du siècle que l'on reconnaît l'importance des problèmes techniques posés par ces enquêtes, reliés surtout au souci d'obtenir des informations sûres. Depuis 1940, les techniques ont nettement évolué et ont atteint aujourd'hui leur apogée.

Définition

On utilise l'expression «sondage d'opinion publique» ou «enquête d'opinion publique» pour désigner la technique qui consiste à recueillir auprès du «public» (défini de façon plus ou moins précise selon la nature de l'enquête) des opinions, des attitudes concernant des problèmes divers; on interviewe un échantillon représentatif de la population et, des informations reçues, on en tire les grandes lignes de «l'opinion publique». On utilise ces techniques de sondage pour connaître les opinions de la population sur certaines mesures législatives, pour évaluer la popularité des hommes politiques ou encore pour déterminer les intentions de vote des gens. Dans le cas des études de marché, on utilisera ces mêmes techniques pour recueillir des opinions, attitudes ou traits psychologiques afin de mieux comprendre et d'être en mesure de prévoir le comportement économique du public face à un quelconque produit.

De nos jours, des résultats de sondages d'opinion publique sont régulièrement publiés dans les journaux et font souvent l'objet de discussions enflammées au sein des spécialistes, qui remettent en question, par exemple, la valeur scientifique des méthodes d'échantillonnage utilisées, l'objectivité des questions posées ou encore qui critiquent l'interprétation des données recueillies. Mais que vise-t-on exactement par ces sondages?

Objectifs

Les sondages d'opinion visent essentiellement à recueillir des informations sur les attitudes, les opinions d'un groupe donné, afin de prédire des comportements.

Cela exclut donc systématiquement toute forme d'énumération. Ce type de renseignements, par exemple, les informations démographiques, économiques, sociologiques, géographiques, juridiques, administratives, est habituellement disponible d'avance et est utilisé pour définir ou choisir la population sur laquelle on veut faire porter l'enquête.

Selon Roger Mucchielli (in *Le questionnaire dans l'enquête psychosociale*), les objectifs d'une enquête d'opinion couvrent généralement cinq domaines:

a) Les données personnelles concernant, par exemple, le niveau d'instruction, la nationalité, les revenus, les données professionnelles, familiales, etc.
b) Les données sur l'environnement, par exemple, le type de voisinage et d'habitat, les modes de vie, etc.
c) Les données de comportement, qui cherchent à saisir comment se «comportent» les membres d'un groupe social dans une situation ou face à un événement.

d) Les niveaux d'information, d'opinions qui touchent, par exemple, les craintes, les espoirs, les aspirations de la population étudiée. C'est particulièrement ici que les «sondages d'opinions» ont acquis leur notoriété en même temps qu'ils ont été le plus critiqués.
e) Les attitudes et les motivations où l'on cherche à savoir ce qui pousse les gens à agir, à penser et où l'on cherche à en comprendre les raisons.

Pour minimiser les risques de déformation ou de «biais» (le terme est couramment utilisé dans le domaine des sondages d'opinions; il est une transposition du mot anglais *bias* qui signifie le risque de déformation, donc d'erreur) propres à ces types d'enquêtes, la stratégie de l'entretien doit être standardisée au maximum; cela signifie, par exemple, que les questions à poser seront soigneusement pensées et expérimentées à l'avance, que les possibilités d'action des interviewers seront strictement prévues et cataloguées et que les réponses seront fidèlement enregistrées.

Rôle de l'interviewer

Dans sa relation avec le répondant, la personnalité de l'interviewer joue un rôle dont il faut connaître les effets; elle est une variable extrêmement importante.

La situation d'enquête crée pour l'interviewer une difficulté particulière, car son client n'est pas demandeur: c'est l'interviewer qui provoque la relation et qui doit par conséquent la légitimer auprès des sujets rencontrés. Il constitue donc la principale source de motivation pour l'ensemble de la population interrogée.

De par son rôle, il est possible que l'interviewer introduise certains biais dans la relation. Voici les principaux.

L'interviewer peut favoriser la méfiance naturelle des sujets interrogés en se présentant précisément comme un «enquêteur» avec tout ce que ce terme suggère d'inquiétant. Pour défendre leur vie privée qu'ils sentent menacée, ces sujets, plutôt que de chercher à comprendre les objectifs psychosociaux d'une telle enquête, apporteront des réponses vagues, incomplètes ou transformeront même totalement la réalité.

À cause de son âge, de son sexe, de son apparence physique, de son statut social (évalué intuitivement par le client), l'interviewer peut aussi influencer le sujet interrogé. Le lieu où se déroule l'échange risque également de provoquer chez ce dernier des réactions particulières. En somme, toutes les variables touchant l'interviewer et le lieu où se fait l'entrevue jouent un grand rôle, quel que soit le type d'entretien (voir chapitre sur les variables de la situation d'entretien).

Enfin, il y a aussi les risques de suggestion de réponses. En effet, souvent le sujet interrogé recherche, consciemment ou non, l'opinion qui plaira le mieux à l'interviewer. Le client essaie de déchiffrer le sens «caché» des questions et imagine des hypothèses sur les hypothèses de l'enquête; il répond donc aux questions en fonction de sa propre grille de décodage ou d'analyse. Cette analyse est habituellement proportionnelle au degré de méfiance que le client entretient à l'égard de l'interviewer et/ou du thème de l'enquête.

La suggestion directe des réponses peut aussi provenir des explications que l'interviewer peut être amené à donner ou encore de ses expressions non verbales (mimiques, intonations, regards, etc.).

Pour éviter ces biais, il est tout d'abord important que l'interviewer mette son client en confiance. Après s'être présenté et avoir clairement identifié l'organisme qui l'emploie (la présentation d'une carte professionnelle peut être fort utile), l'interviewer exposera les objectifs de l'enquête et expliquera pourquoi et comment il a choisi «ce» client. Cette présentation constitue la première et essentielle étape de l'entrevue d'enquête.

Il est difficile d'éliminer complètement les réactions des clients face à l'interviewer. Cependant, selon le type de problème, on choisira (ou évitera de choisir) certains types d'interviewer. Par exemple, on n'enverra pas un délégué patronal interviewer un groupe de syndicalistes, ni l'inverse.

Pour éviter de suggérer des réponses chez les sujets interviewés, le meilleur moyen est de former l'enquêteur. D'ailleurs, qu'il s'agisse d'entretien d'enquête, de sélection, de thérapie ou d'évaluation, une formation solide est toujours un gage important de succès.

D'un point de vue formel, il existe plusieurs types d'entretien d'enquête qui vont du type le plus standardisé, où les questions et les réponses sont fixées à l'avance, au type le moins standardisé, où les questions sont laissées à l'initiative de l'interviewer et les réponses, à la liberté d'expression du client. Entre ces extrêmes, on peut imaginer des types intermédiaires, mais dans le présent chapitre, nous nous contenterons d'examiner les types extrêmes, c'est-à-dire l'enquête par questionnaire et l'entretien clinique de recherche.

Enquête par questionnaire

Avant d'arriver à l'enquête proprement dite, on doit suivre diverses étapes importantes. Nous allons examiner brièvement ces différentes étapes.

L'objet de l'enquête

Il faut tout d'abord poser le problème, c'est-à-dire se demander quelles catégories d'informations on veut rassembler. Il s'agit donc de donner une direction à l'enquête, de déterminer un but en essayant d'être aussi précis que possible.

Il faut ensuite définir les hypothèses générales de l'enquête; ces dernières serviront à la construction du questionnaire. La recherche ou l'élaboration de ces hypothèses peut se faire de différentes façons. On peut utiliser, par exemple, la documentation concernant le problème ou les problèmes connexes, procéder à des discussions de groupes, composés de personnes non concernées, mais susceptibles «d'avoir des idées» sur le sujet, faire des interviews de groupes avec des personnes compétentes connaissant le problème ou encore réfléchir sur la question dans la tranquillité de son bureau et procéder à une analyse systématique des hypothèses possibles ou des facteurs reliés à la situation concernée.

À ce stade-ci, on aura donc le souci d'établir une liste aussi exhaustive que possible de tous les facteurs (et des liens entre eux) qui peuvent jouer un rôle par rapport au problème posé.

L'univers de l'enquête

Par cette expression, on entend l'ensemble du groupe humain concerné par les objectifs de l'enquête et parmi lequel on choisira l'échantillon. Par exemple, si l'on veut mener un sondage sur les intentions de vote des gens, l'univers de l'enquête sera constitué par l'ensemble des personnes qui ont le droit de vote.

Dans certains cas privilégiés, très rares, l'enquête peut toucher tous les individus de la population définie. Mais, habituellement, il faut construire un échantillon, c'est-à-dire limiter l'enquête à un petit nombre de personnes qui représentent la population globale.

Pour assurer la «représentativité» de l'échantillon, c'est-à-dire les conditions qui vont garantir la généralisation des résultats obtenus à l'ensemble de l'univers de l'enquête, on utilisera différentes méthodes de construction. Nous n'aborderons pas ici cette question, mais le lecteur intéressé par le sujet pourra consulter les ouvrages consacrés à la psychologie sociale ou aux sondages d'opinions.

Choix et formulation des questions

Il s'agit, pour les concepteurs du sondage, de choisir les différents types de questions qui permettront de rencontrer les objectifs de l'enquête. Ces questions peuvent être directes («Aimez-vous telle chose?»), indirectes («Que pensez-vous de...?) ou contenir plusieurs choix de réponses (les questions dites «cafétéria» ou à «choix multiples»). Le choix d'une catégorie de questions sera fait en fonction du mode d'administration envisagé, du contenu de la question, des caractéristiques de l'échantillon et du type d'analyse que l'on veut faire sur les données recueillies.

Lorsqu'un rédacteur prépare un questionnaire en vue d'un sondage d'opinions, il doit donc suivre certaines règles que Charles Nahoun (in *L'entretien psychologique*, p. 33-34) définit ainsi:

> «Il faut se demander si le point abordé par la question est nécessaire à l'enquête;
> il faut se demander si le point ne doit pas être analysé et envisagé au moyen de plusieurs questions;
> il faut se demander si les sujets ont les connaissances pour répondre à la question;
> il faut se demander si la question ne suggère pas une réponse dans un contexte trop personnel ou bien si elle est tellement générale qu'elle entraîne des réponses stéréotypées;

il faut se demander si le cadre de référence impliqué par la question n'oriente pas les réponses dans des directions particulières;
il faut se demander si la question ne risque pas de provoquer des résistances (...);
il faut que les mots utilisés aient une signification claire ou soient clairement définis (...);
il faut enfin que l'ordre des questions soit un ordre psychologique et non un ordre logique. Pour passer d'une question à la suivante, il ne doit pas être nécessaire au sujet de faire un effort d'analyse et de restructuration de la pensée.»

Prétest et ajustements consécutifs

Cette étape consiste essentiellement en la mise à l'épreuve du questionnaire. Le prétest ne vise aucun résultat relié aux objectifs de l'enquête; il est centré sur l'évaluation de l'instrument en tant que tel. Afin de pouvoir faire une critique sérieuse des questions, il faut donc choisir un petit échantillon de personnes (leur nombre peut être très restreint, mais le groupe doit appartenir à la population de l'enquête ultérieure) qui accepteront de consacrer du temps non seulement à répondre aux questions, mais aussi à les discuter.

Il faut également choisir des interviewers particulièrement qualifiés, informés sur tous les aspects de la recherche et dotés d'une formation méthodologique poussée. Leur tâche consistera certes à mener l'entretien, mais aussi à analyser les réactions des sujets et à discuter avec eux, dans un esprit de collaboration, de la valeur du questionnaire.

L'analyse des commentaires et critiques recueillis permettra de rajuster le questionnaire avant qu'il ne soit présenté à l'échantillon choisi.

Administration du questionnaire

On peut répondre au questionnaire par écrit ou oralement; quelle que soit la méthode utilisée, il doit être pensé de façon à en permettre une compréhension aisée de la part des sujets et un dépouillement rapide de la part des responsables de l'enquête. Le souci d'une présentation matérielle soignée et d'une introduction brève, claire et précise est donc d'une grande importance. En effet, la lettre accompagnant (ou précédant) le questionnaire ou la présentation de l'enquêteur doit définir les buts de l'enquête et situer l'organisme qui le patronne afin de prévenir les réactions défensives ou méfiantes des clients et de susciter leur intérêt et, éventuellement, leur collaboration.

Dépouillement des données

Dans bon nombre de cas, cette étape est grandement simplifiée à cause de l'utilisation des techniques de codage (qui consiste à donner à chaque catégorie de réponses un numéro de code) et de codification (qui consiste à faire entrer ensuite chaque réponse dans l'une des catégories du code). Ces techniques sont aisées quand il s'agit de dépouiller des questions à réponses préformées (questions fermées, à choix multiples), mais présente certaines difficultés dans le cas des questions ouvertes. Dans cette dernière situation, il faut procéder à une analyse de contenu, c'est-à-dire répertorier et classer les réponses libres à une même question autour de quelques concepts-clés.

Surgit ici le problème de «l'interprétation» des réponses. En effet, il y a risque que ceux chargés de cette tâche orientent inconsciemment le classement des données en fonction de leurs opinions ou de leurs hypothèses personnelles relatives aux résultats de l'enquête.

Analyse des données

Roger Mucchielli, dans *Le questionnaire dans l'enquête psychosociale*, distingue trois démarches principales: l'analyse primaire, l'analyse secondaire (toutes deux quantitatives) et l'analyse qualitative. Regardons brièvement chacun de ces trois types d'analyse.

L'analyse primaire consiste à évaluer les informations recueillies par rapport aux objectifs ou aux hypothèses de l'enquête.

L'analyse secondaire consiste à rechercher, parmi les informations rassemblées, des indications inattendues. Cette analyse n'est évidemment possible que si on a accumulé une quantité importante de matériaux et elle procède à partir des résultats chiffrés tirés de l'analyse primaire. Ainsi, par exemple, on essaiera de rechercher des liens significatifs (corrélations) entre des variables que l'on a mis en relation, dans l'analyse primaire, avec les hypothèses que l'on considère maintenant les unes par rapport aux autres.

Enfin, l'analyse qualitative consiste à regarder la configuration générale des résultats obtenus. Il s'agit donc de procéder à une analyse psychologique de ces résultats afin de voir s'ils suggèrent une signification globale ou une explication d'ensemble que les analyses précédentes n'avaient pas révélée. Également, cette analyse qualitative permet souvent de dégager des idées pour lancer de nouvelles enquêtes.

Rapport final

En principe, un rapport final est rédigé en fonction des exigences de ceux qui ont commandé l'étude. Cependant, il est possible que d'autres personnes ou organismes soient intéressés par le contenu de l'enquête; au moment de la rédaction du rapport, il faudra donc en tenir compte.

Quelles que soient les caractéristiques ou les exigences particulières des lecteurs du rapport, celui-ci doit être pensé en fonction de non-spécialistes. Il doit aussi être présenté en indiquant les éléments suivants:

a) les objectifs de l'enquête et la population concernée;
b) les résultats obtenus et les commentaires qu'ils suggèrent;
c) la méthodologie utilisée.

Si l'une de ces parties est oubliée, le rapport perdra aussitôt de sa valeur.

L'entretien clinique de recherche

Ce type d'entretien porte, suivant les auteurs et les domaines où il est utilisé, plusieurs noms; on l'appelle ainsi entretien non structuré, entretien non directif ou encore entretien en profondeur (*depth interview*), etc.

La caractéristique principale de ce type d'entretien est son absence de standardisation officielle et la liberté d'expression du sujet.

Le rôle de l'interviewer dans un tel contexte est extrêmement délicat. En effet, il doit intéresser le client à l'objet de l'enquête en créant un climat psychologique chaleureux et compréhensif et en présentant clairement les thèmes de l'enquête. Pour mettre son client à l'aise et l'amener à s'exprimer librement, l'interviewer doit donc posséder des qualités d'empathie, ainsi qu'une information complète sur tous les aspects de la recherche.

Déroulement de l'entretien

L'entretien clinique de recherche est habituellement pensé en fonction d'une série de thèmes que l'interviewer proposera au client sous forme de questions générales.

Lorsqu'un thème est suggéré, l'interviewer doit laisser à son client la liberté de développer ce thème comme il l'entend. S'il désire des informations supplémentaires, l'interviewer utilisera des questions «neutres», ne comportant aucune suggestion dans le contenu ou le ton. Il évitera aussi de discuter les opinions, les réactions ou les sentiments personnels exprimés par son client en adoptant, en tout temps, une attitude d'auditeur bienveillant.

Les interventions de l'interviewer doivent inviter le client à aborder d'autres thèmes qui lui paraissent reliés au premier. Ces digressions seront appréciées et soigneusement notées. Toutefois, l'interviewer veillera à ce que le client ne s'éloigne pas trop du thème abordé ou ne transforme l'entretien en un bavardage superficiel et inconsistant.

Lorsqu'un thème est abordé, il est important que l'interviewer s'informe auprès de son client du sens que celui-ci donne aux concepts qui lui sont reliés. Il s'agit donc de préciser le cadre de référence dans lequel le client se situe pour parler d'une situation ou d'un thème donné. Cette démarche amène le client à faire une certaine introspection et évite à l'interviewer des interprétations erronées ou des distorsions face au message reçu.

Enfin, l'interviewer doit être capable de pouvoir apprécier la profondeur des réponses de son client, c'est-à-dire de voir quelle importance il accorde aux situations, thèmes, concepts ou relations avec sa personnalité, son expérience ou sa philosophie de la vie. Pour atteindre cet objectif, l'interviewer cherchera à faire parler le client surtout sur ce qu'il ressent dans telle ou telle situation et moins sur ce qu'il en pense.

Pour certains, l'enquête par questionnaire paraîtra la technique la plus intéressante pour recueillir des informations; cette technique présuppose certes une longue et minutieuse préparation, mais une fois ce travail accompli, l'administration du questionnaire et le dépouillement des données peuvent constituer des étapes simples et plutôt mécaniques. Pour d'autres, au contraire, c'est l'entretien clinique qui présente le plus d'intérêt parce qu'il laisse une grande place au rôle de l'interviewer et lui permet d'établir une relation plus intime avec le client.

Les compétences ou intérêts particuliers des interviewers ne constituent pas les seuls critères qui amèneront les concepteurs d'une enquête à opter pour l'une ou l'autre des techniques. Il faut aussi tenir compte du thème et des objectifs de l'enquête, de la nature des informations que l'on veut recueillir, de la population visée, etc.; c'est donc durant la longue phase de préparation que se fait le choix d'une technique, qui laissera une place différente à l'interviewer.

Peu importe la technique utilisée, le rôle et les fonctions de l'interviewer, il est essentiel que celui-ci prenne conscience qu'il interagit avec des êtres humains dont il souhaite la collaboration et non avec des «sujets numérotés» qu'il doit «questionner». Cette prise de conscience est une des garanties de succès de tout entretien d'enquête.

9.2 Entrevue de psychothérapie

Le domaine de la psychothérapie est extrêmement vaste, d'autant plus que l'on assiste, depuis une quinzaine d'années, à la naissance d'une multitude de nouvelles méthodes de même qu'à une augmentation importante du recours à la psychothérapie.

Compte tenu de l'ampleur du sujet et de l'abondante littérature qui y est consacrée, nous ne ferons que l'effleurer en nous contentant d'examiner la problématique de l'intervention thérapeutique auprès des délinquants et d'aborder quelques-unes des grandes méthodes thérapeutiques.

Définition et objectifs

Par psychothérapie, on entend habituellement l'ensemble des techniques ou méthodes qui agissent sur le psychisme de la personne (excluant l'usage de médicaments) dite malade ou perturbée afin de lui permettre d'opérer un changement de comportement où elle trouvera un mieux-être.

De façon générale, le malade qui vient en psychothérapie se sait et se sent malade; il éprouve le besoin de recevoir de l'aide et souhaite retrouver la santé mentale. Il éprouve, par exemple, des difficultés dans ses relations sociales (on exclut ici le problème particulier vécu par les délinquants, les vagabonds ou les prostitués), il connaît des troubles névrotiques (angoisses, obsessions, phobies) ou caractériels ou, enfin, il vit des maladies psychosomatiques. Dans tous ces cas, le malade est prisonnier d'un système d'attitudes chroniques qui ne lui permet pas une perception normale du présent et de l'avenir, et lui enlève la possibilité d'organiser volontairement son comportement dans les diverses situations de son existence.

L'objectif de la psychothérapie est donc la dissolution de ces attitudes pathogènes, la reprise du contrôle du moi sur l'ensemble du comportement et, par conséquent, l'épanouissement des capacités d'adaptation de l'individu face à la réalité environnante.

L'entretien est la principale méthode utilisée et l'entretien de psychothérapie est probablement la forme de relation qui exige le plus l'application des diverses techniques que nous avons examinées dans le présent volume. En effet, l'entretien de psychothérapie se distingue en ce qu'il concerne la totalité de l'existence du sujet et non un de ses aspects particuliers. L'entretien de psychothérapie exige donc que l'interviewer soit très bien formé et qu'il fasse preuve d'un effort constant de compréhension à l'égard de son client.

Intervention thérapeutique auprès des délinquants

Avant de regarder les différentes catégories de méthodes thérapeutiques, il convient de se pencher sur les problèmes que soulève le traitement des délinquants.

On entend par traitement des délinquants l'ensemble des tactiques ou procédures utilisées pour arriver à un changement de comportement. On vise donc la réhabilitation ou la resocialisation de l'individu, c'est-à-dire sa réintégration sociale en tant que citoyen honnête.

L'approche psychothérapique du délinquant est différente de l'approche psychothérapique ordinaire. En effet, le délinquant est habituellement sous mandat de justice; le thérapeute n'est donc jamais complètement maître du traitement. Et le délinquant est un client plus ou moins volontaire; la plupart du temps, il ne vient pas de lui-même en thérapie et, s'il le fait, c'est avec le désir inavoué de se bien faire voir, d'adoucir ou de raccourcir son séjour en institution. Le milieu peut aussi constituer une variable qui interfère dans la relation thérapeutique. Enfin, il faut reconnaître que le délinquant ne présente pas les symptômes psychopathologiques (névrose-psychose) qui appellent habituellement une thérapie.

Avant de parler traitement, il faut évidemment parler diagnostic. La démarche diagnostique doit permettre non seulement d'isoler les sujets délinquants de la masse des citoyens ordinaires, mais aussi d'évaluer la force des éléments délinquants présents en eux. Comme cette démarche aboutit à l'identification de plusieurs types de délinquants, le traitement doit donc être conçu essentiellement comme un traitement différencié; on ne peut pas envisager le même type d'intervention pour toutes les catégories de délinquants.

Malgré l'importance des travaux et des recherches effectués dans le domaine du traitement criminologique depuis quelques années, il est encore impossible de préciser de façon satisfaisante ce qu'il faut faire et ce qu'il ne faut pas faire avec tel ou tel contrevenant. Traiter un délinquant, c'est s'attaquer à une structure de personnalité particulière et à des mécanismes de défense caractéristiques. Le traitement pénal, comme le soulignent plusieurs auteurs, ne doit surtout pas être confondu avec le traitement criminologique. Pour le traitement pénal, l'objectif est surtout de trouver une façon juste et humaine de punir les contrevenants aux lois; pour le traitement criminologique, le problème (et l'objectif ultime) est de trouver des méthodes efficaces pour faire changer le comportement antisocial d'un individu. Mais, en matière de traitement criminologique, nous savons encore peu de choses et beaucoup de travail reste encore à faire.

Quelques méthodes

Il n'est pas possible de situer, dans le temps, l'apparition des premières pratiques thérapeutiques. En effet, bien avant la naissance de la psychiatrie (18e-19e siècles), l'homme a tenté, en utilisant différentes méthodes, de traiter les individus jugés malades «mentalement» à cause de leurs problèmes de comportement. Mais, c'est surtout au cours du 20e siècle que la psychiatrie et la psychopathologie ont connu leur essor le plus marqué et on a alors assisté à un foisonnement de nouvelles méthodes psychothérapiques. Nous allons examiner quelques-unes de ces méthodes en utilisant la classification proposée par le Dr H.F. Ellenberger (*Précis pratique de psychiatrie*, chapitre 30).

Le Dr Ellenberger divise les méthodes psychothérapiques en quatre catégories:

— les psychothérapies rationnelles;
— les psychothérapies dynamiques;
— les méthodes d'entraînement (*training*);
— les méthodes de groupe et collectives.

Cette classification est organisée d'après la nature du processus fondamental qui caractérise l'intention thérapeutique de chacune des méthodes.

Les psychothérapies rationnelles

Les diverses méthodes que l'on retrouve dans cette catégorie se situent toutes au plan de la conscience de l'être humain considéré comme doté de raison et de libre arbitre. On cherche donc a convaincre le sujet qu'en prenant conscience des lacunes de son comportement, il lui sera possible de le modifier.

Les **thérapies de conseil** (*counseling*) et de **direction** (*casework*) font partie des psychothérapies dites rationnelles. Dans les thérapies de conseil, l'aidant cherche à amener son client à voir plus clair dans une situation donnée; les conseillers matrimoniaux et scolaires pratiquent ce genre d'aide. Quant aux thérapies de direction, elles se différencient des premières en ce qu'elles mettent plus d'emphase sur la prise de décision; les travailleurs sociaux utilisent couramment cette méthode dans leurs relations d'aide individuelle.

On inclut aussi dans cette catégorie les **thérapies de soutien** (aussi appelées thérapies de support ou de «rassurance»), les **thérapies d'expression** (l'aidant se contente ici d'écouter avec sympathie son client) et les **thérapies par prise de conscience** (l'aidant essaie d'amener le sujet à corriger ses erreurs de perception ou de jugement en lui faisant prendre conscience de celles-ci).

La **thérapie non directive** de Carl Rogers est une autre méthode rationnelle. Cette approche, «centrée sur le client», cherche à réfléchir, comme dans un miroir, les sentiments, réactions, opinions du client afin de lui en faire prendre conscience et de le rendre ainsi maître de son existence. Le thérapeute essaiera d'y parvenir par des attitudes d'écoute empathique, de considération positive inconditionnelle, de respect chaleureux et d'authenticité à l'égard du client et par l'utilisation de techniques visant à exprimer ces attitudes (reformulation, reflet, clarification, encouragement, etc.).

Enfin, la **thérapie de réalité**, développée par William Glasser, est une autre approche de psychothérapie rationnelle. Cette approche, de plus en plus utilisée avec la clientèle délinquante, ignore délibérément le passé du client et cherche à lui faire prendre conscience de ce qu'est la réalité immédiate afin de l'amener à y faire face. Pour Glasser, la thérapie est un genre particulier d'enseignement ou d'apprentissage qui doit permettre au client, grâce au lien significatif qu'il établit avec l'aidant, d'apprendre à satisfaire ses besoins sans empêcher les autres de satisfaire les leurs, c'est-à-dire en assumant pleinement ses responsabilités.

Les psychothérapies dynamiques

Ces méthodes sont dites dynamiques parce qu'elles se fondent sur une conception dynamique de la personnalité où l'on considère que des forces psychiques inconscientes exercent une action perturbatrice sur le psychisme conscient. Les méthodes s'attaquent donc, par divers procédés, à ce psychisme inconscient.

Le Dr Ellenberger inclut dans ce groupe les **méthodes cathartiques**, où le thérapeute cherche à faire remonter au niveau de la conscience les traumatismes refoulés de son patient et à les «abréagir», c'est-à-dire provoquer une réaction d'extériorisation du sentiment refoulé. Depuis quelques années, la méthode du «cri primal» d'Arthur Janov connaît beaucoup de popularité. Dans un premier temps, le client est isolé totalement sauf pour des séances individuelles avec son thérapeute. Les sentiments qu'il a refoulés sont alors exprimés lors de «bruyantes» décharges émotionnelles. Dans un second temps, le client poursuit son traitement en groupe. On considère qu'il est guéri lorsqu'il a «abréagi» toutes ses émotions refoulées.

L'**hypnose**, considérée pendant longtemps comme la principale façon d'accéder à l'inconscient, est utilisée en thérapie pour obtenir un état de détente bienfaisante ou pour explorer des traumatismes refoulés et ainsi provoquer une «catharsis» (reviviscence de ces traumatismes) ou encore pour présenter des suggestions directes au client en se fondant sur le rapport autoritaire existant entre le thérapeute et ce dernier (notons cependant que cette méthode de suggestion directe est considérée actuellement comme allant dans le sens contraire de l'évolution moderne des recherches et des pratiques en psychothérapie). L'hypnose peut aussi être combinée avec des psychothérapies de prise de conscience: on parle alors d'hypno-analyse. Dans ce traitement, les séances d'hypnose sont progressivement remplacées par des séances de psychothérapie.

Une autre méthode de psychothérapie dynamique vise à mettre en évidence et à *identifier les schèmes répétitifs de conduite* plus ou moins conscients qui guident la vie d'un individu et qui le conduisent à des échecs ou des pathologies mentales (névrose). La sélection et l'étude de ces schèmes répétitifs ont permis à Éric Berne de mettre au point sa théorie de l'*Analyse transactionnelle*. Celle-ci repose sur une théorie structurale de la personnalité qui permet de comprendre ce qui se passe à l'intérieur d'une personne (niveau intrapsychique). Berne parle d'*états du moi* qui désignent à la fois les états d'esprit de l'individu et les patrons de comportement (*patterns*) qui y sont reliés. L'auteur distingue trois états du moi ou trois instances de réflexion et d'action qui se sont progressivement construites au cours de l'enfance: le moi Parent qui interdit ou permet en fonction de l'acquis, le moi Adulte qui décide logiquement après réflexion et le moi Enfant qui vit des sentiments, des émotions et des besoins. Ces divers états du moi interagissent entre eux et, selon les situations, l'un des états prédomine sur le comportement.

L'analyse transactionnelle proprement dite permet, quant à elle, de saisir ce qui se joue entre deux personnes (niveau des échanges sociaux). Les deux méthodes sont prolongées par une analyse précise des transactions (jeu des stimuli et des réactions) qui s'opèrent entre les personnes et une analyse des scénarios (ensembles plus larges de transactions) qui permettent de comprendre le «plan de vie» d'une personne. Le thérapeute peut ainsi saisir la dynamique des échanges sociaux d'un client et l'amener à en prendre conscience. Il pourra alors amorcer les changements souhaités.

La **cure psychanalytique** a pour but d'affranchir le patient des exigences inconscientes et de lui permettre de reprendre contrôle sur son développement entravé. Elle est donc une expérience de maturation plutôt qu'une tentative de restauration étant donné que son hypothèse de travail admet un arrêt du développement de la personnalité qu'il s'agit par conséquent de faire progresser. La découverte essentielle de Freud (père de la psychanalyse) réside ainsi dans les moyens de reprendre le développement affectif interrompu.

La méthode, dans sa forme classique, utilise les procédés de la libre association, de l'interprétation des rêves, des fantasmes et des actes manqués, l'analyse des résistances et celle du transfert. La notion de transfert est au centre de la thérapeutique, cependant, elle partage les théoriciens de la psychanalyse en plusieurs groupes. Le Dr Ellenberger définit le transfert comme «un mode particulier de reviviscence inconsciente de situations antérieures, principalement de la situation œdipienne où s'est trouvé le sujet dans son enfance». Le client développe donc avec l'analyste une relation qui lui fait vivre toute une série de situations affectives qu'il projette sur l'analyste et qui entraînent des mouvements d'attraction et de répulsion sur l'objet libidinal que devient le thérapeute. Liquider le transfert, c'est-à-dire amener le client à dépouiller l'image de l'analyste de toutes les identifications inconscientes par lesquelles il s'est assimilé à lui, constitue donc l'objectif ultime de la cure psychanalytique.

La cure psychanalytique classique, telle que nous venons de la présenter très brièvement, est une thérapie utilisée surtout dans les cas de névroses. À côté de cette méthode, on emploie donc surtout une psychothérapie d'inspiration psychanalytique qui conserve des éléments de la méthode classique (associations libres, analyse des résistances et du transfert), mais qui en exclut d'autres permettant ainsi de réduire la durée du traitement.

Méthodes d'entraînement

Il s'agit de méthodes qui ont pour objectif de «faire prendre ou reprendre à l'individu la maîtrise de son psychisme conscient et parfois aussi de ses fonctions neuro-végétatives par l'emploi de séries d'exercices gradués». Plusieurs de ces méthodes sont directement influencées par les philosophies orientales empruntant largement aux méthodes traditionnelles chinoises, japonaises ou indiennes.

Les **techniques de relaxation**, de **méditation**, d'**hypnose** et d'**autohypnose** en sont des exemples. La **thérapie autogène** de Schultz combine, pour sa part, la relaxation avec la maîtrise graduelle du système végétatif (on entraîne le sujet à une décontraction, membre après membre), tandis que le **biofeedback** (ou rétroaction biologique) consiste à utiliser des procédés techniques afin d'amener le client à contrôler certaines fonctions neuro-végétatives et cérébrales.

Les **thérapies behaviorales** (ou du conditionnement) connaissent depuis une vingtaine d'années un développement et une popularité inattendus. Ces méthodes reposent sur l'un ou l'autre des deux grands modes de conditionnement (classique (Pavlov) et opérant (Skinner)) et sur le double principe que tout comportement est appris et que tout comportement peut être analysé de façon expérimentale ou quasi expérimentale. Dans les thérapies behaviorales, l'accent est donc mis sur les principes d'apprentissage.

On peut aussi mentionner les méthodes de **sensibilisation** qui consistent à placer le sujet dans des situations d'anxiété qui lui sont pénibles, mais supportables. Une fois cette anxiété disparue, on le confronte à des situations plus anxiogènes, vis-à-vis lesquelles il se désensibilise peu à peu, et ainsi de suite. Ces méthodes de désensibilisation sont particulièrement efficaces dans les cas de phobies ou d'états anxieux graves.

Les méthodes de groupe et collectives

Ces méthodes mettent en jeu l'action bienfaisante et rééducative des interactions et des communications à l'intérieur d'un milieu organisé et ce, dans un but thérapeutique. Le groupe, et plus particulièrement les influences interpersonnelles qui s'exercent entre les individus qui le composent, est donc spécialement créé et utilisé à des fins thérapeutiques.

Ces psychothérapies de groupe ont commencé aux États-Unis au début du siècle alors que des cours sont organisés pour des tuberculeux. Par la suite, on a créé des «clubs thérapeutiques» pour malades mentaux, alcooliques ou enfants caractériels. C'est à cette époque que se développe, grâce à Moreno, la méthode du **psychodrame**.

Selon le Dr Ellenberger, on retrouve l'origine du psychodrame dans les reconstitutions judiciaires au cours desquelles il arrivait parfois que le criminel avoue son acte. Le psychodrame thérapeutique inventé par Moreno permet au sujet, grâce au jeu dramatique, de retrouver la spontanéité dont la répression est souvent la cause de problèmes individuels et sociaux. Le sujet est aussi appelé à jouer plusieurs rôles (mais pas nécessairement le sien) et l'assistance, en prenant part à la discussion, contribue au traitement.

Le système de la **communauté thérapeutique** de Maxwell Jones s'est développé pour lutter contre les problèmes causés par la vie institutionnelle. En effet, plusieurs analyses sociologiques ont démontré que la situation du malade asilaire renforcit sa pathologie à cause des comportements particuliers (habituellement répressifs) de l'institution. Le système proposé par Maxwell Jones a donc pour principe une utilisation maximale du potentiel thérapeutique de chaque patient et de toutes les catégories de personnel afin de minimiser les effets négatifs de la sous-culture asilaire et de les remplacer par une sous-culture thérapeutique. Il est évident que de tels objectifs impliquent la participation de tous, une modification en profondeur du comportement de tous les responsables et, surtout, une transformation des esprits à l'égard de la maladie mentale, non seulement au niveau du public, mais surtout dans le monde psychiatrique. Pour transformer les institutions asilaires en communautés thérapeutiques, des transformations importantes sont nécessaires et il reste encore beaucoup de travail à faire.

Le Dr Ellenberger fait entrer dans la catégorie des méthodes de groupe (on pourrait aussi facilement l'inclure dans les approches dynamiques) la **Gestalt-thérapie**, fondée par Frédérick S. Perls. Cette approche, née de plusieurs influences dont la philosophie existentialiste, la psychanalyse de Freud, les études expérimentales sur la perception du mouvement, «met l'accent sur la situation présente» (tout le potentiel de changement se situe donc dans le présent), «sur la catharsis émotionnelle et sur le déroulement continu du psychisme conscient». La méthode accorde donc peu d'importance aux interprétations.

9.3 L'entretien de sélection ou d'embauche

Un entretien avec le patron (ou un de ses représentants) suivi d'un essai professionnel ont été pendant longtemps les seuls moyens utilisés pour procéder à l'embauche de nouveaux employés dans une entreprise.

De nos jours, les étapes de la sélection du personnel sont différentes et comprennent habituellement une entrevue, dirigée par un responsable de la sélection (ou un jury), avec le ou les candidats et, dans certains cas, un examen psychotechnique. Nous ne nous attarderons pas sur ce dernier aspect, mais nous porterons notre attention sur l'entrevue d'embauche en analysant ses principales caractéristiques.

Définition et objectifs

L'entrevue constitue un outil inestimable pour recueillir tous les éléments nécessaires à une évaluation valable d'un(e) candidat(e) en regard des normes de sélection et des fonctions à remplir. L'entrevue d'embauche a donc pour but d'apprécier l'adéquation d'un candidat à un poste de travail disponible.

L'interviewer (ou le jury de sélection) est donc appelé à porter un jugement. Les informations qu'il recueillera et ses impressions ne sont que des moyens pour aboutir à une décision: favorisera-t-il ou non l'embauche d'un tel candidat? L'interviewer doit donc posséder une connaissance précise du poste de travail et des aptitudes personnelles du (de la) candidat(e).

Dans le cas d'une entrevue de sélection, le cadre social est tout à fait particulier: c'est l'Entreprise, l'Organisme ou l'Administration, dont le but est d'atteindre une production maximale, qui, par l'intermédiaire d'un responsable de la sélection, évalue les candidats. Pour le candidat qui vient offrir ses services, le cadre social est donc chargé d'une grande valeur dans la mesure où il souhaite plaire à cet employeur invisible et obtenir «le» poste de travail. Le cadre social détermine ainsi chez le sujet des attitudes particulières visant à mettre en évidence tout ce qui concerne sa personne, ses activités antérieures, ses aptitudes, ses goûts, dans l'unique but de séduire l'interviewer et d'être préféré aux autres candidats.

L'interviewer, à cause également du cadre social particulier qui définit les limites de son intervention et ses objectifs, ressent le poids de la responsabilité que l'entreprise lui a donnée. Il a le pouvoir d'accepter ou de renvoyer des candidats, mais, en même temps, il a le devoir de trouver le sujet qui remplira le mieux les fonctions définies par l'entreprise.

Conduite de l'entrevue de sélection

Il est difficile de déterminer de façon exhaustive les étapes à suivre pour un tel type d'entrevue puisque tout entretien de sélection est fonction des circonstances, du poste à combler, du (de la) candidat(e) et du responsable de la sélection (ou jury). Cependant, les étapes suivantes peuvent servir de base à la planification d'une entrevue de sélection.

Préparation de l'entrevue
Avant la rencontre, l'interviewer doit connaître ce qu'il est déjà possible de savoir sur le sujet: curriculum vitae et qualifications, antécédents professionnels et références, situation actuelle (sociale, familiale, professionnelle) et, éventuellement, dossier psychotechnique. À partir de ces informations, des normes de sélection et des fonctions du poste à combler, l'interviewer cherchera à identifier les renseignements manquants, douteux ou contradictoires sur le (la) candidat(e) afin de préparer un plan d'entrevue.

Lorsqu'il s'agit d'un jury, les membres doivent, avant la rencontre, se partager équitablement les recherches selon leurs compétences et intérêts particuliers, établir un schéma général de questions et, finalement, s'entendre sur l'écoute et la prise de notes. Enfin, avant la rencontre, une pièce adéquate pour faciliter la communication aura été choisie.

Déroulement de l'entrevue
L'interviewer doit tenter de créer un climat de détente, de confiance et de respect; il doit donc chercher à mettre le candidat à l'aise, c'est-à-dire à réaliser les conditions matérielles d'une conversation privée. L'interviewer doit être, par conséquent, convaincu qu'il va traiter une affaire avec un client dont la personnalité mérite tout son respect.

L'interviewer doit aussi se présenter et indiquer quel rôle il joue dans l'entreprise afin d'éviter tout malentendu.

La présentation des objectifs de l'entrevue est d'une grande importance. L'interviewer donne ici des renseignements sur le poste à combler et les critères de sélection; cela crée souvent un élément réel de confiance dans l'entretien.

L'interviewer procédera ensuite au dépouillement des antécédents, des connaissances, des aptitudes, des motivations et des possibilités de rendement du candidat. En utilisant les techniques de l'entretien de compréhension centré sur un problème (techniques décrites tout au long de ce volume), il cherchera donc à mettre à jour les significations du poste pour le sujet, ses attitudes vis-à-vis l'emploi, l'Entreprise, le groupe d'employés, ses motivations pour ce poste, ses goûts et intérêts professionnels réels. En somme, il analysera les différents éléments de la personnalité du client par rapport à la nature, aux exigences du poste à combler.

Pour porter un jugement sur un candidat, l'interviewer abordera donc, durant l'entretien, certains thèmes choisis d'abord en fonction de la nature et des caractéristiques du poste à pourvoir qu'il aura auparavant analysés: nature des tâches, nature du matériel utilisé, conditions physiques du travail, responsabilités, dangers, conditions psychologiques du travail (seul, en groupe).

L'enquête sur le passé professionnel d'un candidat est un autre aspect essentiel de l'entrevue de sélection. Le principe même de l'entrevue de sélection est que «ce qu'un individu a pu faire avec succès dans le passé est la meilleure indication de ce qu'il est capable de faire dans l'avenir». Par conséquent, chaque emploi antérieur fera l'objet d'une étude fouillée de façon que le responsable de la sélection puisse en dégager un tableau clair qui lui permettra de faire des comparaisons avec les exigences du poste à combler.

Le thème de la motivation mérite aussi une attention particulière. Cette motivation est fonction des besoins et intérêts du candidat, mais aussi de la nature et des caractéristiques du poste. Si le candidat les connaît peu ou mal, l'interviewer devra les lui présenter avec certains détails afin de l'amener à considérer la démarche en cours comme une «affaire» qu'il faut étudier sérieusement. Cette analyse pourra, par exemple, amener un candidat à constater que ce qu'il attendait ne correspond pas vraiment à la réalité ou aider l'interviewer à mieux comprendre les motivations réelles du sujet.

De la même façon, si l'interviewer connaît bien la nature du poste à combler, il pourra essayer de voir dans quelle mesure la présentation du candidat, son habileté à se mettre en valeur, sa facilité verbale et ses capacités d'adaptation constituent des atouts importants par rapport au poste disponible.

Après l'entrevue

Une fois l'entrevue terminée, une synthèse des renseignements recueillis doit être faite en fonction des normes de sélection et des fonctions du poste à combler, afin de conserver le plus d'objectivité possible. Cette synthèse doit aboutir à un pronostic de l'adaptation du candidat au poste.

Rôle de l'interviewer

La conduite de l'entrevue de sélection ne peut être prévue dans ses moindres détails. L'interviewer connaît certes les domaines sur lesquels il désire obtenir des informations, mais chaque candidat a sa propre histoire, sa propre personnalité auxquelles il doit s'adapter. S'il veut que les renseignements recueillis soient nombreux et précis, l'interviewer cherchera tout d'abord à créer un climat de confiance mutuelle indispensable à la bonne marche de l'entrevue.

Il y a de nombreux moyens d'établir une bonne communication avec un candidat; nous en avons étudié plusieurs, mais rappelons-en ici quelques-uns. Dans ce type d'entretien, le sujet est en position d'infériorité; il vient offrir ses services à une entreprise qui a le pouvoir de refuser ou d'accepter sa candidature. L'interviewer ne doit pas abuser de son autorité, mais plutôt conserver une attitude amicale, naturelle et courtoise face à son interlocuteur, tout en essayant d'obtenir les renseignements désirés. Un bon interviewer parle peu au cours d'une rencontre et doit amener le (la) candidat(e) à parler de lui (elle)-même.

Pour obtenir des renseignements pertinents, l'interviewer ne doit évidemment jamais se contenter de réponses floues ou évasives. Dans de tels cas, il ne doit pas hésiter à revenir sur les points à propos desquels le (la) candidat(e) s'est montré(e) incomplet(ète) en ayant toujours soin, toutefois, d'éviter les questions tendancieuses ou suggestives qui multiplieraient alors les risques de réponses inexactes.

L'interviewer peut également obtenir des renseignements précieux en observant son interlocuteur attentivement. Les jeux de physionomie, les gestes, la manière de s'exprimer et de se comporter reflètent la personnalité et les états d'âme d'un sujet souvent autant que les paroles. L'interviewer notera aussi les changements brusques de thème ou, au contraire, les retours fréquents à un même thème. Ces mouvements indiquent souvent la présence d'un conflit ou d'une frustration quelconque chez le (la) candidat(e).

L'objectivité, lors des entrevues de sélection, constitue évidemment une qualité primordiale d'un bon interviewer. Elle consiste en la capacité, pour le responsable de l'entrevue, de se détacher de la situation sur le plan émotionnel et de considérer les aptitudes et la personnalité du (de la) candidat(e) à la froide lumière de la logique. L'interviewer doit donc mettre de côté ses antipathies aussi bien que ses goûts personnels. Il doit se débarrasser de ses préjugés ou de ses idées préconçues et n'évaluer une personne que sur son rendement probable dans un travail et dans un milieu donnés. La capacité de se mettre à la place de l'autre et de sympathiser avec ses difficultés est une qualité qui aidera l'interviewer à se renseigner sur l'histoire d'un individu et à le comprendre. Elle l'aidera à faire l'évaluation de cette personne et à décider si oui ou non elle fera un(e) bon(ne) employé(e).

L'entrevue de sélection est difficile à réaliser parfaitement, surtout lorsqu'il y a plusieurs interviewers. L'interaction doit se faire alors et entre les membres du jury et entre le jury et le (la) candidat(e). Le meilleur moyen pour un interviewer de s'améliorer dans ce type d'entrevue consiste, comme nous l'avons déjà mentionné à plusieurs reprises, à s'observer ou à se faire observer, afin de connaître son propre comportement en situation d'entrevue et de sélection et de développer des attitudes personnelles pour allier son propre comportement aux buts de l'entrevue.

Conclusion

Les trois types d'entrevue que nous venons de présenter ne constitueront pas les outils de travail habituels des techniciens en intervention criminologique. Cependant, tout au long de leur carrière, ils auront l'occasion de subir (l'entrevue de sélection, par exemple) ou d'appliquer ces différents types d'entrevue. De plus, selon leurs intérêts personnels et leurs habiletés dans le domaine de l'entrevue, ils pourront aller chercher un complément de formation dans l'une ou l'autre des méthodes psychothérapiques décrites dans ce chapitre. En effet, dans la plupart des institutions qui s'occupent de délinquants (jeunes ou adultes), une approche thérapeutique, plutôt qu'une autre, est habituellement privilégiée et les intervenants trouveront donc non seulement le stimulant nécessaire pour les inciter à parfaire leurs connaissances, mais aussi l'occasion de mettre en pratique le matériel théorique et technique acquis.

Glossaire

Abréaction: détente affective, diminution de tension qui résulte du rappel à la conscience et de l'extériorisation d'un sentiment refoulé.

Agressivité: réaction violente, physique ou verbale, à l'égard d'une personne, d'une chose ou d'un événement. Une des caractéristiques de la personnalité criminelle.

Aidant: nom par lequel on désigne habituellement une personne qui vient en aide psychologiquement à une autre personne. Dans le domaine de l'entrevue, on désigne aussi l'interviewer par ce terme.

Angoisse: pour plusieurs auteurs, synonyme d'anxiété. Désigne parfois le vécu corporel de l'anxiété ou encore une forme plus intense de celle-ci.

Antisocial: qui rejette ou s'oppose à certaines valeurs de la société.

Anxiété: état de tension interne ou de crainte diffuse, malaise psychique créé par le sentiment d'une menace ou d'un danger quelconque.

Asocial: qui n'a pas intégré les valeurs sociales de la société.

Authenticité: attitude qui consiste pour l'interlocuteur à exprimer ce qui correspond exactement à ce qu'il ressent. L'École rogérienne parle aussi de congruence.

Autisme: pathologie mentale grave dont la caractéristique essentielle est un repli sur soi accompagné d'une rupture du contact avec la réalité extérieure.

Biais: terme utilisé dans le domaine des sondages d'opinion pour désigner les risques de déformation, d'erreur.

Ça: dans la théorie freudienne, instance psychique qui regroupe les pulsions, les prédispositions héréditaires, les désirs inconscients et les tendances impulsives.

Cadre de référence: ensemble des idées, opinions, perceptions, sentiments propres à un individu et en fonction duquel il trouve un sens aux messages envoyés ou reçus.

Canal de transmission: ensemble des moyens utilisés pour transmettre un message.

Capacité criminelle: quantité de mal que l'on peut redouter de la part d'un individu.

Capacité sociale: degré d'intégration dynamique générale du fonctionnement d'un individu en société.

Catharsis: libération thérapeutique de certaines idées par verbalisation et dégagement des émotions reliées.

Codage: opération qui consiste à donner à chaque catégorie de réponses un numéro de code.

Codification: opération qui consiste à faire entrer chaque réponse dans l'une des catégories d'un code.

Communication: ensemble de l'interaction ou de la relation entre un émetteur et un récepteur. Cette interaction implique le contenu du message et tous les aspects comportementaux qui l'accompagnent.

Dangerosité: probabilité pour un individu de passer à l'acte délinquant.

Déficience mentale: synonyme d'arriération mentale ou d'insuffisance intellectuelle plus ou moins prononcée.

Degré de criminalisation: force avec laquelle un individu présente les caractéristiques de la personnalité criminelle.

Degré d'intégration criminelle: force avec laquelle un délinquant s'est intégré au monde criminel.

Dépression: maladie de la personnalité qui se définit par un affaissement de l'humeur. Elle peut être réactionnelle (liée à un événement douloureux identifiable) ou névrotique (liée à un conflit intrapsychique).

Diagnostic: exposé concis du problème d'un client que l'intervenant fait à partir de l'analyse et de l'interprétation des informations fournies par son client.

Échantillon: nombre restreint d'individus choisis par des méthodes scientifiques pour représenter la population globale.

Écoute active: consiste, pour le récepteur, à entendre les propos de l'émetteur et à lui montrer directement ou activement, par divers moyens, qu'il reçoit tout ce qu'il exprime.

Écoute passive: consiste, pour le récepteur, à entendre, au sens physiologique du terme, les propos de l'émetteur en lui manifestant une certaine qualité d'attention.

Égocentrisme: tendance à tout rapporter à soi. Une des caractéristiques de la personnalité criminelle.

Émetteur: organisme (homme ou machine) qui produit un message en direction d'un récepteur.

Empathie: attitude qui consiste à percevoir le cadre interne d'une autre personne, mais sans pour autant éprouver les mêmes émotions qu'elle, sans s'identifier à elle.

Entrevue: type particulier d'interaction verbale, entreprise dans un but spécifique et concentrée sur un contenu également spécifique.

Feed-back: toute forme de renseignement, signal ou réponse qui, partant du récepteur, est envoyé vers l'émetteur afin de développer la compréhension entre l'émetteur et le récepteur.

Homogénéité délictuelle: désigne le fait pour un délinquant de se spécialiser dans une catégorie quelconque de délits.
ANT.: **Hétérogénéité.**

Indifférence affective: incapacité pour un individu de ressentir des sentiments moraux à l'égard d'autrui. État de froideur. Une des caractéristiques de la personnalité criminelle.

Inhibition: blocage ou freinage inconscient des pulsions instinctuelles.

Instabilité émotive: désigne le caractère changeant, capricieux, influençable d'une personne. Une des caractéristiques de la personnalité criminelle.

Introspection: regard, analyse de sa réalité intérieure individuelle.

Maladie psychosomatique: maladie caractérisée par des symptômes physiques dont les causes peuvent être multiples, mais où des facteurs émotionnels jouent un rôle très important.

Mécanisme de défense: procédé intrapsychique inconscient utilisé par l'individu pour neutraliser la tension intérieure.

Message: au sens large, tout comportement d'une personne qui prend une signification pour une autre personne qui le reçoit.

Méthodes d'entraînement: méthodes de traitement ayant pour but de faire prendre ou reprendre à un individu la maîtrise de son psychisme conscient et parfois aussi de ses fonctions neuro-végétatives par des séries d'exercices gradués.

Modus operandi: mots latins signifiant «manière d'opérer, d'agir». Expression utilisée pour désigner les méthodes choisies par les délinquants pour commettre un délit.

Moi: dans la théorie freudienne, instance psychique qui a pour rôle d'être le médiateur entre le Ça et le Sur-moi et la réalité. C'est le soi conscient, la partie centrale de la personnalité, qui est en rapport avec la réalité.

Motivation: ensemble des facteurs qui poussent une personne à agir ou à adopter un certain comportement.

Névrose: maladie de la personnalité caractérisée par des conflits intrapsychiques.

Prédisposition: état, tendance de la personne qui la place d'avance dans certaines dispositions, c'est-à-dire qui l'influence face à certaines situations.

Préjugé: opinion, attitude préconçue et injustifiée (favorable ou défavorable) à l'égard de personnes ou de situations.

Pronostic: jugement porté par l'intervenant, après le diagnostic, sur les chances de réhabilitation d'un client.

Psychanalyse: théorie psychologique du développement et du comportement humain, méthode de traitement par actions psychiques originairement décrites par Freud. La cure psychanalytique tente de modifier l'affectivité et le comportement en amenant le sujet à prendre conscience de l'origine et des effets de ses conflits afin de les supprimer ou de les atténuer.

Psychodrame: technique de psychothérapie collective qui consiste en la dramatisation des problèmes affectifs.

Psychopathe: type de délinquant caractérisé par son égocentrisme, son agressivité, son instabilité émotive et son indifférence affective.

Psychose: maladie mentale grave caractérisée par une perte de contact avec la réalité, des troubles perceptuels, des comportements régressifs, des idées délirantes et qui peut conduire à une détérioration profonde de la personnalité.

Psychothérapie: ensemble des techniques ou méthodes qui agissent sur le psychisme de la personne dite malade afin de lui permettre d'opérer un changement de comportement, où elle trouvera un mieux-être.

Psychothérapies dynamiques: méthodes de traitement fondées sur une conception dynamique de la personnalité, où l'on considère que des forces psychiques inconscientes exercent une action perturbatrice sur le psychisme conscient.

Psychothérapies rationnelles: méthodes de traitement par lesquelles on essaie de convaincre le sujet qu'en prenant conscience des lacunes de son comportement, il lui sera possible de le modifier.

Récepteur: organisme (homme ou machine) à qui est destiné un message.

Santé mentale: état, plus relatif qu'absolu, d'une personne capable de s'adapter aux exigences fluctuantes de la réalité extérieure tout en satisfaisant ses besoins instinctuels.

Socialisation: processus d'apprentissage des attitudes, croyances, valeurs, comportements propres à une culture.

Stéréotype: manière rigide et simplifiée de concevoir et de juger des groupes de gens; attribution faite à chaque individu de l'ensemble des caractéristiques par lesquelles on définit le groupe.

Sur-moi: dans la théorie freudienne, instance psychique, en partie inconsciente, qui contient l'ensemble des normes, interdictions et idéaux qui permettent à l'individu de se juger et de juger les autres.

Typologie criminelle: classification des délinquants, à partir de différents types de critères, en catégories.

Univers d'une enquête: expression qui sert à désigner l'ensemble du groupe humain concerné par les objectifs d'une enquête ou d'un sondage.

Bibliographie

AUGER, L., *Communication et épanouissement personnel*, Montréal, Les Éditions de l'Homme, 1972, 176 p.

BANAKA, W.H., *Training in Depth Interviewing*, New York, Harper & Row, 1971, 196 p.

BATESON, G., *et al.*, *La nouvelle communication*, Paris, Éditions du Seuil, coll. Points, 1981, 372 p.

BENJAMIN, A., *La pratique de la relation d'aide et de la communication*, Paris, Les éditions ESF, 1974, 163 p.

BETTELHEIM, B., *La forteresse vide*, Paris, Gallimard, 1969, 588 p.

BOISVERT, J.-M. et M. BEAUDRY, *S'affirmer et communiquer*, Montréal, Les Éditions de l'Homme, 1979, 328 p.

De BRAY, L., *Travail social et délinquance*, Bruxelles, Éditions de l'Institut de Sociologie, 1967, 382 p.

DOUYON, E., *Psychologie du jeune délinquant*, Montréal, École de Criminologie, 1977-78, 153 p.

DUGUAY, R., *et al.*, *Précis pratique de psychiatrie*, Montréal, Chelenière et Stanké, 1981, 693 p.

GARRETT, A., *Interviewing: its Principles and Methods*, New York, Family Service Association of America, 1971, 123 p.

HÉTU, J.-L., *La relation d'aide*, Ottawa, Les Éditions du Méridien, 1982, 147 p.

JACOBSON, V., *Entretiens et Dialogues*, Toulouse, Privat, 1969, 108 p.

KADUSHIN, A., *The Social Work Interview*, New York and London, Columbia University Press, 1972, 337 p.

KAHN, R.L. et C.F. CANNELL, *The Dynamics of Interviewing*, New York, John Wiley and Sons, 1957, 368 p.

LAGIER, P.M., *Techniques d'intervention criminologique*, Montréal, École de Criminologie, 1981, 261 p.

MUCCHIELLI, R., *Communication et réseaux de communication*, Partie connaissance du problème, 2e éd., Paris, Les éditions ESF, 1973, 92 p.

MUCCHIELLI, R., *L'entretien de face à face dans la relation d'aide*, Partie connaissance du problème, Paris, Les éditions ESF, 1970, 74 p.

MUCCHIELLI, R., *L'interview de groupe*, Partie connaissance du problème, 3e éd., Paris, Les éditions ESF, 1974, 73 p.

MUCCHIELLI, R., *Le questionnaire dans l'enquête psychosociale*, Partie connaissance du problème, Paris, Les éditions ESF, 1971, 77 p.

NAHOUM, C., *L'entretien psychologique*, Paris, Presses Universitaires de France, 1967, 177 p.

PAGÈS, M., *L'orientation non directive en psychothérapie et en psychologie sociale*, Paris, Dunod, 1970, 181 p.

ROGERS, C. et G.M. KINGET, *Psychothérapie et relations humaines*, vol. II, La Pratique, par G.M. Kinget, Louvain, Publications universitaires de Louvain, 1973, 260 p.

ROGERS, C., *Le développement de la personne*, Montréal, Bordas Dunod, 1976, 286 p.

ROGERS, C., *Un manifeste personnaliste*, Paris, Bordas Dunod, 1979, 241 p.

SAINT-ARNAUD, Y., *La Personne humaine*, Montréal, Les Éditions de l'Homme, 1974, 199 p.

WATZLAWICK, P., *et al.*, *Une logique de la communication*, Paris, Éditions du Seuil, coll. Points, 1972, 280 p.

Index

transcontinental
IMPRESSION
IMPRIMERIE GAGNÉ